U0947010

澳大利亚文学经典
Australian Classics

Not Dark Yet: A Personal History

David Walker

光明行——家族的历史

（澳）大卫·沃克／著
李尧／译

青岛出版社
QINGDAO PUBLISHING HOUSE

编委会

鸣 谢

WESTERN SYDNEY
UNIVERSITY

Foundation for Australian
Studies in China

本译文集荣获北京外国语大学、内蒙古师范大学、西悉尼大学、在华澳大利亚研究基金会的大力支持，特此感谢！

总序 ❶

General Preface

I am pleased to introduce this important collection of Australian literature translated by Li Yao.

The 40th anniversary of Li Yao's career as a translator is a timely occasion to revisit some of Australia's great literary works.

Thanks to Li Yao's unwavering commitment to translating Australian literature into Chinese, works by Alexis Wright, Patrick White, Thomas Keneally, and Colleen McCullough, among others, will continue to delight readers in China.

We can see in this collection the uniqueness of Indigenous stories and writing that reflects Australia as a contemporary, diverse society.

The breadth of this collection and the interest in China in Li Yao's translation of Australian works reflect both the richness of Australian literature and the depth of the ties between Australia and China.

The publication coincides with the 45th anniversary of the establishment of diplomatic relations between Australia and China in December 1972, providing an opportunity to celebrate what has already been achieved and to consider how we can further enrich each other's societies, including through literary exchange.

The many partnerships between authors, translators, editors, publishers and readers that have made this collection a reality form an important part of the great fabric of the Australia-China relationship,

I congratulate the Editorial Board, in particular Professors Sun Youzhong, Zhang Haifeng and Li Jianjun; Beijing Foreign Studies University, Inner Mongolia Normal University, Western Sydney University and the Foundation for Australian Studies in China, as well as the publisher of the collection, Qingdao Publishing Group.

I am sure these stories will continue to inspire interest in Australia and in Australian literature in China.

Jan Adams Ao PSM
November, 2017

总序 ❶

General Preface

我很高兴在此向大家介绍李尧翻译的这套重要的澳大利亚文学作品选集。

在李尧翻译生涯进入第四十个年头的时候，重温澳大利亚一些伟大的文学作品可谓正逢其时。

正是由于李尧对澳大利亚文学作品中译的不懈努力，亚力克西斯·赖特、帕特里克·怀特、托马斯·肯尼利和考琳·麦卡洛等人的作品将继续给中国读者带来愉悦。

从这部译文集里，我们既能看到澳大利亚独特的原住民故事，也能读到反映澳大利亚现代、多元社会的作品。

译文集的跨度以及李尧译作中的中国兴趣既反映了澳大利亚文学的丰富性，也体现了中澳两国关系的深度。

中澳两国1972年12月建立外交关系，译文集的出版正值建交四十五周年。这也为我们提供了一个契机，庆祝所取得的成就，并思考如何通过文学交流等方式丰富彼此的社会。

作者、译者、出版社和读者之间的诸多伙伴关系促成了这部译文集的完成，这也是构成中澳关系丰富肌理的一个重要部分。

我祝贺编委会，特别是孙有中教授、张海峰教授和李建军先生，也要祝贺北京外国语大学、内蒙古师范大学、西悉尼大学、在华澳大利亚研究基金会以及这部译文集的出版方——青岛出版集团。

我相信译文集中的故事将继续在中国唤起人们对澳大利亚及其文学的兴趣。

澳大利亚驻华大使 安思捷

2017 年 11 月

总序 ❷

General Preface

德国文学、法国文学、英国文学、俄罗斯文学、美国文学和日本文学介绍到我国已经有了很长一段历史，从十九世纪末到二十世纪初期出现了大量各国文学译本。特别是日本文学，据查，在明代已经有李言恭、郑杰编纂的日本短歌39首被译为中文。澳大利亚文学进入中国则是比较近期的事。1953年上海出版公司出版了詹姆斯·阿尔德里奇(James Aldridge)的小说《外交官》(*The Diplomat*)的中文译本，这是我国出版的第一部澳大利亚小说。1954年出版了弗兰克·哈代(Frank Hardy)的《幸福的明天》（*Journey into the Future*）和《不光荣的权力》（*Power Without Glory*），此后又陆续出版了一些长篇和短篇小说以及一些诗集和剧本，包括凯瑟琳·苏珊娜·普里查德(Katharine Susannah Prichard)的《沸腾的九十年代》（*The Roaring Nineties*），朱达·沃顿(Judah Waten)的《不屈的人们》（*The Unbending*）等。[①]但是，总的来说，在二十世纪五十至七十年

①陈弘：《20世纪我国的澳大利亚文学研究述评》，《华东师范大学学报（哲学社会科学版）》2012年第6期。

代，我国的澳洲文学翻译不仅数量很少，而且，由于当时的时代背景，翻译的选题范围狭窄，作品内容单一。

这一局面的改变得益于1978年我国开始实行的改革开放政策。在这一年，发生了一些对澳洲文学翻译具有深远意义的事情。安徽大学成立了大洋洲文学研究所，推出《大洋洲文学》期刊，翻译出版了澳大利亚、新西兰的一些文学作品。人民文学出版社出版了刘寿康翻译的《劳森短篇小说集》。这一年年底，教育部将全国选拔出的9位中年教师集中于北京，准备派往悉尼大学。这就是日后人们戏称“九人帮”的一批学者。在悉尼大学，他们虽然分属英文系和语言学系攻读硕士学位，但多数都选学了澳大利亚文学课程。这一批学者在学成归国后，在推动澳大利亚研究方面发挥了重要的作用。也就是在这一年，李尧先生开始了他漫长的文学翻译之旅。

二十世纪八十和九十年代是一个热气腾腾的时代。澳大利亚文学翻译呈现出勃勃生机。在这一时期出版的澳大利亚文学作品包括艾伦·马歇尔(Alan Marshall)的《我能跳过水洼》(*I Can Jump Puddles*)，罗尔夫·博尔德沃德(Rolf Boldrewood)的《空谷蹄踪》(*Robbery Under Arms*)，帕特里克·怀特(Patrick White)的《风暴眼》(*The Eye of the Storm*)、《人树》(*The Tree of Man*)、《探险家沃斯》(*Voss*)、《树叶裙》(*A Fringe of Leaves*)和《镜中瑕疵》(*Flaws in the Glass*)，迈尔斯·弗兰克林(Miles Franklin)的《我的光辉生涯》(*My Brilliant Career*)，兰道夫·斯托(Randolph Stow)的《归宿》(*To the Island*)，托马斯·肯尼利(Thomas Keneally)的《辛德勒的名单》(*Schindler's List*)和《内海的女人》(*Woman of the Inner Sea*)，彼得·凯里(Peter Carey)的《奥斯卡和露辛达》(*Oscar and Lucinda*)以及一批短篇小说集和诗集。

杰克·希伯德(Jack Hibberd)的剧本《想入非非》(*A Stretch of the Imagination*)不仅翻译出版，而且在京沪两地公演。综前所述，可以看出我国译者不断拓展澳大利亚文学翻译的范围，将不同背景、不同流派的作家纳入自己的视野，使得澳洲文学翻译在我国不仅数量激增，而且内容也发生了实质性的变化。

致力于翻译和介绍澳大利亚文学的中国学者是一个群体，既包括早期的马祖毅、刘寿康等，也包括八十年代初从澳大利亚归来的留学学者黄源深、胡文仲等，他们一直处在澳大利亚文学翻译、教学和研究的第一线。译者中还包括朱炯强、叶胜年、曲卫国、欧阳昱、李尧等。这一大批译者在介绍和推广澳大利亚文学方面成绩显赫。其中李尧的贡献尤为突出。除了文学翻译，还应该特别提到黄源深教授撰写的《澳大利亚文学史》以及王国富教授主编翻译的《麦夸里英汉双解词典》，这两部巨著对于澳大利亚文学研究和翻译都起了重要的作用。

李尧先生致力于文学翻译四十年，主要从事澳大利亚文学翻译，也翻译出版了部分英美文学作品，总计52部，字数逾千万，在我国翻译界如此多产的译者实属少见。李尧翻译的作品涵盖澳大利亚作家老中青三代，既包括老一代作家帕特里克·怀特，托马斯·肯尼利，亚历克斯·米勒等，也包括中年作家彼得·凯里，尼古拉斯·周思等，还包括一些年轻的儿童文学作家。从文学流派看，现实主义、现代主义和魔幻现实主义都囊括其中。此次出版的《李尧译文集》只占他翻译的澳大利亚文学作品的约三分之一。收入集子的作品大部分获得过文学大奖，在澳洲文学中具有一定的代表性，有些则是考虑到作家在中国的影响或者题材与中国有关。这一译文集集中反映了李尧在澳大利亚文学翻译方面的成就。

李尧先生 1966 年毕业于内蒙古师范大学外语系，从事记者工作和文学创作二十余年，发表过报告文学、散文、小说等近百万字，1986 年成为中国作家协会会员。正是由于李尧的作家背景，他翻译的文学作品具有一个突出特点：文字优美，行文流畅。阅读他翻译的作品，给人以欢畅淋漓的感觉。李尧回忆说："我翻译小说的时候，常常是从一个写小说的人的角度出发，像我自己写小说一样，体会、捕捉作者的思路，创作的技巧，注意人物性格化语言的翻译。不是只从字面上去对应。我看懂原文，就用自己的语言而不是字典上的意思去翻译。这样译出来的东西就比较鲜活，可读性强。"翻译亚历克西斯·赖特(Alexis Wright)的《卡彭塔利亚湾》（*Carpentaria*）难度很大。作者是澳大利亚当代最有成就的原住民作家。小说涉及澳大利亚原住民的宗教信仰、部族矛盾、生产生活方式、风土人情、历史渊源等，而且写作方法也比较独特。李尧在翻译这部小说前，大量阅读了有关澳大利亚原住民历史文化的著作，同时不断和作者联系，取得她的帮助。悉尼大学在授予李尧荣誉文学博士学位时指出："《卡彭塔利亚湾》是李尧毕生从事文学翻译和四十余年来中澳文化交流的巅峰之作。"有评论指出："《卡彭塔利亚湾》是纯文学性文本，李尧先生翻译策略的选择，让译文洋溢着一种梦幻般的抒情色彩，充满文学情调，让读者感受到澳大利亚古老土地的荒芜。"①

翻译从来都不是简单地把一种语言变成另一种语言的过程。王佐良先生对于翻译，特别是文学翻译，曾经发表过许多重要的论述。他指出："因为有翻译，哪怕是不免出错的翻译，文化交流才成为可能。

---

①张华：《纽马克文本翻译理论与李尧文学文本翻译策略》，《安徽工业大学学报（社会科学版）》，2016 年第 5 期。

语言学家、文体学家、文化史家、社会思想家、比较文学家都不能忽视翻译。这不仅是因为通过翻译者的辛勤劳动才使得一国的文化遗产能为全世界的人所用，还因为译者做的文化比较远比一般人要细致、深入。他处理的是个别的词，他面对的则是两大片文化。”[①] 李尧正是通过他的文学翻译将独特的澳洲大陆文化介绍给了拥有悠久历史文化传统的中国人民。

李尧先生几十年来耕耘在澳大利亚文学翻译这片土地上，他的勤奋努力非常人所可比拟，他经常夜以继日地工作，节假日也很少休息。他在澳大利亚文学翻译方面的成就获得了广泛的认可，于1996、2008、2012年三次获得澳中理事会颁发的澳大利亚文学翻译奖。2014年被悉尼大学授予荣誉文学博士学位。表彰词指出，李尧“在中国，在文学翻译和澳大利亚研究方面作出了杰出的贡献。他把许多澳大利亚作家介绍给中国读者，包括帕特里克·怀特，托马斯·肯尼利，亚历克西斯·赖特，为中国读者更好地了解澳大利亚和澳大利亚人民提供了丰富的资源”。

澳大利亚文学翻译在中国的成功首先是由于译者的努力和奉献，但与澳大利亚作家们对中国的友好感情也紧密相关。许多译者都与澳大利亚作家有过密切而友好的交流，从他们那里得到了无私的帮助。澳中理事会在推动澳大利亚文学翻译和澳大利亚学术研究方面也起了至关重要的作用。最后，还应该提到中国出版界对于澳大利亚文学翻译的兴趣和关注。没有他们一以贯之的支持就不可能有今天澳大利亚文学翻译在中国的丰收。

---

①王佐良：《翻译中的文化比较》，《王佐良全集》第8卷252页，外语教学与研究出版社，2016年。

2018年适逢中国澳大利亚学会成立三十周年，也恰是李尧先生从事文学翻译四十周年。北京外国语大学、内蒙古师范大学、西悉尼大学和在华澳大利亚研究基金会共同发起出版的十卷本《李尧译文集》既是对于李尧几十年来从事澳大利亚文学翻译的充分肯定，更是繁茂的中澳文化交流之见证。我们相信，澳大利亚文学翻译事业今后在我国必将取得更长足的进步，在促进中澳文化交流方面也必将起到更大的作用。

胡文仲

2017年8月27日

总序 ❸

General Preface

It is my great honour to have been asked to write a General Preface for this important series of award-winning translations of Australian literature by Professor Li Yao, to be published by Qingdao Publishing House. The series is in celebration of Professor Li Yao's 40th Anniversary as a translator of Australian literature, which coincides with the 45th Anniversary of the establishment of diplomatic relations between our two countries. As I will explain, these two anniversaries are closely connected.

The Australian Labor Party, led by Gough Whitlam, had recognised the Peoples' Republic of China as early as 1955, but it was another seventeen years before it was elected into government, on 2 December 1972. Less than three weeks later, on 21 December 1972, Prime Minister Gough Whitlam signed the joint communique establishing diplomatic relations between Australia and The Peoples' Republic of China. Under the terms of the Communique, the two Governments agreed to "develop … diplomatic relations, friendship and co-operation between the two countries on the basis of the principles of mutual respect … equality and mutual benefit, and peaceful coexistence".

The Australian Embassy in Beijing was opened on 12 January 1973, and later that year Gough Whitlam became the first Australian Prime Minister to visit China, holding historic meetings with Zhou Enlai and Mao Zedong. Whitlam's establishment of diplomatic relations between Australia and China has been described as the single most important event in relations between our two countries in the twentieth century, and remains the foundation of the relationship today.

In addition to trade and tourism, cultural and educational exchanges have been of increasing importance to the relationship between our two countries. Since the 1970s, these links have included the study of Australian literature. The first five Chinese students to study in Australian universities after the establishment of diplomatic relations arrived in 1975, and the number increased rapidly from the late 1980s. Professor Li Yao's career in translating Australian literature for generations of Chinese readers has been central to this story of cultural exchange.

After graduating from Inner Mongolian Normal University in 1966, Li Yao worked as a writer and editor for journals in Inner Mongolia until his appointment as Professor of English at the Training Centre of the Ministry of Commerce in Beijing in 1992. He became a member of the Chinese Writers' Association in 1986, specialising in literary translation. At that time, he started collaborating with Professor Hu Wenzhong at Beijing Foreign

Studies University on the translation of Australian literature. Professor Hu is a graduate of the University of Sydney, a member of the so-called "Gang of Nine", who were among the first students from China to undertake graduate study in Australia after the Cultural Revolution of 1966 to 1976. In 1979, the "Gang of Nine" studied under my predecessor as Professor of Australian Literature at the University of Sydney, Professor Dame Leonie Kramer. I was then a young tutor in the English Department researching my own PhD thesis, and I well remember the presence of our Chinese visitors in the Department. The "Gang of Nine" proved influential in developing Australian Studies in China after their return. Since that time, over 30 Australian Studies Centres have been set up across China. A number of these centres have courses on Australian literature, and have people working on translating and introducing Australian literature to Chinese readers. They include Peking University and Beijing Foreign Studies University, where Professor Li Yao teaches advanced translation studies, as well as, Shanghai's East China Normal University, Renmin University, Anhui University, Suzhou University, Inner Mongolia University and Inner Mongolia Normal University.

It was Professor Hu Wenzhong who first encouraged Li Yao to make his career in the study and translation of Australian literature. When they met in Beijing in the mid 1980s, Professor Hu explained that Australian literature was still an untouched field in China, and he encouraged Li Yao to devote himself to this area and make a contribution to it as a translator. Before the Cultural Revolution, Chinese readers had some familiarity with American, British, Russian, French, German and other European literatures, but they knew little about Australian literature. At that time, only Henry Lawson, Frank

Hardy and a few other "social realist" writers were known through translation. Collaborating together, Professor Hu and Li Yao translated Patrick White's The Tree of Man, which was published by Shanghai Translation Publishing House in 1991. Patrick White was Australia's most famous writer, having won the Nobel Prize in 1973. Unlike the earlier realist writers, he was significant because his novels mediated Australian experience and the Australian landscape through the stylistic innovations of international modernism.

After collaborating with Professor Hu, Li Yao continued to translate Australian literature, carrying on the tradition that he had initiated. Li Yao today has translated a staggering total of 35 titles. The list of his translations includes novels by Brian Castro, Richard Flanagan, Anita Heiss, Colleen McCulloch, David Malouf, Alex Miller, and Kim Scott, as well as important works of history and non-fiction. Most of Li Yao's translations were generously supported by funding from the Australia-China Council, the Literature Board of the Australia Council and FASIC, the Foundation for Australian Studies in China. The works selected for re-printing in the 45th Anniversary series include many of the novels that have gone on to achieve fame both in Australia and internationally through their winning of prizes such as the Miles Franklin Literary Award, the Commonwealth Writers Prize, and the Man Booker Literary Award. His translations include Patrick White's novels, The Tree of Man and A Fringe of Leaves, and his autobiography, Flaws in the Glass; two of the earliest novels about Australian-Chinese relationships, Brian Castro's Birds of Passage, and Alex Miller's The Ancestor Game; and Avenue of Eternal Peace, by academic and former cultural officer in Beijing, Nicholas Jose. The list also includes titles by the three Australian authors who have won the prestigious Man Booker Literary Prize: Peter Carey's True History of the Kelly Gang, Tom Keneally's Woman of the Inner Sea and Richard Flanagan's Gould's Book of Fish. In addition to The Ancestor Game, which won both the Miles Franklin Literary Award and the Commonwealth Writers Prize, there are two other novels by Alex Miller, Landscape of Farewell and Coal Creek. In addition to works of fiction, Li Yao's translations of important works of non-fiction include David Walker's memoir Not Dark Yet, and Mara Moustafine's Secrets and Spies: The Harbin Files, both of which in different ways touch on people-to-people Chinese-Australia links.

In more recent years, Li Yao has continued to provide leadership and innovation by keeping up with the latest developments in Australian literature, and continuing to introduce new works by Australian writers to Chinese readers. He has recently shown a particular interest in the areas of Australian children's literature, and writing by Australia's Indigenous authors, and there are examples of these works also included in the Anniversary series. Sponsored by the Australia-China Council, from 2010 Li Yao worked to select and translate 10 Australian children's books, including such well-known and loved classics as Ethel Pedley'sDot and the Kangaroo, May Gibbs' Tales of Snugglepot and Cuddlpie, Ethel Turner's Seven Little Australians, Dorothy Wall's Blinky Bill, Ruth Park's The Muddle-Headed Wombat, and Colin Thiele's Storm Boy. These books were published by People's Literature Publishing House and have become very popular in China. New editions of Dot and the Kangaroo and Seven little Australians are to be published by China Youth Publishing House. Li Yao has reaffirmed his commitment to promoting Australian children's books in China, and will introduce more titles into this series, which is to be called his Koala Books series.

Since 2006, with the help of his great friend, the novelist, academic, and former cultural counsellor, Professor Nicholas Jose, Li Yao has been researching and translating Australian Aboriginal Literature. His translations include Kim Scott's Benang: From the Heart, Alexis Wright's Carpentaria, and Anita Heiss' Who Am I. He is currently working on a translation of Alexis Wright's The Swan Book. He hopes that these books will expand Chinese understanding of Australia, aware that Australian Aboriginal literature has not been introduced to China systematically so far, and so to most Chinese readers this is still an unfamiliar field.

In addition to his translation and teaching at PKU, Li Yao has served as a council member of the Chinese Association for Australian Studies since it began in 1988. He won the Australia-China Council's inaugural Translation Prize in 1996 for his translation of Alex Miller's The Ancestor Game, in 2008 for Nicholas Jose's The Red Thread, and again in 2012 for his translation of Alexis Wright's Carpentaria. He was awarded the Council's gold medal in 2008 for his distinguished contribution in the field of Australian literary translation in China.

Perhaps because of White's own fame as Australia's only Nobel Prize winning writer, Li Yao is known especially in Australia as a champion of Patrick White in China. His translation of The Tree of Man has been reprinted three times in the past twenty five years, selling over 20,000 copies. White's autobiography, Flaws in the Glass, has also been reprinted three times, seeling more than 12,000 copies. His translations of The Tree of Man, Flaws in the Glass, The

Ancestor Game, True History of the Kelly Gang, and Carpentaria have been well reviewed and well received in China, and many students have gone on to write their Masters and PhD dissertations on these world-class Australian novels, having been first introduced to them by Li Yao.

Li Yao's translation of Carpentaria perhaps deserves special comment as the culmination of a lifetime's work, and some forty years' cultural exchange between the two countries. The novel imagines Australian life from an Aboriginal perspective; it is written from within the Aboriginal life world, in a unique style that might be described as a kind of Aboriginal magical realism. Among Chinese translators of Australian literature, only Li Yao had the depth of experience to take on the challenging task of translating such a masterwork from another culture into Mandarin. He saw it through to publishing with the prestigious People's Literature Publishing House and gathered support from leading Chinese writers, including Nobel literature laureate Mo Yan, who launched it at the Australian Embassy in Beijing.

Today Li Yao remains very actively engaged with Australian literature. Most recently, he was an honoured guest of the 2017 Conference of the Association for the Study of Australian Literature (ASAL) in Melbourne, where he addressed an interested and appreciative audience of Australian scholars about his life's work. Li Yao is always open to advice on new titles of interest. Chinese readers are currently very interested in Tom Keneally's works, for example, and he plans to translate Shame and the Captives. He remains interested in Australian Indigenous Literature and Children's books, and plans to translate further new novels by his friend Alex Miller. He is also co-writing, with Professor David Walker, a memoir about his and his family's experiences in and after the War of Liberation and in the early years of New China and in the Cultural Revolution. This is a book that will be eagerly read by his many friends in Australia.

Li Yao has shown extraordinary dedication in his sustained commitment to the translation of Australian literature in China. No one in China knows more about Australian writing today than Li Yao, who has many friends among authors and literary scholars in Australia. In 2014, I attended a ceremony in the University of Sydney's historic Great Hall in which Li Yao was awarded an Honorary Doctorate for his services to Australian literature. It was a proud moment for the University that had played so foundational a role in Australian literary studies, both in Australia and China. "I love Australian literature', Li Yao has said. "It is an important pillar of world literature. Over the past four decades, I have nurtured great friendships with many outstanding authors from Australia. In translating their works, my own life has changed immensely". In retrospect, we can see that Li Yao's career in literary translation has been exemplary in fulfilling the terms of the 1972 Communique, with which it is approximately contemporary: that is, to "develop … diplomatic relations, friendship and co-operation between the two countries on the basis of the principles of mutual respect … equality and mutual benefit, and peaceful coexistence".

Professor Robert Dixon, FAHA
Professor of Australian Literature
The University of Sydney
July 2017

总序 ❸

General Preface

我十分荣幸地应邀为李尧教授这套重要的澳大利亚文学优秀翻译作品写序。这套书为庆祝李尧教授从事澳大利亚文学翻译四十周年，由青岛出版社出版，恰逢我们两国建立外交关系四十五周年。我要指出的是，这两个周年纪念日密切相关。

高夫·惠特拉姆领导的工党早在1955年就承认了中华人民共和国。可是直到十七年之后，1972年12月2日，该党才成为执政党。1972年12月21日，高夫·惠特拉姆就任总理不到三个星期，便与中国政府签订了澳大利亚与中华人民共和国建立外交关系的联合公报。根据《公报》，两国政府同意“在互相尊重……平等互利、和平共处的原则基础之上，发展两国间的外交关系、友谊和合作”。

1973年1月12日，澳大利亚驻华大使馆在北京正式开馆。同年晚些时候，高夫·惠特拉姆成为第一位访华的澳大利亚总理，并且与周恩来、毛泽东进行了历史性的会晤。惠特拉姆创建的澳大利亚与中国的外交关系一直被描绘为二十世纪我们两国之间发生的最重要的事件，时至今日，仍然是两国关系的重要基础。

除了贸易和旅游业，文化教育交流对于我们两国关系的发展起到越来越重要的作用。从二十世纪七十年代起，这种交流便将澳大利亚文学研究囊括其中。建立外交关系之后，1975年，第一批五位中国学生到澳大利亚大学学习。李尧教授为几代中国读者翻译澳大利亚文学的生涯一直以这种文化交流为中心。

1966年，李尧从内蒙古师范大学毕业之后，作为作家和文学杂志编辑一直在内蒙古工作，直到1992年到北京商务部培训中心任英语教授。他1986年加入中国作家协会，专事文学翻译。从那时起，开始和北京外国语大学胡文仲教授合作翻译澳大利亚文学作品。胡文仲教授是悉尼大学的研究生，所谓“九人帮”之一。“九人帮”是1966到1976年“文革”之后，第一批从中国到澳大利亚攻读硕士学位的学者。1979年，他们师从我的前辈——悉尼大学澳大利亚文学教授雷欧妮·克雷默爵士。我那时是英语系一个年轻的辅导员，正在做博士论文。时至今日还清楚地记着活跃在系里的这几位中国访问学者。

“九人帮”学成回国之后，对推动中国的澳大利亚研究起到很大的影响作用。从那时候起，在中国各地已经建立起三十多个澳大利亚研究中心。许多学者把澳大利亚文学翻译介绍给中国读者，不少“中心”开设澳大利亚文学课程。包括北京大学、北京外国语大学——李尧教授在这两所大学教授澳大利亚文学翻译——华东师范大学、人民大学、安徽大学、苏州大学、内蒙古大学、内蒙古师范大学。

最初，是胡文仲教授鼓励李尧从事澳大利亚文学研究与翻译。二十世纪八十年代，他们在北京相识。胡教授说，澳大利亚文学在中国还是一块未开垦的处女地。他鼓励李尧作为翻译者致力于这一领域，作出贡献。“文革”前，中国读者对美国、英国、俄罗斯、法国、德国和其他欧洲国家的文学比较熟悉，但是对澳大利亚文学知之甚少。那时候，只有亨利·劳森、弗兰克·哈代和少数几位“社会主义现实主义”作家通过翻译为中国读者所知。1991 年，上海译文出版社出版了胡教授和李尧合作翻译的帕特里克·怀特的《人树》。帕特里克·怀特是澳大利亚最著名的作家之一，1973 年获得诺贝尔文学奖。他之所以影响深远，是因为和早期现实主义作家不同，他的小说通过国际现代主义文体创新，展示了澳大利亚社会与澳大利亚风土人情。

和胡教授合作之后，李尧坚持翻译澳大利亚文学，把他已经继承的传统传承下去。迄今为止，他已经翻译了多达三十五部的澳大利亚文学作品，其中包括布莱恩·卡斯特罗、理查德·弗兰纳根、阿尼塔·海斯、考琳·麦卡洛、大卫·马鲁夫、亚历克斯·米勒和金姆·斯科特等多位作家的小说。还有历史与非小说译作出版。李尧大多数翻译作品的出版都得到澳中理事会、澳大利亚理事会文学委员会、在华澳大利亚研究基金会的资助。为纪念中澳建交四十五周年重新选择出版的这套译著包括业已在澳大利亚和世界范围内赢得盛誉的作品。这些作品有的获得“迈尔斯·富兰克林文学奖”，有的获得“英联邦作家奖”，有的获得“布克国际文学奖”。他的译著还包括帕特里克·怀特的长篇小说《人树》《树叶裙》、自传《镜中瑕疵》；表现澳中关系最早的两部小说：布莱恩·卡斯特罗的《候鸟》和亚历克斯·米勒的《浪子》；著名学者、前澳大利亚驻华大使馆文化官员尼古拉斯·周思的《长安大街》。还有赢得“布克国际文学奖”的三位作家的作品：彼得·凯里的《凯利帮真史》、托马斯·肯尼利的《内海的女人》、理查德·弗兰纳根的《古尔德鱼书》。除了获得“迈尔斯·富兰克林文学奖”和“英联邦作家奖”的《浪子》之外，李尧还翻译了亚历克斯·米勒的《别了，那道风景》和《煤河》。还有一些重要的非小说类作品，包括大卫·沃克的家族史《光明行》

和马拉·穆斯塔芬的《哈尔滨档案》。这两本书都从不同的角度记录了中澳两国普通人之间的关系。

最近几年，李尧紧跟澳大利亚文学的最新发展，继续把澳大利亚作家的新作品介绍给中国读者。他对澳大利亚儿童文学和澳大利亚原住民作家的作品特别关注。这个纪念译文集也收入了相关作品。从2010年起，李尧在澳中理事会的支持下，选择并组织力量翻译了十本澳大利亚儿童文学经典，包括深受几代读者喜爱的埃塞尔·帕德利的《多特和袋鼠》、梅·吉布斯的《小胖壶和小面饼》、埃塞尔·特纳的《七个澳大利亚小孩儿》、多萝西·沃尔的《眨眼睛的比尔》、鲁斯·帕克的《糊里糊涂的树袋熊》和科林·蒂勒的《暴风雨中的男孩》。这些书由人民文学出版社出版，在中国很受欢迎。《多特和袋鼠》《七个澳大利亚小孩儿》新版将由中国青年出版社出版。李尧决心为推动澳大利亚儿童文学作品在中国的翻译出版作出更大的贡献。他将翻译介绍更多的儿童文学作品，收入他的“考拉丛书”。

自从2006年起，在他的好朋友——学者、作家、前文化参赞尼古拉斯·周思教授的帮助下，李尧一直在研究、翻译澳大利亚原住民文学。已经出版的作品有金姆·斯科特的《心中的明天》、亚历克西斯·赖特的《卡彭塔利亚湾》和阿尼塔·海斯的《我是谁》。他目前正在翻译亚历克西斯·赖特的《天鹅书》。鉴于澳大利亚原住民文学到目前为止还没有被系统地介绍到中国，对大多数中国读者而言，那还是一个不熟悉的领域，李尧希望这些书能使中国读者对澳大利亚有更多的了解。

除了从事文学翻译以及在北京大学、北京外国语大学教授澳大利亚文学翻译之外，李尧从1988年中国澳大利亚研究学会成立以来，一直担任学会理事。1996年，他因翻译亚历克斯·米勒的《浪子》获得澳中理事会首次在中国颁发的翻译奖，2008年因翻译尼古拉斯·周思的《红线》、2012年因翻译亚历克西斯·赖特的《卡彭塔利亚湾》又连续两次获此殊荣。2008年因其在澳大利亚文学翻译领域的杰出贡献，获澳中理事会颁发的金奖章。

也许因为怀特作为澳大利亚唯一的诺贝尔文学奖获得者享有盛名，李尧也因其在中国翻译介绍帕特里克·怀特的作品在澳大利亚广为人知。在过去的二十五年里，他和胡文仲教授合作翻译的《人树》先后印刷三次，销售量超过20000册。怀特的自传《镜中瑕疵》也被印刷三次，销售量超过12000册。他翻译的《人树》《镜中瑕疵》《浪子》《凯利帮真史》和《卡彭塔利亚湾》在中国受到好评和欢迎。不少学生依据李尧第一次介绍到中国的这些世界第一流的澳大利亚文学作品，撰写硕士和博士论文。

李尧的译作《卡彭塔利亚湾》作为他毕生从事文学翻译以及四十多年来两国文化交流的巅峰之作，也许特别值得一提。这部小说从原住民的视角出发，以一种也许可以称之为原住民魔幻现实主义的独特风格想象了澳大利亚的生活。在中国的澳大利亚文学翻译者中，也许只有李尧因其具有丰富的经验，可以接受挑战，将这样一部杰作从一种完全不同的文化翻译为中文。2012年，他克服了重重困难，在久负盛名的人民文学出版社出版此书。该书翻译出版过程中，得到多位中国著名作家的支持。诺贝尔文学奖获得者莫言在澳大利亚驻华大使馆为《卡彭塔利亚湾》举行的新书发布会揭幕，并做了热情洋溢的发言。

今天，李尧依然活跃在澳大利亚文学研究的舞台上。最近，作为在墨尔本召开的“澳大利亚文学研究会2017年会”（ASAL）的贵宾，他对兴趣盎然、不无赞赏的澳大利亚学者讲述了自己毕生的工作。李尧总是乐于倾听同事们对新的、有趣的选题的建议。比如，最近中国读者对托马斯·肯尼利的作品很感兴趣，他就计划翻译这位文学大师的《耻辱和俘虏》。他对澳大利亚原住民文学和儿童文学依然表现出浓厚的兴趣，计划翻译他的朋友亚历克斯·米勒的新小说。他与大卫·沃克教授正在合作撰写关于他和他的家族在解放战争前后、新中国建立初期以及“文革”中经历的纪实文学作品。这是一本令他许多澳大利亚朋友热切期待的书。

李尧在中国长期致力于澳大利亚文学翻译，表现出非同寻常的献身精神。在中国，没有人比李尧对澳大利亚文学作品更了解。他在澳大利亚作家和文学工作者中有许多朋友。2014 年，我在悉尼大学历史悠久的大会堂参加了授予李尧荣誉文学博士的典礼。对于这所无论在澳大利亚还是中国都在澳大利亚文学研究领域起到基础性作用的大学来说，这是一个骄傲的时刻。“我热爱澳大利亚文学。”李尧说，“它是世界文学的重要支柱。在过去的四十年里，我和许多澳大利亚优秀作家结下了深厚的友谊。在翻译他们作品的过程中，我自己的生活也发生了巨大的变化。”回顾往事，我们可以看到，李尧的文学翻译生涯，堪称实现 1972 年《公报》初衷的楷模。今天，我们依然为之努力，那就是“在互相尊重……平等互利、和平共处的原则基础之上，发展两国间的外交关系、友谊和合作”。

罗伯特·迪克逊
澳大利亚人文科学院院士
悉尼大学澳大利亚文学教授
2017 年 7 月

目录

CONTENTS

第一章 光明尚存

我正在读弗雷德里克·普罗科斯的《亚洲人：一部小说》。我读得很出神，可是右手这页读到一半的时候，一行字突然变得弯弯曲曲。起初，我没有注意。这当然有点怪，但是我当时判断，这事儿没有多严重，充其量也就像一粒沙子掉到鞋子里硌得难受罢了。那是冬天一个星期日的下午，正是待在家里看书的好时候。看得见窗外的蕨和喜马拉雅竹子。寒风揪扯着竹子，我眨了眨眼。也许风把细沙子吹到眼里了。

我花了好长时间才找到一本《亚洲人》。我是在教堂里偶然发现这本书的。和平常一样，我径直向那堆书走去。乔吉特·海尔[①]、艾瑞克·范·勒斯贝德和汤姆· 克兰西[②]的书混杂在一起堆在那儿。我浏览书名，突然出人意料地看见《亚洲人》和

---

①乔吉特·海尔：英国女作家，1926 年出版代表作《爱与恨的抉择》。

②汤姆·克兰西（1947—）：美国军事作家，当今世界最畅销的反恐惊悚小说大师。代表作有《猎杀“红十月”号》《惊天核网》《分裂细胞》等。

别的“伙伴们”可怜巴巴地待在一起。我觉得周围的人都想弄到这本书，便手疾眼快，拿了过来。这本书不是查托·温达斯出版社一九三五年出版的第一版，而是费伯书局一九八三年出版的美观大方、价格完全可以接受的平装本。封面上印着安德烈·纪德的导语，称《亚洲人》是一本“充满想象力的、技艺高超令人惊讶的佳作”。而阿尔伯特·加缪[①]称赞普罗科斯是“一位表达情绪与潜在含义的艺术大师，一位呈现某种感觉的行家里手……”

普罗科斯是一位美国作家，生于一九〇八年，和我的父亲吉尔伯特·约翰·沃克同岁。人们通常管我父亲叫吉尔。父亲未必读过《亚洲人》。他没有受过高深的教育，也就能当个小学教员罢了。我从来没见过他老老实实坐在那儿读点儿什么。阿德莱德的《广告报》每天都会送到门上，父亲却总是站在厨房餐桌旁边随便翻翻，看上几眼。他的兴趣主要在股市上，也喜欢留意婚丧嫁娶的广告。二〇〇五年，父亲的名字也出现在报纸的讣告栏，活了几乎一个世纪。比一九八九年去世的普罗科斯晚走了许多年。

父亲虽然没有读过多少书，但他对这个世界正在发生的事情还是有自己的看法。这些看法自然不是来自书本上的那个世界。他在南澳大利亚北部铜矿之乡巴拉长大。一九七九年，这个名字出现在《巴拉章程》上。这份文件为保护和管理文化遗产制定了明确的标准。巴拉和周围的村庄当然有一段与众不同

①阿尔伯特·加缪（1913—1960）：法国小说家、哲学家、戏剧家、评论家。出生于阿尔及利亚的蒙多维城。

的采矿史。一八四五年，这里发现了铜。世界各地的矿工、建筑工人、工程师以及各式各样的冒险者、投机家蜂拥而至。大多数矿工来自康沃尔[①]。还有一些来自威尔士[②]、苏格兰、英格兰、中国、南美洲和德国。矿山周围，一个个村庄雨后春笋般兴起：亚伯丁，雷德鲁斯，汉普顿，里维赤维尔，洛斯特威西尔和库伦加。矿山一八七七年关闭，但是鼎盛时期巴拉是世界上最大、最富的铜矿之一。南澳大利亚矿业协会那些因一开始就入股而获得有利地位的股东获利颇丰。

我发现吉尔和诗人雷克斯·英格迈尔斯大约同时到巴拉小学读书。我纳闷，他认识英格迈尔斯吗？他认识。不过不是英格迈尔斯已经成为诗人和“金迪沃罗巴克运动”[③]先驱者时认识的。“金迪沃罗巴克运动”是一场文学运动，旨在把原住民的词汇、短语引入澳大利亚写作之中。我问父亲认不认识雷克斯·英格迈尔斯时，他已经八十多岁了。老人不无沮丧地瞥了我一眼，说：“那个家伙挺吓人，是个专门喜欢欺负小孩子的恶霸。他弄得我都不敢上学。”

母亲比父亲更喜欢读书，是我们那儿图书馆书友会的会员。她喜欢看畅销书，但是坚信，阅读影响视力，能把好端端的眼睛弄成近视眼。打网球是她为进入青春期的儿子们作出的更健康的选择。我的父母并非完全反对书本和阅读。他们不是

①康沃尔：英格兰西南部一郡。

②威尔士：英国大不列颠岛西南部地区。

③“金迪沃罗巴克运动”：澳大利亚诗人雷克斯·英格迈尔斯发起的一场文学运动，提出澳大利亚诗歌在内容和形式上都要本土化，即澳大利亚化的主张。“金迪沃罗巴克”一字取自澳洲土语 Jindyworobaks，意思是“融合”“联合”。其宗旨是要清除澳洲人头脑中“二等公民”的思想。

俗不可耐的人，只是对有害身心健康的嗜好担心。多年之后，我看到一本上世纪二十年代的案卷。其中一个案例对我触动很大——一个年轻公务员因为“懒惰”被指责。监管人员的报告说，“这个小伙子花大量时间在国立图书馆读莎士比亚一类的书。对于一个十八岁的小伙子，这样做委实不妥”。他甚至明确指出，读书是一种无法治愈的疾病。

尽管父亲不看书，看到我的藏书越来越多还是很高兴。我的这些书是在阿德莱德的玛丽·马丁书店和作家、藏书家马克斯·哈里斯的帮助下弄到的。不管我们家情况如何，阿德莱德是一个读书氛围浓厚的城市。玛丽·马丁书店肯定有普罗科斯的书。纪德和加缪的推荐一定为他赢得读者的尊重。玛丽·马丁书店有不少好评如潮的书。还有一些关于亚洲的书。这在上世纪五十年代难能可贵。玛丽·马丁深深地爱上了印度，曾经在那儿生活过几年。而普罗科斯有一些最好的作品就是写印度的。那时候，我自己的兴趣可以说还没有定型，吸引我的是书，特别是旧书。我曾经在“红十字古旧书店”看到安德鲁·尤我[①]博士写的一本关于英国棉纺织业的书。其实我对书中的内容不甚了了，可也竟毫不犹豫地买了下来。我正经八百“藏书”是从购买安德鲁·尤我一八三四年出版的两卷非常精美的皮革面著作开始的。那两本书的封面是浮雕般凸起的花卉图案。和书的内容相比，花卉图案仿佛一个不和谐的音符。这是第一批介绍如何建立和运行新型工厂体系的指南之一。把安德鲁·尤我

①安德鲁·尤我（1778—1857）：英国格拉斯哥大学教授，英国工业革命新的制造业体系的积极倡导者。

这部书装在木箱子里，带到南澳大利亚的韦克菲尔德殖民者，一定梦想在这里建造工厂，而不是开荒种地或者植树造林。

自从六十年代中期，买到尤我博士那几卷书之后，我已经积累了许多书。和亚洲有关的书也不断增加。说我拥有一座图书馆，未免有点夸张，不过我确实有一些难得的善本。现在书店组织越来越严密，要想淘到珍贵的版本已经难上加难。现在，似乎只有在义卖市场才有可能淘到好书，让你喜出望外。不过就连那儿卖的书，书商也会事先翻检一遍。互联网为收藏家创造了新的机会。将澳大利亚和亚洲联系起来的书，比方一八九三年出版的阿尔弗雷德·迪肯[①]的《印度的灌溉》就是难得的善本。我现在还在寻找他的另外一本关于印度的书——《印度的寺庙和陵墓》。现在很少有人关注迪肯对印度建筑与宗教遗址的兴趣。我还十分惊讶地发现《万岁！》这本书。那是一个亚洲人入侵的故事，一九〇八年出版。作者是一个匿名的德国人，自称“帕拉贝伦”。我把这本书的详细信息输入“谷歌”，本来没抱多大希望，可是一本装帧漂亮的书《万岁！》跃然荧屏，出现在眼前。“谷歌”还告诉我，尤我博士的《棉纺织业》奇缺，价格与我当年花的一英镑六便士相比真有天渊之别。我又“谷歌”了一下《亚洲人》的不同版本和价格，包括第一版作者签名献给母亲的“豪华版”，价值四千五百美元。

二〇〇八年，回顾百年历史，有许多事情值得纪念。我父

①阿尔弗雷德·迪肯（1856—1919）：澳大利亚政治家，澳大利亚联邦运动领导人，曾任联邦第二任总理。

亲的诞辰虽然就在这一年，但排不到显著位置，就连普罗科斯也早已从人们视野里消失。一九〇八年，西奥多·罗斯福的“大白舰队”[1]驶入澳大利亚领海，又一次炫示了美国强大的武装力量和亚太地区地缘政治日益重要的意义。在澳大利亚，舰队每到一个港口，人们都欣喜若狂，登上战舰参观。“打油诗”、“顺口溜”脱口而出：

大地的力量如雄狮，
盛宴的香气随风来。
为了人类的未来，
欢迎你！美国人，热烈欢迎！

在西澳大利亚，“人民诗人”鸭跖草墨菲（笔名），用下面的诗句表达了人们的心情：

如果敌人胆敢侵略，
小伙子，我们都站在一起！
我们高举旗帜，
从露纹酒园到太平洋铁路，
世界的这一部分属于我们。

①大白舰队：美国第二十六任总统西奥多·罗斯福倡导建立的舰队。该舰队由十六艘战舰组成，舰体都漆成耀眼的亮白色，从一九〇七年到一九〇九年环球巡游，旨在展示美国作为全球军事大国的崛起，并且开启了一个世纪的美国霸权。

“敌人”指的是日本。“帕拉贝伦”讲了一个日本人突然袭击美国、导致了打倒白澳政策的故事。C.H.科密斯在《澳大利亚危机》一书中也谈到类似的主题，讲述了一个令人心悸的日本侵略、遭到英勇反抗的故事。我手头那本《澳大利亚危机》一九〇九年四月由沃尔特·斯科特出版公司在伦敦出版。扉页上留下我之前两位收藏者的名字。这两位先生都是爱书之人，这本书现在看起来仍然完好无损。

我们记得哪本书是从哪儿买的，记得买书时的情景。我们和它们朝夕相处，也构建了它们的历史。作为一本书，我的那本《亚洲人》具有特殊的地位。因为那一行莫名其妙、不停颤动的字引起我的警惕。左手那页看起来没受什么影响，可是右手有一行字扭曲变形。我脑子里闪过一个念头，一定是这行字中间缺了点什么，应该是印刷时出了问题。我拿起书从不同角度看，想证实这个假设。我闭上一只眼睛，那行字一下子变直。变得那么快，就像一个犯了错误的学生被搞了个措手不及。看起来和印刷无关。

我又产生了一个想法，在堪培拉上大学的时候，我的眼角膜受到损伤，眼睛出了问题。也许这次又是这个原因。那一次的经历当然很不愉快，不过最终的结果还算不错。我从堪培拉电话号码簿上随便找到一个眼科专家的名字，就去找他看病。他做了必要的检查，就说这病他能看好。他对我的高度近视还做了一番评论，说的话实际上比下面这句还尖刻：“你的眼睛糟糕透了，不是吗？”“好得足可以参军。”我对他说。他想多知道点细节，我就解释说，我曾经应征入伍到越南打仗，顺利通过了体检。我得承认，这是我自个儿的错。我一直认为，澳大利亚士兵应该人高马大，虎背熊腰，脸被太阳晒得黝黑，个个都像运动健将。而我不是这副模样。我能打打网球，但是不会去攀岩，更不会一边轻蔑地大笑一边把刺刀刺进土耳其人的胸膛。所以，我一直胸有成竹，认为澳大利亚军队一定会（非常正确地）把我这种人一脚踢开。体检通过，当头一棒，彻底颠覆了我对澳新军团的看法。也许我不应该事先背会视力表？母亲听说我体检没问题后很高兴。依她之见，在部队里锻炼一段时间，更能把我造就成一个男子汉。我反对说，也许会把我造就成一具尸体。她听了无动于衷。老太太有时候真的铁石心肠。

但是我很走运，遇到堪培拉一位相当不错的眼科专家。他给部队检查眼睛，明确指出，我不适合当兵。他说，澳大利亚在共产主义的“转身下刺”之下，没有我当兵入伍，就已经十分脆弱了。一个连这种动向都看不清楚的青年人能派什么用场呢？近视眼在部队里不吃香。一个在南澳大利亚应征入伍的视力不好的士兵在越南被地雷炸死。联邦议会正就此事提出种种疑问。现在他们发现我根本就不适合服兵役。

母亲让我觉得近视眼是件丢人的事儿。我敢断定，三十年代（或者更早一点），她不知道在哪儿接受了这样一种观点——一家人要是有几个近视眼就是家门不幸的信号，是“我们这个家族未来”的凶兆。那时候，优生学盛行，尤其她那些见习教师同事更把这个理论奉若神明。非常不幸，她那时候已经生了三个“有缺陷”的孩子，都是高度近视。我是最后一个，而且缺陷最大。母亲不允许我们为这种耻辱“做广告”。等我们不得不配上眼镜之后，父母要求在家里不准戴，在别的地方也尽量少戴。我们习惯了模模糊糊什么也看不清，学会了遇有特殊情况，假装视力不错。我虽然没有多少机会去验光师那儿查视力，但天才别具，背会了视力表头四行或者头五行的所有符号。我父亲（总是父亲，母亲从来不愿意“与魔鬼共舞”）自我介绍的时候，我就赶快溜到视力表跟前，记住那些符号，然后就验光。验完光就等待“视力还不太差”的结论。父亲听了之后自然很开心。部队体检时，我又故伎重演。现在回想起来，这实在不是什么好主意。

所有这一切都可以解释，我为什么那么喜欢书。书多就意味读得多，也意味视力不错。可是一旦喜欢读书，就一发而不可收，甚至读得上瘾，成了嗜好。不管怎么说，我的书越来越多，后来的日子里，家无论搬到哪儿，屁股后头都得拖着一箱又一箱的书。我读的书也很杂。就这样，《亚洲人》上那行字变得歪歪扭扭，而且一直没有再“纠正”过来，这个兆头可不好。可我总抱着侥幸心理，觉得问题自然而然会得到解决。可是问题并没有解决。连汽车也变形了，倒没有变得不可收拾，但却歪歪斜斜。开动起来走的似乎不是直线，而是像螃蟹一样爬行。我想起参观复活节展览会的情景。站在哈哈镜前，看自己一会儿变长，一会儿变短，一会儿变胖，一会儿变瘦的样子，乐不可支。

最大的问题是，我这个新的、被扭曲了的世界无处不在，怎么逃也逃不脱。后来，二〇〇四年十一月，那周刚过了三天，我的视力彻底完蛋了。星期一，我还开着车去上班，读所有我需要读的书，对付得还不错。星期五，我就成了“法定盲人”。对此，人们的反应怪怪的。大伙儿经常祝贺我，看起来不像个瞎子——没有导盲犬领路，没有拄白颜色的拐杖，也没戴墨镜。向中等距离的东西张望时，也不是神色茫然。或许这样的评论只是对我的鞭策？也许我这个瞎子“表演”得还不够娴熟？演员比我强多了。他们可以装得两眼无神，目无所视，步履蹒跚，跌跌撞撞，颤颤巍巍伸出手找一个可以支撑一下的地方。事实上，我觉得自己胜任不了这个角色。虽然假装视力好是我的长项，但并不就意味着我就长于此道。我们当然都认为自己知道人双目失明是个什么样子。最擅长这“活儿”的是眼科专家称之为 NPL 的人，也就是完全没有光感的盲人。NPL 毫无疑问是真正的盲人。我还不是。我视野的中间部分模糊不清，不能看书，看不见人的脸，也不能再开车。但是“周边地区”还能看见，所以还能走路，给自己弄杯咖啡，或者往 CD 机上放一张光盘。尽管有时候会拿错。头上戴顶“法定盲人”的帽子，却不让自己看起来像个瞎子，可不是件让你心里舒服的事情。机智幽默如我，就会向专家提出这样的问题：“是不是真的有法定盲人？”“当然有，”他回答道，“不过有的人装模作样。”这话听起来令人伤感，但也凸显了我面临的问题的真实性。有些假装失明的人长于此道，他们是装聋作哑的古老技艺才华横溢的表演者。难道我现在要和这些老谋深算的“表演艺术家”竞争吗？谁敢保证别人不把我也看成这样一个“艺术家”呢？

我通过了测试——总是会有测试——允许我拥有一根白手杖。但是手杖解决不了真实存在的问题。如果我从眼角还能看见点什么，还可以有足够的视野让我行走自如的话，手里拄根手杖岂不是一件令人沮丧的事情？所以，我不打算用手杖。墨镜呢？也是同样的道理。我也没有导盲犬。人家告诉我，我还没有资格驱使一条狗。这对我可是个沉重的打击。我宁愿要狗也不要手杖。我一直期待有一个人类最忠实的朋友陪伴着在郊区溜达。现在被告知，好梦难成。他们说，对于导盲犬而言，我能看到的东西太多了，会把狗弄糊涂的。我们会在街角争论不休，甚至为谁是老板、谁说了算打起来。

父亲听说我成了“法定盲人”，非常惊讶。他那时已经九十多岁，卧床不起，十分虚弱。但头脑还很灵活，还想知道伊拉克局势如何。养老院里很少有人和他谈这个话题。像他这样弱不禁风的老人都喜欢说点轻松的事儿。他一直认为我是个“万事通”，能和我抱着电话聊布什、布莱尔、霍华德、伊拉克，一聊就是一个小时。我打算去阿德莱德看他，在那儿把自己装扮成一个无所不能的人。我会步履轻捷走进他的房间，搂着他的肩膀，有力而又不显得过分亲密。我会坐在他床边的椅子上，直盯盯地看着他，夸他气色不错，毫无疑问再补充一句，这是瞎子瞎夸奖罢了。他表示同意，然后哈哈大笑起来。我们俩虽然一言不发，但都心照不宣，想打破对方的疑虑，确信他和我“表演”得都不错。这次探望本来定在十一月，回去给他过九十七岁生日。可是回阿德莱德之前，我去了两次中国。父亲八月下旬去世，我没能见他一面，只能在葬礼上发表演讲。我讲得那么好，有的人纳闷我是不是真的瞎了。我压根儿就没有想到，葬礼上讲得不好也是视力低下的表现之一。也许我朝错误的方向茫然失神地凝视，或者面对小教堂侧墙发表演讲，就会让我的“表演”更加精彩。母亲对视力不佳有严重的恐惧症，她早去世几年，全然不知儿子成了个瞎子，也是件好事。

我得的这个病医学上叫黄斑变性。成千上万的人有这个毛病。如果我们这些得黄斑变性的人能相互看见的话，也是一支了不起的大军。我们之所以不能“面面相觑”，是因为眼底血管破裂，血渗透到视网膜，中心视力被损坏。这种极脆弱的血管会不断出现断裂。黄斑变性破坏了病人看人的面孔和读书看报的能力。面孔模糊不清，图像不稳定。字母和单词变得面目皆非，一行行文字颠三倒四，支离破碎，相互碰撞。数字就更麻烦了，就像一群无组织无纪律的小学生东躲西藏，跳来跳去，作弄苦不堪言的老师。在支票上签字要非常集中精力，靠运气才能签得像模像样。电子计算机帮了大忙，键盘可以调整，字号可以放大，还可以安装新软件。不过尽管可以把字放得很大，看东西的时候还是少不了猜测。从前那么容易做到的事情现在变得非常缓慢。《亚洲人》成了我能拿起来阅读的最后一本书。

我还能从图书馆收到电子邮件，通知我新书出版、重要活动、各种比赛的消息。最近有一个通知说，澳洲视障协会——给我提供手杖（不给狗）的团体——给能正确答出一个小测验提的问题的人发放奖品。我没有参加比赛。后来，又来了一个邮件，宣布获奖者名单。奖品是一本会话书，书名叫《胳膊下面的橡胶》，一种证明！奖品如此怪诞的比赛不参加也罢。多怪的书名！显然这是一位被过分激励的作者为博得读者一笑而写的。我沿着邮件上那行字往左面——我视力比较好的那面——看，想弄清楚作者是谁。渐渐地，罗尔夫·布尔德瑞伍德的大名向我“游”来。毕竟是一个不错的奖品，《胳膊下面的橡胶》。

黄斑变性是一种无法医治的眼病，可以对已经病变的血管进行激光治疗。我治了五次。激光可以激活血管，延缓退化，但是要冒在视网膜上留下疤痕的危险。事实上这些方法都无法恢复视力。后来，人们突然之间不再谈论激光治疗。今天说是创造了奇迹，明天就成了过眼云烟。激光被一种新药代替。好消息说，这种药可以改善病情；坏消息说，要把它直接注射到眼球里才行。我第一个反应是："不！"我无法面对这种治疗方法。给我治病的那位眼科专家并不坚持。他说，注射不注射由我自己决定，那是我的选择。可这真是艰难的选择。一个病人面对有可能改善病情的方法，很难说"不"。我开始用这种新药治疗，希望能有最好的结果。而最好的结果有可能比我们希望的更好。经过较长时间的治疗，被损伤的视网膜有可能修复。因为能让我保持周边视力的健康的细胞可以生发出新的干细胞。眼下，我的那些书还放在先前的地方。也许和蔼可亲的阿尔弗雷德的《印度的寺庙和陵墓》、《印度的灌溉》总有一天也都会放到书架上。不过我不会失去自制力。鲍勃·迪伦[1]恼人的歌声在我耳边回荡，挥之不去："天未黑，但暮色已降临。"

---

[1] 鲍勃·迪伦（1941— ）：有重要影响力的美国创作型歌手，民谣歌手，音乐家，诗人。

第二章　失去的乐园

几年前，妻子和我跟一对老年夫妇聊天儿。这两个人都是我们的远房亲戚，话题就聊到曾曾祖父母威廉和伊莎贝拉·沃克。我们很少有这种探究家族历史的机会。大约一八六〇年，威廉和伊莎贝拉在阿德莱德巴克山附近买了一座农场。起初，他们住在一座简陋的茅屋里，窗户都是用麻袋做的。当地的原住民经常从那儿路过，想要面粉的时候就嘭嘭嘭地敲窗户。这两位亲戚是怎地知道这些的呢？原来威廉和伊莎贝拉的一些信件不知怎地落到他们手里。一个冬天的傍晚，这几位亲戚坐在沙发上，一边喝酒，一边看这些信。他们看得津津有味，可是谁能想到，看完之后，居然一页一页扔到火炉里烧了。这是我们这个家族如何处理遗产的一个很有说服力的实例。家里的旧物件太多，真正落到手上的时候，没人感兴趣。此外，或许因为威廉和伊莎贝拉不是什么重要人物。后来我听说伊莎贝拉是私生子，签名的时候就签个 ×。

◎生活在巴拉附近的原住民

那些被销毁了的信也许是能够“听到”威廉和伊莎贝拉的声音最好的也是唯一的方式。他们对原住民心存恐惧，还是友好相处？他们靠农场能自给自足，还是艰辛度日？不管那些信件是怎样草草写下的，此刻也向我们传达出他们希望后人知道的事情，告诉了我们老祖宗是怎样度过那些岁月的。他们的大儿子约翰·托马斯·沃克在南澳大利亚中北部巴拉开了一家商铺。也许通过那些信能对他的所作所为了解一二。

信没了，下一个可以造访的“港湾”是《南澳大利亚百科全书》和一份名为《巴拉通讯》的报纸。《百科全书》是亨利·托马斯·伯吉斯编撰的，一九〇九年出版，分上下两卷，装帧非常漂亮。这套书虽然无法替代书信和日记，但也确实有助于我们了解家族历史。不少亲属的名字出现在书里，包括我的曾祖父约翰·托马斯·沃克和我祖母的父亲，约翰·麦克拉伦。两个人都是巴拉商会的成员。《百科全书》的编撰者伯吉斯出生、成长在库伦加，那儿是巴拉的一部分，和我们家算是“老乡”。

《百科全书》字里行间透露着一种自信，特别是书出版的时候，南澳大利亚殖民者的历史刚刚七十年。这部书讲述了开拓者奋斗和发展的历史。如果有什么偏颇之处，也可以理解。书中简单的人物传略无疑是“传主”本人提供的材料，也许还会把自己跻身其间当作一种荣耀，甚至交点钱。就这样，这部《百科全书》为当年的“领军人物”绽放光彩提供了机会。一个世纪之后，我非常高兴我的先人能以这样一种方式，流芳百世。

一八五一年，我的曾曾祖父威廉·沃克从英格兰林肯郡来到南澳大利亚。他不但自己干活儿，而且是个承包人。他最初做的工作之一是把如今已经变成阿德莱德商业区中心的兰道大街上的树桩运走。淘金热时期，威廉到维多利亚的矿区淘金。他在卡索曼附近的亚历山大山赚到足够的钱之后，买了一个农场。他的儿子，也就是我的曾祖父约翰·托马斯·沃克，并没有子承父业继续干农活儿。约翰四岁的时候，两只脚踝意外受伤。由于骨头难以复位，成了瘸子。但是约翰是个非常有事业心的、积极进取的年轻人，他先在巴克山开了一家商店。（用《南澳大利亚百科全书》中的“高级词汇”说，那是一家百货公司。）一八七三年，二十五岁风华正茂的约翰创建了“沃克父子公司”，在巴拉销售布料、皮靴和鞋子。和当时许多商人一样，他也在街边零售。他用马车把商品拉到街上贩卖，马车便是一个小型移动商场。他的生意做得很红火，还生了十三个孩子，其中十个是和前妻玛丽·艾迪所生，另外三个和第二任妻子安妮·皮尔斯所生。我的父亲向来不说有伤大雅的话，但是谈起约翰生了那么一大堆孩子时，居然半开玩笑地说，约翰·托马斯的脚应该不怎么跛，要不

◎一九二五年巴拉的市场广场，沃克父子公司就坐落在纪念碑右侧。

然绝对不会生出那么多孩子。

沃克家和维多利亚时代的家庭模式颇为相似。玛丽生了十个孩子以后，四十一岁那年突然去世。她死于“脑瘫”，这说明她之前可能得过中风。玛丽离世后，留下了九个需要人照顾的孩子。老大弗洛伦斯·维多利亚·沃克虽然只有十九岁，但不得不承担起照料七个弟弟和一个妹妹的重任。弗洛伦斯一直没有嫁人，后来就成了“专职保姆”。玛丽去世二十个月之后，约翰娶了第二任妻子安妮。她是个寡妇，带来三个女儿。约翰·托马斯显然很有经商的天赋，他在罗布肯希尔、詹姆斯敦、皮里港和彼得伯勒都开了分公司。儿子们长大之后，便经营父亲在各地创建的分店。我的祖父奥斯瓦尔德和他的另外一个兄弟阿尔弗雷德在巴拉的总公司工作。

约翰和他的第一任妻子玛丽为孩子们取的名字都很有“品位”。这夫妇俩没有给他们取“约翰”或者“玛丽”这种很“俗气”的名字。老大弗洛伦斯·维多利亚之后的孩子们依次叫克拉伦斯·威尔斯利、沃尔特·赫伯特、阿尔弗雷德·莱斯利、刘易斯·伦道夫、奥斯瓦尔德·吉尔伯特、西德尼·哈尔伯里、伯蒂·汉密尔顿、兰斯洛特·戈登和尤金·格瑞斯。看着这一长串不同凡响的名字，我纳闷，为什么我对他们知之甚少？难道只有等到那些熟悉他们的人都过世之后，我们才有兴趣去了解祖辈的经历吗？这会是一种规律吗？我们想要了解祖先，究竟是被他们充满神秘色彩的故事吸引，还是我们活在世上的人意识到有责任让回忆变得鲜活？或者是受这样一种可怕的想法驱使——担心会被后人以同样的方式遗忘？

《南澳大利亚百科全书》有许多有趣的特点，最引人注目的也许就是它的部头很大，长达一千七百页。这本书有一个很吸引人的副标题——“历史与商业回顾，故事与传记，人物与插图，时代进步的缩影”。一九〇九年，南澳大利亚是一个很大的州。因为那时候它包括北领地。第二年，面积小了一点，北领地纳入联邦控制的范围之内。那时候，人们都在焦躁不安地谈论，空旷的北方不堪一击。这部《百科全书》捕捉到了当地人狂妄自大的最高水准。伯吉斯显然对于他这个州缺乏想象力的名字十分恼火。他认为，那只是从地理位置的角度取的名字，没有抓住地域辽阔的特点，按照他的意见，这个地方应该叫“中州”。

《百科全书》用一系列的比喻说明南澳大利亚有多么辽阔。新南威尔士州、维多利亚州、塔斯马尼亚加起来的面积只有它的二分之一。他还喜欢拿欧洲做比较。南澳大利亚几乎和英国、德国、法国、比利时、希腊加起来一样辽阔。到了上世纪三十年代末期，澳大利亚似乎受到前所未有的来自北方的威胁。有一位很受欢迎的作者，写了一本书，题目是“澳大利亚必须打仗吗？”。这本书里有一幅澳大利亚地图，把大部分欧洲国家都像拼图一样，囊括到它的版图之上。伊德里斯把澳大利亚想象成一块从面积到重要性都像欧洲一样的大陆。一个国家幅员辽阔意味着巨大的潜力，但是也会让人心神不定，因为容易招来敌对国家的领土要求。这几本书是《黄色的浪潮》《有色人的征服》和《澳大利亚的危机》，都出版于一八九七年到一九一〇年。《黄色的浪潮》把中国人和俄罗斯人假想为侵略者，《有色人的征服》和《澳大利亚的危机》则强调了来自日本的威胁。

对于“中州”未来的发展，地域辽阔尽管是一个非常重要的因素，气候也很重要。十九世纪末二十世纪初，气候是吸引许多理论家注意力的重要课题。亨利·托马斯·伯吉斯则更多地着眼于种族、文明和气候之间的相互作用。他在《百科全书》中指出，“世界上占主导地位的种族，都在中纬度地区选择他们的繁衍生息之地。偶然，或者断断续续有别人入侵，但只能从反面说明他们的选择正确”。伯吉斯对这种断断续续的入侵很轻蔑。他认为，天气太热或者太冷，对个人乃至对一个种族的发展都没有好处。太热让人萎靡不振，懒懒散散。而太冷让人为了生存耗费太多的精力。伯吉斯很喜欢南澳大利亚的地中海气候，他认为这样的气候有益于身体健康。有利的自然环境，包括他说的可以杀菌的北风，都使得一个充满活力的种族得以出现，确保南澳大利亚未来成为一个不断前进的州。我们英王爱德华时代的先人非常迷恋旺盛的精力，并且为自己属于一个激情燃烧的种族而骄傲。

如果南澳大利亚有着得天独厚的好气候，有利于一个种族的生存和发展，伯吉斯该如何解释他所说的原住民的“原始状态”呢？他强调，封闭和隔绝会对一个民族造成破坏性的影响。他认为这个民族因为与世隔绝，人的心智发展受到很大的影响。伯吉斯认为虽然从历史学的角度看，原住民会让人产生兴趣，但是从人类学的角度看，他们不过是一件古董罢了。不过他也承认，白人殖民者毁灭性的打击，指出殖民者侵占了原住民的土地，“向前推进时践踏了他们的法律和风俗习惯”。当《百科全书》从历史转向未来的时候，原住民在字里行间消失殆尽，只剩下纯属装饰的、由无名者组成的画卷，帮助伯吉斯在卷末填充那些恼人的空白。

《百科全书》里的照片大致可以分成四类：自然风光、城镇风景、各色人等和羊。第二卷里，大致有一千五百个男人、十六只得奖的羊、两匹马、一个女人——詹姆斯敦的汉弗莱斯太太。《百科全书》告诉读者，“沃克父子公司”坐落在库伦加市场广场中心，经销布匹、服装、家具、进口靴子。照片上的经营者阿尔弗雷德·莱斯利和奥斯瓦尔德·吉尔伯特衣着体面，脸刮得溜光。一九〇九年，阿尔弗雷德三十二岁，奥斯瓦尔德二十八岁。他们强调，他们的货物都是从英格兰、欧洲和日本大批进口的。

进口货物，无疑是一道美丽的光环，不过这也清楚地表明，这几位先生经销的货物质量上乘。真正让人惊讶的是，他们的部分商品是从日本进口的。纺织品肯定最可能是日本货。他们

◎巴拉的妇女和姑娘们身穿日本和服的合影

的商店最早是什么时候从日本进口东西，如何采购又如何销售，现在已经没有记录可查。十九世纪末期，日本货在欧洲和北美洲很受欢迎。他们的东西制作精巧、样式新颖，给欧洲人一种耳目一新的感觉。人们为此还创造了一个新词汇 Japonisme①，表现这种热情。阿尔弗雷德和奥斯瓦尔德是受这种“日本风”的影响还只是发现进口便宜的日本货有利可图，不得而知。

一九一四年七月，《巴拉通讯》说新落成的库伦加卫理公会教堂将举办一次“日本商品展销会”。展销会期间可以买到各种日本工艺品和布匹。麦克拉伦和沃克两家都是卫理公会派教徒，当然要参与这样的活动。有一张照片上，一大群妇女和

① Japonisme：法语，“日本风”，原指受日本艺术影响的西方美术。

小姑娘身穿和服，有的打伞，有的手里拿着扇子或者别的装饰品，营造出一种浓郁的日本风情。这次展销会获得很大的成功，交易额高达一百六十七英镑十一先令。这笔钱可不是个小数目，它像刚刚落成代替旧教堂的宏伟的新教堂一样，意义重大。那时候，人们锱铢必较，一个便士都得掰成八瓣花。

因为有了买到日本货的可能，巴拉商店虽然宣称自己经销这个州北部地区最好的靴子和鞋，但很难再激起顾客的热情。所以家族的骄傲也有局限。许多年后，我姐夫对我祖母梅抱怨说，很难买到大号的鞋。她说，“沃克父子公司”能帮他这个忙。那时候这个地区住着许多拉普兰人，他们脚大，买不到鞋穿就用布裹脚。后来“沃克父子公司”就为他们定做了许多特大号的鞋。这个令人难以置信的故事是老祖母幽默性格的例证，还是说明精明的沃克兄弟垄断了南澳大利亚中北部大脚拉普兰人的市场，已经很难说清楚。但是从某种意义上讲，阿尔弗雷德和奥斯瓦尔德在《百科全书》介绍他们的词条中说，因为业务繁忙，他们“很少有空闲参与公共事务”。除了做生意，他们唯一参加的团体是“古代森林人”。这个组织按照共济会的理念行事，并非官方承认的共济会组织。而“森林人”其实和林业毫无关系。但它给年轻商人创造了商机，在当地以及更广阔的地区建立了营销网络。奥斯瓦尔德二十八岁已经成了该协会会员。那时候大多数会员都是二十七八岁，三十出头。成为这样一个协会的会员显然是受人尊敬的标志，也是社会进步的体现。同时在政府社会福利难以为继的时候，也是一种社会保险的有效形式。和别的同类团体一样，“森林人”的成员遇到生老病死、家庭困难时都会相互帮助。

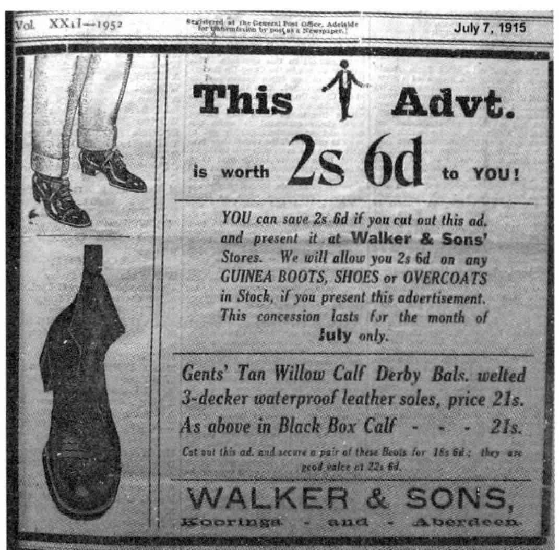

◎沃克父子公司的广告

我必须坦率地说，沃克父子公司巴拉分公司相当节俭，而且心气很高。离巴拉七十公里是詹姆斯敦。克拉伦斯·威尔斯利·沃克——人们更喜欢叫他威尔斯——在那儿经营另外一个分公司。他们卖的东西似乎更受顾客欢迎。威尔斯曾经在阿德莱德阿尔弗莱德王子学院读书，比奥斯瓦尔德受过更良好的教育，知识面自然比他广。威尔斯虽然做生意很有一套，但他更喜欢参加社会活动，特别是戏剧社的活动。他是这个社最积极的成员，还是荣誉社长。在三百五十公里外的布罗肯希尔①，另外一个儿子刘易斯·伦道夫·沃克为沃克父子公司做出很大贡献，他下一手好棋，还是天才的演说家，后来我还听说，他

①布罗肯希尔：又译断山，是澳大利亚新南威尔士州内陆地区西端的一座采矿城市及地方政府区域，也是世界最大的综合矿业公司——必和必拓的发祥地。

是个吸烟能手。

《百科全书》配合城里那些头面人物的小传刊登了照片。《巴拉通讯》则详细介绍了当地市民的生活以及各种组织、开展的活动和社会关系网。对于《巴拉通讯》而言，城里发生的任何事情都有新闻价值。正如其他地方的报纸，他们也经常刊登刑事犯罪案例的报道。十九世纪和二十世纪初，大多数商家，包括沃克父子公司，最怕的是火灾。那些年，报纸上多次刊登大火焚烧商店的报道。尽管一直没有搞清楚谁应该为这几场火灾负责。詹姆斯敦的商店有一次也被大火夷为平地。好几次，他们请原住民"脚踪专家"来犯罪现场勘查，希望能找到点蛛丝马迹。财产损失和偷盗通常都和酗酒有关。沃克家不嗜烟酒，和犯罪行为更不沾边儿。老老少少都站在法律、秩序一边，支持地方政府加强管理，改进消防水龙带。

奥斯瓦尔德一九〇一年十月第一次出现在《巴拉通讯》上。那时候，他是巴拉业余摄影协会的秘书，刚满二十岁。他们的摄影活动都按计划进行，并且在巴拉定期举行展览。奥斯瓦尔德一直保持着这个兴趣爱好，后来又传给我的父亲。他们那时候拍的照片注重将现代摄影技术和传统的美学观念结合起来。协会成员参加讨论会之前必须拍摄两张风景照。讨论会上详细介绍自己如何曝光，如何冲洗胶卷。这个爱好可得靠钱来支撑。不过奥斯瓦尔德的兴趣主要在园艺。这个兴趣也是从父亲那儿承袭来的。那位老人家热衷于园艺，对种植葡萄越发内行。儿子对栽花种草、育苗培土的技术也情有独钟。

奥斯瓦尔德经常出现在《巴拉通讯》的"巴拉园艺"栏目

中。他们种出来的最好的蔬菜水果经常摆在皮尔斯商店的橱窗里供人们观看。巴拉人惊讶地看到奥斯瓦尔德种的一个洋葱头重三十六盎司（一点二公斤）。和大洋葱头摆放在一起的还有十四个大土豆，重量达二点四公斤。令人称奇的是，这十四个土豆结在一株土豆秧上。别的人家谁都不曾有这样的收获。一个月之后，奥斯瓦尔德种的另外一株土豆居然结了二十七个土豆，分量自然更重。那是一九一七年，我父亲八岁。他一定为他的父亲在园艺方面取得的成就惊叹不已。种蔬菜当然没有多少浪漫可言，但是奥斯瓦尔德确实种出了巴拉有史以来最大的洋葱头。他的哥哥阿尔弗雷德也极具进取精神。他种的胡萝卜和柑橘都远近闻名。园艺活动虽然搞得红红火火，却有一个重大的疏漏。那就是，没有什么“委员会”，也没有什么正式机构或者协会。巴拉地区业余园艺家协会成立于一九二一年，奥斯瓦尔德是会计。那时候，奥斯瓦尔德和阿尔弗雷德都已经成家立业，娶妻生子。种植蔬菜水果的经济效益相当不错。沃克家的水果、蔬菜基本上自给自足，当然也养鸡。我父亲好多年也是这样。也许奥斯瓦尔德洋葱种得太多了，我父亲说，他最烦那玩意儿。

不但奥斯瓦尔德的洋葱大得让人看了目瞪口呆，还有好多稀罕物：一个特别大的中国青萝卜，火红的玫瑰，漂亮的深红色日本菊花，十英尺高的洋姜，块茎重达十五公斤。还有花生，大头菜，一个重达半公斤的花椰菜头，金盏花，罂粟花，大丽花。那一定是一幅色彩瑰丽的图画。《巴拉通讯》评论说，“奥斯瓦尔德·沃克很为他的花园骄傲。他精心培育的新品种花满枝头，堪与城里种的任何花草比美”。没有偏见的人都知道，无论从哪方面看，巴拉的花都不会比别的地方的花差。所以，听到有人说城里的花开得如何好、如何大，巴拉人就非常生气。奥斯瓦尔德培育出四十个不同品种的大丽花。我对大丽花知之甚少，亟待提高相关知识。

我造访巴拉桥街旧屋的时候，特别想去看看那座花园。房子后面有几棵很老的古树，还艰难地活着。那是奥斯瓦尔德花园里的“幸存者”。已经再没有别的痕迹可以显示这座花园当年的辉煌。那块地很大，也许有一百米长，一直延伸到我父亲小时候经常去玩的那条小溪。

对于历史学家而言，奥斯瓦尔德的大洋葱头会在称它的天平以及对其意义的探究方面制造一系列“麻烦”。毫无疑问这是个大洋葱头，关于它的种种描述是真实可信的。没有必要为了意识形态上的东西篡改什么。我们赋予洋葱头的是另外一种意义。那时候，发生了几件与之相对立的事情。澳大利亚面临有史以来规模最大的一次罢工。引起这次罢工的主要原因是人们看到第一次世界大战中令人心悸的死亡人数。索姆之战一九一六年陷入僵局，死亡人数达一百万。紧接着，一九一七年，帕斯尚尔战役中战死沙场的英国人达七十万之众。同年，爆发了俄罗斯的十月革命。和这些重大历史事件相比，奥斯瓦尔德不可否认的、给人留下深刻印象的大洋葱头显然是区区小事不足挂齿。除此而外，圆头圆脑的大洋葱头仿佛告诉人们，在那个动荡不安、死亡的阴影笼罩全球的年代，这里的人们却过着安宁祥和、世外桃源般的生活。毫无疑问，这样的生活太琐碎，与那个风云变幻的年代的时代精神相去甚远，很难引起人们的注意。然而，如果仅仅因为发生了重大历史事件就抹杀了洋葱头的功绩也有失偏颇。这样做实际上是无视普通老百姓生活中那些最基本的东西。我们如何将这些历史大事件和年复一年、日复一日人类生活中发生的小事情以及老百姓的喜怒哀乐统一起来呢？小事情在决定我们是什么样的人以及我们作为个人和一个群体存在的意义方面也有其自身的价值。

奥斯瓦尔德继两个哥哥之后，加入了巴拉“步枪俱乐部”。在还不知道谁或者什么威胁巴拉的时候，沃克兄弟已经站在最前线，成了顶级火枪手。奥斯瓦尔德的姐夫阿里斯特·麦克拉伦也不甘落后，成为他们当中的一员。俱乐部举行了很正规的、按照规定射程实弹射击的比赛。按照《巴拉通讯》的说法，获胜者的奖品是非常漂亮的 J.C. 基利科特杯，价值五英镑五先令（那是一个奖杯盛行的年代）。我的祖母枪法也不错，每逢“女士日”，她肯定参加射击比赛。她赢得好几个奖杯和一套刀叉餐具。这些奖品足以证明她射击技术的高超。我从这些活动中了解了一些关于父亲的事情，或者更准确地说，证实了一些事情。在吉尔看来，体育运动就是竞争的机会。他为胜利而战，好像每一个参赛者都能赢得基利科特杯。他不喜欢自吹自擂，奖杯本身并不重要。我们都知道，比赛能把人最美好的一面展示出来，能把人们锻炼得更加机动灵活，思想更加敏锐。我想，巴拉“步枪俱乐部”这种竞争精神对于我父亲的成长产生了很大的影响。

《巴拉通讯》还刊登巴拉人生老病死、婚丧嫁娶的消息，以及对当地人来说有特殊重要意义的事件。一九二七年一月，读者从报上看到，我父亲从巴拉高中毕业，领到了毕业证书。三月初，报上又报道说，这位前程似锦的年轻学者在阿德莱德骑自行车的时候撞到一辆电车上。虽然当场昏了过去，但是大家认为“伤势不重”。一九四〇年十一月，吉尔通过最后一门功课的考试，获得文学学士学位的消息，报纸也有相应的报道。一九三六年十二月二十六日，他和格拉森·莫德·华莱士·伯恩结婚的消息却未能见诸报端。

从十九世纪七十年代到二十世纪二十年代，巴拉与我们沃克家可谓血肉相连。后来这种联系渐渐疏远。一九二五年，约翰·托马斯离世。此前很久，他们一家就已经搬到北阿德莱德一幢很漂亮的带露台的房子。吉尔和他的三兄弟也进了城。吉尔、雷克斯、艾伦娶的妻子和我们老家都没有关系。吉尔的妹妹菲利丝嫁了个种小麦的农民，搬到马拉拉住去了。那地方离巴拉一百二十公里远，在去阿德莱德的路上。到了二十世纪三十年代，只有奥斯瓦尔德和阿尔弗雷德还留在巴拉，经营沃克父子公司。

沃克家对澳大利亚社会的城市化做出了贡献。在二十世纪，这是澳大利亚发展的趋势（特别是在南澳大利亚）。这种趋势让社会批评家非常绝望。他们断言，现代城市造就出一批缺乏力量、没有勇气，也不能像乡下人那样顺应时势的人。充满活力的蓬勃之气正在消减。按照这种说法，城里世风日下，应该对任何形式的痼疾负责。沃克家族再也不会有约翰和玛丽这样的夫妇了。谁也没能打破约翰·沃克两次婚姻生下十三个孩子的纪录。

奥斯瓦尔德写给吉尔的信只留下一封。时间是一九四五年十一月八日。短短几天之后，第二次世界大战后具有划时代意义的事件发生了。那就是，我来到人世。父亲和儿子在信里讨论了什么？吉尔要给奥斯瓦尔德一些大丽花的球茎。奥斯瓦尔德觉得他不得不拒绝儿子的馈赠。他那儿一直非常干旱，连自己种的那些花草树木还侍弄不了呢。在巴拉，园艺还是一件难事。他种的玫瑰刚刚开花，正要采摘，一股炽热的北风吹来，把花打得七零八落。他用很轻松的口吻写道，他很高兴吉尔的朋友喜欢奥斯瓦尔德送给他的剑兰。

奥斯瓦尔德和梅宁可不参加期待中的巴拉百年盛典，也要去参观附近的克莱尔展会。奥斯瓦尔德认为，克莱尔展出的花很好，但是蔬菜一般。他估计最近下的雨会让女婿在马拉拉种的小麦长势更好。他在信中又说："当然阿德莱德统计部门将准确地告诉我们，能给本州增加多少蒲式耳[①]小麦。"奥斯瓦尔德是个很务实的人，对城里那些理论家常常持怀疑态度。他时不时提醒大儿子，生活在大城市、拿到大学文凭固然好，但是还有许多实实在在的工作需要做，金鱼草还得浇水。奥斯瓦尔德祝吉尔生日快乐，长命百岁，信封里还装了一张一英镑的汇票，为这个美好的日子增光添彩。但是没有提到我即将来到人世这一重要事件。写完这封怨气十足的信之后，奥斯瓦尔德最后说："愿你们大家一切都好！爱你的爸爸。"

①蒲式耳：英美用来计量谷物、水果、蔬菜的容量单位，也指容量为一蒲式耳的木质或泥质容器，和我国旧时的斗大同小异。

第三章　巴拉的华人鲁克

一九〇七年七月三日，奥斯瓦尔德的哥哥兼生意上的合伙人阿尔弗雷德和莫莉·戴在库伦加卫理公会教堂结婚。他们的婚礼和别人家的婚礼没有两样，尽管当地的报纸认为是巴拉最漂亮的婚礼之一。我们家族的成员从四面八方聚集到这里。约翰·托马斯和他的妻子玛丽坐火车从阿德莱德来到巴拉。阿尔弗雷德别的兄弟和他们的妻子分别从詹姆斯敦、皮里港[①]和布罗肯希尔来参加婚礼。奥斯瓦尔德和他娇小的未婚妻梅·麦克拉伦小姐也前来助兴。

参加婚礼的人穿过一道拱门走进教堂。拱门用白色马蹄形吉祥物和新娘的女朋友们做的一个很大的婚礼钟装饰着。莫莉是个非常棒的裁缝和刺绣工，尤其善于装饰。她坐着一辆白马拉的轻便马车款款而来。《巴拉通讯》详细描述了她那件手工

①皮里港：澳大利亚东南部港市。

刺绣的结婚礼服。关于新娘全套行头的描述是这样结束的："洁白的山羊皮手套和鞋，头戴橘黄色花冠。"莫莉怀抱新郎送给她的礼物——一束美丽的白色风信子、白色康乃馨和叶绿蕨。合唱队高唱一八八九年《卫理公会赞美诗》：

歌声响彻伊甸园，
那是最早举行婚礼的日子。
新婚的祝福，
还在耳边回荡。

◎奥斯瓦尔德和梅在巴拉天之涯野餐

后来，客人们从教堂转移到一个豪华的去处。这个去处是新娘的父亲安排的。他叫鲁克·戴。《巴拉通讯》报道说，"婚礼庆典举行了本城最豪华的宴会。鲁克代表新娘、新郎父母的答谢讲话非常动情"。

这一对年轻夫妇收到不少礼物。奥斯瓦尔德和梅送了他们一个非常漂亮的上一次发条可以走四十天的钟。那时候，座钟和表都是家里很稀罕的物件儿。新娘的父母送了一套餐具，新郎的堂兄弟们送了一套日本产的茶具。威尔斯和弗洛伦斯·沃克从詹姆斯敦来，送了一床鸭绒被，在巴拉寒冷的冬天给他们送来融融暖意。我的叔爷爷卢和瓦尔特·沃克送了一套银茶具和咖啡具，还有几幅很大的画。亲戚朋友送的礼物中有不少画儿，由此可见这对年轻夫妇对美术很感兴趣。在过去的一个世纪里，谁知道这些爱德华时代的精美礼品遭遇了怎样的变故？那个漂亮的座钟还在壁炉台上嘀嗒嘀嗒地响吗？那套日本产的茶杯和茶托是不是平常都收藏在什么地方，只有逢年过节才拿出来用用？

《巴拉通讯》就婚礼做了详细报道。那些文章几乎什么都说到了，可就是没提巴拉人都知道的那桩事儿——阿尔弗雷德的岳父鲁克·戴是中国人。光看他的名字，你很难弄清楚他是什么种族。我们也是直到二〇〇八年北京奥运会前几天，才从女儿维罗妮卡那儿得知他是何方圣贤。她从堪培拉打来电话，告诉我们这件事情。因为那时候她在巴拉网站干活儿，通过网络弄清楚许多陈年旧事，鲁克·戴是她最大的收获之一。

鲁克·戴是当地一位商店老板，也是在市场卖菜的菜农。他大约一八八四年来到澳大利亚，那时候十五岁。后来，我们从考林·T. 布兰福德那儿了解到关于他更多的情况。考林和鲁克·戴家有点姻亲关系。他继承了一口据说是鲁克·戴从中国带来的木头箱子。箱子里有鲁克个人的文件和一些照片。这口箱子现在放在巴拉市场广场博物馆。布兰福德根据家里人零零碎碎的回忆，拼凑出鲁克·戴简单的历史。

我和巴拉两位对当地历史最了解的“历史学家”梅雷迪

斯·撒切尔和埃里克·法斯一起站在市场广场。他们二位都是巴拉历史学会的成员。这一天天气晴朗，埃里克说，华人的历史很难研究。他们的名字经常被听错，或者被写错。而且一般来说，他们都有好几个名字，变来变去。除非碰到麻烦，犯了法，官方文件对他们没有任何记载。比较而言，人们对鲁克的生平事迹知道得还算多一点。许多澳大利亚华人干脆就没有留下任何痕迹。不过即使这样，鲁克也有许多不为人知的故事。他的死亡登记表上说，他是出生在来澳大利亚的船上。布兰福德坚信，这种说法不对。他认为，鲁克来澳大利亚的时候已经十几岁了，至于他生在中国什么地方不得而知。在如此混乱的背景之下，要让他“脱颖而出”，的确并非易事。

鲁克之所以来澳大利亚，也许是为了逃脱旧中国隔一段时间就会出现的对天主教徒的迫害。他那口木头箱子里有几张很老的、没有日期的明信片。上面印着用中文和英文写的《圣经》里的名言警句。这些明信片可以追溯到一八八〇年代吗？它们是放在箱子里，陪伴他漂洋过海来澳大利亚的呢，还是来澳大利亚之后得到的呢？布兰福德认为，鲁克的父亲和阿德莱德有名的商人赛姆·楚恩斯有亲戚关系。不过从时间上看，对不上号。因为，赛姆·楚恩斯一八九〇年之后才来到阿德莱德。话说回来，我们也没有必要排除已经在历史上无法寻觅的家庭关系或者熟人。一八八〇年代，阿德莱德的华人很少，都聚居在市中心的欣德利大街。大多数人靠买卖蔬菜为生。鲁克在澳大利亚的第一份工作应该也是这个行当。

一八九四年九月二十二日，鲁克娶了个欧洲女人为妻。她的名字叫海丝特·米丽亚姆·麦克劳德。夫妇俩住在斯泰普尔顿一幢公寓里。他们俩都去教堂，也许就是在那儿认识的。不过他们不是在教堂结的婚。海丝特耳朵有点聋，要不然更能体会到局外人是什么滋味儿。

鲁克和海丝特只怀过一个孩子，可惜生下来就已经死了。莫莉是他们收养或者照顾的四个孩子中的第一个。我们有一张她六岁时拍得很不错的照片，小姑娘很漂亮，迷人的卷发，面带羞涩的微笑。照片上写着几个字："我们的莫莉"。鲁克·戴和沃克家虽然没有血缘关系，但也算亲戚。她也是"我们的莫莉"。

鲁克当然没有必要回避阿尔弗雷德和莫莉的婚礼。事实上，他是中心人物。而且鲁克也不是参加婚礼唯一的华人。他的朋友云青夫妇以及他们的儿子威廉·云"师傅"也在贵宾之列。云青和鲁克一样，也是以种菜为生的菜农。不过和鲁克不同的是，他有好几个名字：阿春，阿青，阿冲，阿勤。

早些年，鲁克和云青一起照顾潘山。潘山打了一辈子光棍，一直在一个欧洲人家庭里当仆人。《巴拉通讯》充分认识到这些低眉顺眼的华人的优点。他们说非常滑稽可笑的英语，知道自己的身份地位，不愿意惹麻烦。潘山死了之后，鲁克和云青给《巴拉通讯》写文章，感谢市民们对吉米的帮助和照顾：

> 我代表我的同胞们，感谢约瑟夫·福特先生为安葬已故的潘山先生慷慨解囊；感谢巴拉医院的桑斯特医生和护士对病人尽心竭力的照顾；感谢对死者表达了最后敬意的朋友们。

鲁克和云青站在自己同胞一边，对白人社会表示感谢，在巴拉的华人和欧洲人之间起到了桥梁的作用。鲁克帮助支持潘山的时候，自己身上打着不同的印记。鲁克下决心巩固自己作为一个基督教徒、又很顾家的男人和城里商界名流的地位。

还有一件把两个社团的关系拉近的事情是，云青租住的房子被一场大火夷为平地（他们淘气的儿子威廉玩火柴）之后，巴拉市长，也是市场广场的一位商人，专门建立了“云青救济基金会”。我生活在巴拉的祖辈约翰·麦克拉伦和约翰·托马斯·沃克都为该基金会做出了贡献。沃克家儿兄弟阿尔弗雷德、奥斯瓦尔德和西德尼也都慷慨解囊。“基金会”显示了当时巴拉的欧洲人超越了排华的种族主义情绪，超越了对一般华人的看法，以他们在巴拉认识的华人个体为依据，处理与华人的关系。他们认识云青，知道他娶了个欧洲人为妻，生了个儿子名叫威廉。第一次世界大战爆发后，巴拉成立了“爱国基金会”，鲁克和云青踊跃捐款，成为第一批为“基金会”做出贡献的人。

从大约一八九五年到一九二五年，云青在巴拉展销会上是出名的参展人。比方说，一九一〇年，他“自家产的鸡蛋、鸭蛋、北京鸭”获得一等奖。那时候，北京鸭是不是就已经在巴拉饭馆里的菜单上占了一席之地？他生产的蔬菜主要有：菜花，大黄[①]，红甜菜，芹菜，拌沙拉的各种蔬菜，西葫芦。好多年，在巴拉，鲁克和云青都是最有名的，也许是唯一的华人蔬菜商。

①大黄：大黄外形很像西芹，但外皮颜色为紫红色，通常被当作水果食用，其实大黄属于蔬菜类。

在离巴拉不太远的黑水洞，还有一个名叫庞楼的华人，经营着第三个菜园。

埃里克·罗尔斯在他的《澳大利亚华人历史》中指出，华人菜农对澳大利亚人的饮食结构产生了很大的影响，增加了他们食用蔬菜、水果的品种和数量。巴拉就是一个很好的例子。从一八九〇年代到一九三〇年代，巴拉的水果和蔬菜主要是华人生产和销售的。他们的产品总是在巴拉展销会展出，而且照例会得奖。当地的欧洲人栽培蔬菜和水果也很普遍。市场广场举办的展览显示，产品品种多得惊人，参展人竞争也很激烈。华人和欧洲人之间的相互影响到底有多大，今天已经很难揣测。他们是否在园艺学方面有所交流不得而知。但是我们知道，奥斯瓦尔德种过中国大白菜，所以完全可以想到，他一定从鲁克或者云青那里得到指教，可能还得到过种子。

结婚之后，莫莉和阿尔弗雷德到墨尔本度蜜月。他们经常去剧院看戏，还坐电车到图拉克和圣凯尔达很时尚的郊区旅行。这当儿，不时寄明信片到巴拉问候家人。莫莉喜欢明信片。她还记录了某个星期日去了三次教堂的事儿，一方面说明她的虔诚，另一方面也显示了她的淘气。她写道："总得给我带来点好处吧。"她字迹娟秀，活泼、热情的性格跃然纸上。她非常爱父母，他们也把莫莉当成整个世界。

我没能从家里长辈那儿听到任何关于鲁克·戴的传闻。我一直急不可耐地想找到历史留下的踪迹，但成效甚微。我没听说过巴拉欧洲人和华人友好相处的更吸引人的史实，有点不可思议。父亲肯定拜访过鲁克和海丝特。他们住在一幢石头房子里，离父亲的家很近。他的叔叔阿尔弗雷德和鲁克住在同一条街上。吉尔也肯定知道鲁克位于市场广场的蔬菜食品杂货店。那家店离沃克父子公司只有几米远。和奥斯瓦尔德、阿尔弗雷德一样，鲁克也是巴拉商会的成员。商会是代表当地商人利益的组织。鲁克后来还成为由奥斯瓦尔德帮助创立的“巴拉业余园艺爱好者俱乐部”的评奖委员。奥斯瓦尔德种植的洋葱和大黄两次获奖也就不足为奇了。在库伦加，鲁克确实是个人物。

一九八八年，我和父亲一起去巴拉，看到一块记录历史遗址的标牌。标牌上写着华人曾经在这里居住。我断定，这个牌子指的就是鲁克·戴。我问吉尔还记不记得这儿住的是哪位华人。那块牌子显然吸引了他的注意力，他一直在仔细地看。听见我的问话，他直起腰，有点含糊地说：“是的，这儿住过华人，他们和当地人相处得很好。”他就是这么说的。在我的记忆中，他从来没有用过“中国佬”这个贬义词，也没有说过任何贬损华人的话。但是为什么这么多年之后，他对当年的一个熟人避而不谈呢？我的祖母也从来没有提起过鲁克，尽管她记忆力极好，阿尔弗雷德和莫莉婚礼上的每一个细节——从一粒纽扣到一束鲜花，从一条花边到一个蝴蝶结——她都记得一清二楚。谁参加婚礼，谁没有参加，他们穿什么衣服，送了什么礼物，她也没有忘记。梅和莫莉年纪相仿，一年之内分别嫁给了沃克家两兄弟。梅和她这个妯娌相处得怎么样？现在再问梅或者吉尔，为时已晚。

一九八八年，我们去巴拉访问那次，路过泰沃农庄，珍·里奇伟老太太住在那儿。她养了一大群猫，当地的小孩儿都管她叫“猫妇人”。珍是鲁克和海丝特带大的第四个孩子。我们访问巴拉的时候，鲁克那口箱子还在她手里。她记忆力极好，还清楚地记得上世纪二十年代初期，刚到戴家时的情景。我父亲应该认识珍·里奇伟。我们实际上已经迈上了她家的台阶。她是最有资格讲鲁克和海丝特的故事的人。可是屋子里静悄悄的，似乎没有人在家。

阿尔弗雷德和莫莉结婚之后，积极参加巴拉一系列慈善活动。大战爆发后，莫莉和海丝特一起，给前线的士兵织围巾和袜子。不少收到这些礼物的士兵满怀感激之情拍了照片寄给她们。这些照片一直珍藏在那口箱子里。和喜欢安静的菜农奥斯瓦尔德相比，阿尔弗雷德更积极进取，更乐于助人。阿尔弗雷德多年来是巴拉医院以及中小学董事会成员。他对约翰·麦克拉伦和他的家人都很了解。一九二九年末经济大萧条开始的时候，他是在巴拉周围开矿、为没有饭吃的工人解决就业问题的关键人物之一。他们成立了一个委员会——巴拉失业矿工委员会。阿尔弗雷德是名誉主席。到一九三〇年十二月，六十个工人到矿山签订了劳动合同，但是由于困难重重，产量不高，真正在那儿干活儿的人只有一半。一九三三年，阿尔弗雷德和奥斯瓦尔德一起，在巴拉附近的蒙哥拉塔开了个新矿。三十多个工人在矿上干活儿，赚得口粮。

人们公认阿尔弗雷德是个相当不错的业余地质学家，对巴拉的矿业史了如指掌。如果有来客对这个地区的地质结构感兴趣，人们就鼓励他去拜访阿尔弗雷德。他家里摆满了岩石标本。他有一次出去踏勘，找到一块恐龙骨头化石，后来送到大英博物馆鉴定。我两岁的时候，叔爷爷就死了。他死后，我们家和

◎鲁克·戴和他的外孙

他们家的联系就越来越少。莫莉比阿尔弗雷德去世得晚，但也渐渐从我们的记忆中消失了。

鲁克那口箱子里最珍贵的物件儿之一是他一九一〇年拍的一张照片。那时他四十出头，英俊潇洒，穿得也挺体面，西装（虽然有点皱皱巴巴），领带。胡子还是中国式的，面对镜头，目光沉着镇定。站在他旁边的是两岁的外孙，莱斯利·莱恩恒·沃克。他生于一九〇八年，和我父亲同年。我很高兴，也很惊讶地看到“莱恩恒”——鲁克父亲的名字——成了莱斯利名字的一部分。这表明，我们这个家族和华人的关系得到认可。小莱斯利是吉尔在巴拉的堂兄弟之一。他们也是在巴拉小学上学时的同学。

鲁克·戴小时候一定遇到过许多困难。因为他要在一个新的国家开始自己的生活，而且这是一个把华人看成对澳大利亚白人的文明、健康和生活习惯造成威胁的民族。在城里，地痞、恶棍把华人看作他们侮辱的对象和猎物。如果年轻人推翻他装蔬菜的小推车，或者偷了他的菜，一个“中国佬”该怎么办？一八八〇年代初期，澳大利亚一直有一股排华的暗流。到了一八八八年，建国一百周年的时候达到高潮。鲁克那时候十九岁。造成这次排华浪潮的直接原因是阿富汗号抵达墨尔本霍布森湾。因为船上有中国人，墨尔本人不准该船靠岸，阿富汗号只好驶往悉尼。这就给了悉尼人足够的时间酝酿出激烈的排华情绪。他们反对华人在澳大利亚生存和发展。阿富汗号到悉尼后，迎接他们的是愤怒的人群。

鲁克也许没有从报纸上看到多少排华的文章，但是他一定看到过大街上丑恶的集会。欣德利大街上，人们议论纷纷，说的都是哪儿举行反华示威，哪儿发生了不愉快的事情。一八八八年五月三日，《广告报》报道说，阿德莱德港举行集会，国会议员霍普金斯先生就华人问题发表演讲。他站在肯特酒店的阳台上，对黑压压的人群说，他解决华人问题的办法很简单，就是“把中国佬统统绞死！”人群中爆发出一阵表示赞同的大笑。一个喜剧演员似的家伙大声叫喊道：“揪长他们的脖子！”霍普金斯问人群，是否应该让华人继续留在殖民地？台下攒动的人头中爆发出一个声音：“不！”

那时候，人们普遍认为，华人就是瘟疫，很容易在澳大利亚扩散开来。他们说，虽然华人此时此刻人数不算多，但是很快就会繁衍生息，泛滥成灾，破坏整个殖民地的发展。他们打比方说，十四年前，兔子在维多利亚还是些可爱而无害的小动物，可是到一八八八年，漫山遍野都是这种讨厌的家伙。它们数量多达千百万，大有铺天盖地之势。《广告报》说，“澳大利亚面对的最危险的敌人有两个，一个是‘中国佬’，一个是兔子”。这样类比的时候，他们还挺谦虚，并不把这种独创性据为己有。他们指出每年为消灭兔子花费大量钱财，现在为了控制华人必须付出同样的努力。鲁克不可能不知道，在某些地区他和他的同胞们被看作害虫。

因为很少有中国女人来澳大利亚，人们一直担心，华人会娶欧洲人为妻。悉尼《公报》公然指责异族通婚和他们生下的“杂种”。工人运动领袖威廉·莱恩谴责英裔澳大利亚精英鼓励白人妇女嫁给有钱的中国人，其结果削弱了澳大利亚白人的势力。阿富汗号争端最激烈的时候，《广告报》报道说，坎顿宣称“华人威胁了澳大利亚种族的未来”：

> 难道我们愿意在大街上碰到的人都是长着一双杏眼，小鼻子，扁脸，一看就有华人血统的杂种？须知，他们有可能是我们的孙子，或者重孙子。

鲁克和海丝特无论走到哪里，都觉得厌恶的目光盯着他们这一对异族通婚的夫妇。似乎还嫌不够显眼，海丝特一头红发像燃烧的火，更让他们显得与众不同。

很少有欧洲人到辽阔的北领地定居，而坚忍不拔的华人在那里渐渐站稳脚跟。南澳大利亚人听到这事儿之后，越发忧心忡忡。好像漫不经心的南澳大利亚人夸耀他们占的地盘有多大、多重要的时候却忘了关后门。华人在前进。他们很快就能到达南澳大利亚，并且证明在排华浪潮中，南澳大利亚是一个薄弱环节。

就在反华情绪日益高涨、排华活动继续蔓延的时候，也有人持有更加仁慈、明智的观点。十九世纪末年，澳大利亚也出现了一些进步人物，包括几位牧师，他们反对种族歧视和排华政策。一八八八年，詹姆斯·杰弗斯神父预言，总有一天，澳大利亚会张开臂膀，欢迎不同种族的人到来，不仅仅是中国人。可是，当阿德莱德的J.黑斯廷斯牧师发表对华人同情的言论时，《公报》很快做出反应，嘲笑他是“中国狗”的朋友：

> 他站在蒙古人一边，
> 不戴面具，不加遮掩。
> 宣称就爱臭苦力，
> 说了一遍又一遍。
> 人类学家谆谆告诫，
> 喜爱落后民族难得一见。
> 莫名其妙，不可理解。
> 只能从种族的脉络追根溯源，
> 他的血管里，
> 一定流淌着蒙古人的血液。

非欧洲移民对于教会真是道难题。如果支持他们，就会被人指责为挖白澳的墙脚；如果排斥他们，又违背了基督教的精神。一八八八年五月，公理教会、圣经基督教教会、始初循道会教徒、基督教长老会、浸信会教友组成一个代表团，敦促南澳大利亚总理尽其所能遏制殖民地的排华情绪。代表团指出，反华的态度与“黄金法则”——己所不欲，勿施于人——相悖。华人应该因其勤勉、节俭、克制以及遵纪守法而得到社会的尊重。鲁克和海丝特应该知道他们在哪儿可以得到承认与尊重，哪儿应该敬而远之。

根据《巴拉通讯》记载，一八九三年五月，鲁克已经来到巴拉。更让人惊讶的是，第二年，还在他和海丝特结婚之前，鲁克送莫莉到巴拉小学念书时，登记的名字就是莫莉·戴。一个单身华人男人，能让一个欧洲小女孩姓自己的姓的确非同寻常。同时也说明，鲁克已经被社会所接受。但是，莫莉是在什么情况下被收养的？她的亲生父母是谁？她是怎么落到鲁克手

◎莫莉

里，被他照顾，都引起一大堆疑问。她到底是谁？是一个很吊人胃口的谜，但是根本不可能找到答案。

布兰福德认为，鲁克和海丝特结婚之后，可能到南澳大利亚弗林德斯山区的阔恩谋生。阔恩是个牧业城镇，有一条铁路穿城而过。一八八〇年代，阔恩还是一座干旱、贫瘠、自然条件恶劣、不适合居住的小山城。对于一位红发凯尔特人和一位华人菜农，也不是什么好去处。一九六九年，我曾经在阔恩待过几天。为了体会一下当地的风情，我到一家旅店待了一下午，要离开的时候，我对前台的服务员说要结账。他问我要喝点儿什么？这是一种古老的习惯。一八八〇年代，巴拉比阔恩大，也比阔恩繁华。卫理公会教派最盛行的时候，巴拉有五座教堂。天主教堂从来不超过一座。鲁克和海丝特起初参加圣经基督教派。后来该教派也成为卫理公会教派的一部分。他们就到库伦加卫理公会教堂做礼拜。沃克家和麦克拉伦家都是按时按点儿去教堂做礼拜的虔诚的教徒。

戴家之所以能在巴拉被白人社会接纳，毫无疑问是受了《巴拉通讯》“主旋律”的影响。那时候，弗雷德里克·赫尔德，后来的南澳大利亚总理，是该报编辑。他们给予华人应有的尊重。他之后的编辑本杰明·富兰克林·朗斯佛瑞德是个古怪的、瘦骨伶仃的人。他对华人很不友好，赤裸裸地表现出他的敌意。他说，如果让华人在这里待下去，就面临种族退化和文明灭绝的危险。

> ……这块土地将变成患麻风病的、浑身溃烂的华人的天下。用达尔文的话说，会“进化”为一个由杂

种组成的国家。

朗斯佛瑞德知道，他们这个地区发生的冲突是“具有像兔子一样强的繁殖能力的华人”和盎格鲁－撒克逊人之间在更大范围，乃至全球为种族霸权而战的斗争的一部分。他知道华人希望得到什么，没有一样是好的。《巴拉通讯》的读者从他们的报道中得知，一支“无敌的中国舰队”正在组建，并且慢慢地、有条不紊地向南推进。迟早会有一天，澳大利亚人一觉醒来，发现他们受到攻击。那斗争，不是你死就是我活。

朗斯佛瑞德继续说，允许华人踏上这块土地，用不了多久，他们就会和欧洲人结婚：

> 他们通过诱骗，绑架，秘密交易（我们再次特别提醒大家）等手段，让欧洲妇女沦为他们的妻子，从而污染了欧洲人的家庭，乃至欧洲社会。这些欧洲女人的父亲、母亲、兄弟却一言不发，并无抱怨。

他们说，华人性取向诡异，他们的行为不可避免地让白人社会堕落。这个话题也常常让威廉·莱恩着迷。按照这个逻辑，鲁克一定是通过不正当手段弄到一个欧洲新娘，海丝特一定是迫不得已，或者天真无知才嫁了他。

朗斯佛瑞德这类人宣传的偏见越发让世人产生偏见。我们不知道莫莉是否受到威胁、恐吓和嘲弄，她之后进入鲁克和海丝特家庭的杰克、西尔维亚·斯特德曼却没少受苦。斯特德曼家的两个孩子是海丝特的外甥和外甥女。他们的父亲在墨累河[1]淹死后，来到戴家。当时大的六岁，小的三岁。就戴家而言，这无疑是善举，但两个孩子因为有个华人继父，在学校备受欺凌。回忆起小时候在巴拉念书的情景，他们俩都很难过。我常常想起父亲回忆他小时候在学校被人欺负时满脸沮丧的样子。为了少受点欺负，他有时候就想在家待着。沃克家是不是和一个“中国佬”的关系太近了？西尔维亚后来结婚生下一个女儿珍·里奇伟。这个孩子也是鲁克和海丝特抚养大的。尽管谁也不知道父母为什么抛弃了这个女儿。考林·布兰福德和珍很熟。她把鲁克那口箱子交给他保管。珍对往事的回忆以及莫莉那些快乐跃然纸上的明信片都说明鲁克和海丝特是非常善良的养父母。他们爱他们的孩子，尽心竭力地照顾他们。

一九〇三年末，戴家以诬陷罪将《巴拉通讯》告上法庭。这个案子又涉及非常敏感、争论不休的话题——欧洲儿童在异族通婚的家庭里受到怎样的对待。《巴拉通讯》声称鲁克和海丝特虐待他们雇来当用人的一位家里很穷的姑娘艾米·斯密斯。他们断言，艾米的工作环境极其恶劣，鲁克付的工钱却很少。更糟糕的是，艾米在戴家当牛做马的时候，海丝特却招摇过市，到处参加什么社交活动。按照艾米的申诉，莫莉还剃了她的头发，给她头上倒煤油，使她的人格受到极大的侮辱。此后不久，按照报纸上的说法，艾米在受尽凌辱的情况下被解雇：

> 我所有的内衣都被拿走，现在还不如来他家干活儿的时候快乐。我没了头发，走在大街上，人们像看

①墨累河：澳大利亚东南部一条河流。

怪物一样看着我。

听证会期间，《巴拉通讯》的律师含沙射影地说，鲁克对艾米行为不轨。这也是通常对华人兴师问罪时，人们司空见惯的指控。法庭讯问时，艾米收回她的证言。她的头发剪得很短，但莫莉之所以剪她的头发，是因为她头皮上有溃疡，需要抹药膏。用煤油和桉叶油混合起来抹伤，也是人们疗伤很常见的偏方。法庭最后判令《巴拉通讯》赔偿鲁克和海丝特十五英镑。

《巴拉通讯》对戴家的态度仍然非常恶劣。这个案子结束之后，他们在报纸上发表了一篇讽刺小品文，几乎毫不掩饰地把矛头对准鲁克和海丝特。这篇文章题为《理发匠的疯狂》，描写了一个理发匠在鲁克和海丝特住的那条街上新开了个理发馆。看到他们的手艺，新来的理发匠说："我们肥强（非常）高兴，火儿（活儿）还不缺（不错）。"这自然是对理发匠不会说英文的嘲讽。而鲁克有文化，不但能说一口流利的英语，文章也写得很好。后来，报纸上说，艾米的父亲把他五个年纪尚小的女儿抛弃，让她们自谋生路。事实证明此路不通之后，三个小一点的被送到阿德莱德工读学校。按照《巴拉通讯》的说法，虽然条件恶劣，总比让"长了一对杏眼的人收养好"。

鲁克·戴的箱子里还有一封一位库伦加律师一九三八年九月四日写给海丝特的信。信中说，戴先生没有资格得到养老金，"因为他是亚洲人"。那年他六十八岁。后来，参议员菲利普·麦克布莱德爵士接手这个案子，直到上世纪五十年代，才为他成

◎年老后的鲁克·戴

功地争取来这份养老金。其时鲁克已经八十多岁。我们希望这份迟到的养老金能给他的晚年带来些许的轻松和慰藉。鲁克还留下一张很珍贵的照片：一位和蔼可亲的老人，衣服皱皱巴巴，一个人面对照相机，孤零零地站在那里。

第四章 尊主①

我的曾外祖父麦克拉伦是个很有进取心的人，立志让自己、巴拉城和周围的一切变得更好。他积极参与社区服务和各种公益活动。一个世纪前，这种充满公德之心的组织与活动远比现在普遍。历史学家罗伯特·D.普特曼在《独自玩保龄》一文中，用大量文件证明，美国公民参与公众事业的意识日益淡薄。这个标题很准确地捕捉到整个二十世纪，随着越来越多的美国人退避到家庭和私人空间，人与人之间的联系越来越松散的巨大变化。普特曼认为，十九世纪末期是公民参与的全盛时期。各种社区组织、俱乐部、协会、学会遍地开花。人们都忙着组织协会，起草议事日程，任命干事，日子过得红红火火。

一九〇〇年，巴拉只有一千七百口人，老百姓自己组织的社团却如一张网络，遍及全城。市政厅总在忙着开会。麦克拉

①尊主（The Worshipful Master）：共济会高级官员。

伦积极热情，如鱼得水。

约翰·麦克拉伦出生、成长在南澳大利亚卡普达（另外一个采铜业和农牧业发达的小城）。他在那儿被培养训练成供货商代理人。城里最有名的人物是非常有钱的大牧主西德尼·凯德曼爵士。他的许多牛、马都在卡普达主街那座大酒店后面的牲畜市场拍卖。现在大酒店已经以西德尼·凯德曼的名字命名。约翰·麦克拉伦的一个女儿内莉后来嫁给乔治·凯德曼——西德尼的兄弟。从内莉姨奶的角度看，大家都说她嫁了个好人家。伊德里斯给凯德曼写的那本传记《牛国之王》很受欢迎。我还记得小时候家里为数不多的几本书中就有这本。西德尼爵士把他的府邸——你很难想象那是一幢私人住宅——遗赠给南澳大利亚教育部。现在，那儿是当地的高中，一幢非常漂亮的楼房，周围是宽阔的广场、如茵的绿地。几年前，从巴拉回阿德莱德的路上，我们在这幢楼房前面停下，姐夫问我，屋顶上的瓦有什么特别之处？姐姐插嘴道："让他休息一会儿吧，他也许看不见屋顶。"亏她说了这样一句话，免了我的尴尬。这种瓦是印度手工制作的，在太阳下晒干，而不是在窑里烧成。是作为船上的压舱之物运到澳大利亚的。如果非要我猜它有什么特别之处，恐怕到现在我还得坐在那儿苦思冥想。

约翰·麦克拉伦是个很高傲的苏格兰人，他在理财方面很有头脑，特别精明。他的父母从苏格兰佩斯郡科姆来到南澳大利亚。在保存下来的仅有的几件"家庭文物"中，有约翰·麦克拉伦小时候用过的一个抄写本。这个本子也许成为我父亲——约翰·麦克拉伦的外孙——与教育结下不解之缘的契机。我的曾外祖父写得一手好字。数学也不错。学会计算是十九世

◎约翰·麦克拉伦

纪学校教育重要的一部分，数学课本就有一百三十四页。

《南澳大利亚百科全书》记载，麦克拉伦是一家名字很古怪的公司的经理。这家公司叫“班戈特，赛克斯和刘易斯有限责任公司，农牧场地产交易和牲畜买卖公司”。他是一八九三年就任公司经理的。公司在库伦加，离沃克父子公司只有一步之遥。一八九四年，他成了巴拉展览协会会长之后，开始进入公众视线。他让巴拉死气沉沉的小社会充满活力。自从上次展览已经过去十年。那次展览由一个名字挺好听的协会——巴拉暨东北地区农牧业园艺协会举办。一八九四年的展览吸引了两千三百人前来观看。参展的人带着鲜花、蔬菜、家禽、牲畜从四面八方赶来。嘉宾络绎不绝，包括来自国会和上议院的达官显贵。他们和当地的名流一起宴饮，麦克拉伦也在其中。展览期间，学校放假，店铺中午关门。举办方对所有前来参观的人热烈欢迎。他们除了展示当地的土特产品之外，还举行各种演出活动，包括一位女拳击手应邀表演。我怀疑，约翰·麦克拉伦对她格外关注。后来，展览会成了巴拉以及周边地区一年一度的盛事。约翰·麦克拉伦仍然是展览协会的台柱子，直到一九二〇年，和妻子玛丽·艾伦一起移居到阿德莱德。

我对各种展览会都很感兴趣，而参观农产品展览已经成了我们家的传统。我们参观阿德莱德皇家复活节展览会，常常花好长时间为展品各自的优缺点争论不休。那些展品成了一道亮丽的风景，充分展示了我们这个农业区物华天宝、五谷丰登，生活在这里的人们衣食无忧。很大的南瓜、西葫芦、笋瓜和各种坚果、水果、小麦、玉米、大麦摆在一起。装在亮闪闪的瓶子里的泡菜、果脯蜜饯、金黄色的蜂蜜，摆成各种图案。鹅黄、翠绿、土黄、鲜红，五彩缤纷，预示着餐桌上的美味佳肴。我们家是虔诚的卫理公会教徒，不由得想起面包、鱼和谷物——大地的果实——想起《创世纪》和伊甸园的创造。《旧约·以赛亚书》第 51 章第 3 节这样说："主将让耶路撒冷变得舒适。他将让她所有荒芜的土地变得舒适。他将让她的荒野变成伊甸园，让她的沙漠变得宛如主的花园。"在《诗篇》第 85 章第 12 节中说："是的，主将给你们一切美好的事物，土地的奉献与日俱增。"他们从《圣经》中学习到，信仰主、按他的教导行事的人，将迎来硕果累累的丰收的季节。

我们很容易就能从照片上辨认出曾外祖父。因为他总是喜欢照侧面像——左脸对着照相机。我们手头有一些拍得相当不错的、十九世纪末期留着唇髭的达官贵人的照片。有的面朝这边，有的面朝那边——在我们看来有点不可思议——都希望照相机从最佳角度拍摄下自己的“芳容”：天庭饱满，地阁方圆，鼻梁高耸。幸运的人这三样都具备。我一直以为约翰·麦克拉伦作为公众人物，出于虚荣心才赶这种时髦。后来，和琼·凯德曼聊起这件事情。琼是内尔的女儿之一。她说，外公右边太阳穴附近有一块胎记，所以照相的时候，总照侧面。这可真是始料未及。

让展览会重放光彩之后，约翰·麦克拉伦的社会活动越发多了，他成了巴拉学院、青年俱乐部、共同进步协会和文学社的干事。琼拿出曾经很流行的朗费罗的《海华沙之歌》和沃尔特·司各特[①]的几本小说。都是祖辈传下来的很珍贵的善本图书，让人不由得想起苏格兰高地。约翰·麦克拉伦的名声相当不错。大家都认为他为人正直，数学相当好。他是民选的市议会代表，一直干了四年。所以他对市政那些事情很熟悉。从一九一〇年十二月到一九一三年十一月，他任巴拉市长。他当过巴拉地区高中董事会主席和巴拉医院董事会董事。他还是负责管理足球协会和自由联盟男子分部的委员会成员。鉴于那时候，政府在管理学校、医院和其他与老百姓有关的机构、设施方面的职权不像现在那么大，关系也不那么密切，当地的群众团体便担负起组织活动、筹集资金的重任。

一九〇五年，库伦加共济会所授予约翰·麦克拉伦“尊主”的称号。和奥斯瓦尔德、阿尔弗雷德·沃克加入的“古代森林人”

---

①沃尔特·司各特（1771—1832）：英国著名作家。司各特的小说情节浪漫复杂，语言流畅生动，后世许多优秀作家都曾深受他的影响。

不一样，约翰·麦克拉伦加入的是一个正式的“会所”。共济会是一个完全由男人组成的组织，其成员都是各阶层的头面人物，常常举行些很复杂的秘密仪式。十八世纪初期，共济会在苏格兰发展成为现代的形式。它的主旨在于确保其成员道德与精神上的升华。用共济会的箴言解释的话，就是让好人更好。从十九世纪中叶起，共济会运动在康沃尔[①]矿业领域蓬勃发展。康沃尔矿工、工程师和管理人员涌入巴拉的时候，将他们对共济会的忠诚和信仰一起带到这座城镇。

巴拉共济会所成立于一八五〇年，是南澳大利亚第一个共济会组织。该会成员以其历史悠久而骄傲。一八八四年，他们一致通过时任“尊主”提出的建议：“保留当年颁发的证书。它让我们满怀深情地想起和英格兰共济会总会所的关系。它也是一个标志，象征我们对父亲般的总会所曾经给予的关怀表达的谢意。”

这种调子很高的殷勤、溢于言表的感恩、程式化的语言是典型的共济会的表达方式。那时候，如果有好几个同义词可以描绘一个事物的话，他们绝不会只用一个词。母亲经常指责他们“吞下了一本字典”。至于与“总会所”至高无上的联系，更是帮助他们保持视为生命线的“兄弟情谊”的法宝。

一九一四年十二月出版的《南澳大利亚共济会》显示，共济会各会所之间的关系相当好。其成员可以在本地区甚至别的地区四处走动，无论走到哪儿都有“兄弟”接待。一九一四年，库伦加共济会所的代表到卡普达、康科德、特罗维、克莱尔等

①康沃尔：英国英格兰西南部的郡。

地的共济会所访问。“旅行非常愉快。我们受到上述会所兄弟们真诚、热情的接待。”第二年年初，右尊主[①]阁下，塞缪尔·詹姆斯·维爵士来库伦加共济会会所视察。维也是南澳大利亚副州长、大法官和阿德莱德大学的校长。谈到公民的责任心，维别具一格。他是一位思想深刻、很有文化修养、深受人们爱戴的公众人物。约翰·麦克拉伦非常骄傲，一九一五年初，他能在库伦加共济会所迎接这位大人物。

我的曾外祖父和库伦加共济会所有长达二十年的关系。备忘录记下了他经常出席的活动。他就是那样一种热情积极的人。麦克拉伦的名字第一次出现在备忘录是一八九九年九月，他从卡普达会所转到库伦加会所。显然，因为他写得一手好字，很快就被选为秘书。这次会议记录显示，八个新成员与会，他们都是商业或者其他行业的精英人物。分享“共济会的神秘与优惠”，“价格”不菲。一九〇〇年入会的会费为六英镑六先令，另外再捐献三十先令。只有事业发达的人才有能力成为共济会的成员。

二十世纪最后几十年，巴拉人口下降，共济会也失去它先前举足轻重的地位。在南澳大利亚，共济会的活动在一九六一年达到顶峰，此后便急剧下滑。库伦加会所坚持着，但已经不再是城里一股不可忽视的力量。他们拥有的那幢楼房和里面的东西都被拍卖。二〇〇八年九月，我去巴拉访问的时候，非常遗憾，拍卖早已结束。原先的会所人去楼空，只剩下一幢朴素的、很结实的石头房子，永远笼罩在一片树荫之下。在巴拉寒冷的

①右尊主：共济会高级官员，在苏格兰，根据苏格兰宪法，通常被称为“右尊主”。

冬天，比约翰·麦克拉伦更柔弱的人也许只会待在家里，坐在噼啪作响的炉火旁边读沃尔特·司格特的小说，而不会跑到冰冷的会所去搞什么公益事业。但是约翰·麦克拉伦和他的兄弟们总有工作要做。要发展新成员入会，要通过和市民有关系的项目，还得筹集资金。备忘录记载了基金发放给“陷入困境的兄弟”们的情况以及代表其成员或者成员留下的遗孀、子女申请资助的情况。对于办事有条不紊的麦克拉伦来说，这个过程的随意性太强。于是，他在会所建立了一项慈善基金。基金由成员按时缴纳的会费支持。这样就可以按部就班地做事了。

虽然会所关心、解决的问题都是地方性的，但其成员非常珍视他们和英格兰总会所的关系。这种纽带能让那些生活在新殖民地的绅士们既有一种历史渊源很深的感觉，又认为自己是在积极参与大英帝国范围内的共济会的活动。在库伦加共济会成员中，对大英帝国的忠诚是一种强烈的感情。一九一〇年五月二十四日的集会就是极好的证明。备忘录记载：“国王陛下爱德华七世的去世带来巨大的损失。”风琴演奏者演奏《死亡进行曲》。尽管今天我们已经很难弄清楚，那天晚上演奏的是汉德尔[1]为《扫罗王》谱写的“死亡进行曲”，还是弗雷德里克·肖邦[2]的“狩猎葬礼进行曲”。弟兄们还高唱“上帝救救国王”。冬天将临，尽管他们离帝国的中心远得不能再远，但歌声在凛冽的夜空回荡。那天晚上，悲伤的约翰·麦克拉伦和兄弟们一一握手，然后一个人穿过市场广场，向家里走去。

①汉德尔：生于德国的英国作曲家。
②弗雷德里克·肖邦：波兰音乐家。

悼念国王的同时，共济会会员也告别了他们自己的“王”。爱德华七世是一位杰出的共济会会员，一八七四年被任命为“至尊主”。他为共济会在大英帝国的发展所做的贡献无人可比。为了纪念他，会所筹集资金，在市场广场建了一座圆形纪念亭。这座亭和战争纪念碑至今仍然是巴拉最重要的建筑物。

喜欢秩序的约翰·麦克拉伦对数字、对数学情有独钟。他也一定被共济会的神秘学和充满奥秘的教诲深深吸引。共济会的许多仪式和肖像学方面的东西都是从古埃及神秘的宗教汲取而来的。共济会开会的时候，包括巴拉会所的会议，都要摆放一块“循轨板”。“循轨板”上画着很复杂的象形图案和寓意深刻的图画。这些图画所蕴含的哲学的、象征主义的、超自然的含义成为会议讨论的话题。“循轨板”还显示出不同的等级。“学徒”一级级向上提升，直到“大师”——共济会最高的职位。共济会的标志显示了他们对技术和工业价值的重视。中间写有字母G的方块和罗盘表示几何学，或者上帝①。我们说它和几何学有关系，可以从共济会庙宇上的埃及图腾清楚地看出来。巴拉倒不是这样。他们的会所占用了素朴的循原会②的教堂。

在南澳大利亚，和古埃及文化联系最为密切的莫过于一九二八年建造的阿德莱德港共济会中心。整个建筑完全是埃及庙宇的复制。四根“世界之柱”表示四个基点，第五根柱子代表轴心，或者“神圣土墩”。“土墩”上长着“生命之树”。阿德莱德港的“生命之树”与埃及的“生命之树”毫无二致。

---

①“几何学”和“上帝”的英文单词都以G开头，故有此说。

②循原会：一九三二年循道宗的循道会、循原会和圣道公会共同组织成立英国循道公会至今。

树根插入象征阴间的水中，树枝伸向天堂。环绕建筑物的带状浮雕象征尼罗河的圣水。大门上方是一个长了翅膀的圆盘。那是埃及神圣的图腾。中间是太阳，两边分别是眼镜蛇的头和雄鹰的翅膀。太阳中间是 Triple Tau——天人合一的古老的标志。共济会庙宇上的这个图腾则象征通往会所或庙宇的神圣的大门。

我们不知道麦克拉伦是否被这种种神秘所诱惑，不过，他当然对共济会各种仪式非常熟悉，否则他不可能当上尊主。我们都知道，他在钱财上一丝不苟，十分廉洁。他知道应该如何使用手里的舍客勒[①]，对借贷嗤之以鼻。他总是督促会所成员按时归还为购置产业借的贷款。一九二五年，他回巴拉参加建市八十周年庆祝活动时发表演讲。他在演讲中说，有两点最让他引以为豪：其一，巴拉在借贷问题上一直非常谨慎，他相信，这使得巴拉有别于南澳大利亚其他地区，得到更健康的发展；其二，他还特别欣慰地看到巴拉在他有生之年发生的巨大变化。一八八〇年代初巴拉荒凉、贫瘠，放眼望去，连一棵树也没有。夏天赤日炎炎，冬天冰封雪冻。即使有几棵树也因为开矿或者盖房被伐掉。后来的植树计划却使这座城市魅力四射。同时证明了约翰·麦克拉伦对于城市建设的看法十分正确。当人们团结起来为改善自己社区而努力工作时，就会出现新的面貌。

约翰和玛丽·艾伦·麦克拉伦有五个女儿，两个儿子。女儿性格都很倔强，我从小就听大人常常提起她们。两个儿子一定很早就离开了家。我回想不起有谁说起过他们。和约翰及玛

①舍客勒：以色列货币单位。此处喻钱财。

丽·沃克不同，麦克拉伦夫妇喜欢给孩子们起简单的名字。我的外祖母生于一八八三年五月一号。这下子名字就好起了。她成了梅·麦克拉伦[①]。有一次，我问艾伦·沃克叔叔，他的名字是不是可以用一两个L拼写出来。他假装很惊讶，我居然会提出这样一个问题。他对我说："你奶奶是一个很节俭的苏格兰人。一个L能解决问题的话，她绝不会用两个。"这话听起来还有点说服力。尽管她的确允许自己的孩子有两个名字。

我们在《巴拉通讯》看到过梅和她的姐妹们的照片。梅的姐妹都是库伦加卫理公会主日学校和女子曲棍球俱乐部的活跃分子。一九〇四年，二十一岁的梅和她的一个妹妹玛乔里跟另外一些女孩儿和年轻妇女（包括外公的妹妹尤金妮娅）一起组织了一个义卖市场。募捐来的款项都交给慈善机构，帮助穷人渡过难关。琼·凯德曼回忆说，大萧条期间，她母亲一直为失业的人熬粥送汤。仁慈为怀始终是卫理公会派好教徒和具有公益精神的好市民的优良品德。

爱国主义精神和对大英帝国的忠诚也是麦克拉伦作为公众人物的显著特点。梅的母亲，玛丽·艾伦·麦克拉伦，一个娇小但意志坚定的女人，长着一副小顽童似的脸，戴一副圆框眼镜，一直在红十字会当会长，还在"鼓舞士气协会"巴拉分会当副会长。所谓"鼓舞士气协会"是南澳大利亚的一个爱国组织，一九一四年十一月由亚历山大·西格发起成立。西格是一位女商人，也是一位慈善家。她发起成立的这个组织旨在为士兵筹集资金，鼓舞士气。有的人也许有点失望，因为该协会似乎只

①英语中的五月是May，名字梅也是May。故有此说。

是安排一些“高层次的女士”在士兵登船之前，看望他们一下。在阿德莱德，“鼓舞士气协会”给应征入伍的士兵提供餐饮，还举办娱乐活动。那时候，他们常常举办舞会。约翰·麦克拉伦和阿尔弗雷德·沃克积极支持巴拉“鼓舞士气协会”的工作。梅的小妹妹琼，第一次世界大战期间还在上学，她也是为“儿童爱国基金会”募集资金的活跃分子。琼是学校里成绩最优秀的学生，后来还赢得阿德莱德大学的奖学金。但是考虑到离家到阿德莱德上学有诸多不便，她没有接受学校的好意。

“鼓舞士气协会”这个名称反映出的那个时代以及那个时代人们的心态和现在有很大的不同。那种乐乐呵呵的、忙忙碌碌的场景似乎是按照什么命令做出来的。为了更大的利益，个人的感情可以放到一边。“鼓舞士气协会”开展的活动进一步证明了我们已经承认的既强有力又有弹性的公民美德和文化传统。他们不仅是很有能力的组织者，而且是卓有成效的宣传工作者，是满怀激情、毫不留情、精于计算的人。在他们的号召之下，短短几个星期之内，巴拉各界人士就捐献了二千二百五十条卡其布手帕。他们还把多种食品——鸡、鸭、火鸡、火腿、咸菜——送到“鼓舞士气协会”，分发下去，供士兵午餐之用。他们发动市民捐钱，为开赴前线和凯旋的士兵们准备午餐。作为大后方的巴拉地区，仿佛积蓄着对前方部队从情感到实际行动的无穷无尽的支持。

一九二〇年，麦克拉伦移居到阿德莱德，离开巴拉时，各界人士纷纷举办告别宴会，足以显示作为公众人物，他在巴拉的影响。在市政大厅举行的酒会上，有六个人发言，包括市长本人。他盛赞约翰·麦克拉伦多年来积极参与“每一项公益活动”，几乎是“每一个委员会”的成员，为把巴拉建设得更好做出巨大贡献。夸奖麦克拉伦正直、无私，为巴拉人民的福祉竭尽全力，是大家讲演的“主旋律”。有一位讲演者说，麦克拉伦“从来没有做过一件不正当的事情。他说过的话于公于私都经得起时间的考验”。另外一位先生说，“他不喝酒，不抽烟，不骂人，为大家树立了良好的榜样”。至于麦克拉伦太太，“她是一位真正充满母爱的女人。遗憾的是，在整个澳大利亚没有更多的像她这样的女人”。还有一位讲演者认为，“巴拉没有比他更正直的人”。没有人比他更受人尊重，因为他“从来不耍花招”。同一个演讲者为了给人们留下更深刻的印象，话说得过了点儿。他说，麦克拉伦先生深受爱戴，有一位客户送给他一张四位数的支票作为礼物。我能想象到听众席一定传来人们表示赞赏的感叹，讲话人不无逢迎地向约翰·麦克拉伦点头致意。家里人肯定被他的话搞得挺尴尬。大庭广众之下提这种事情确实不妥。涉及钱本来就很私密，钱数越多越应该有所回避。

那天晚上的酒会没有慷慨激昂的辩论，也没有轻松愉快的玩笑。大家的讲话都很真诚、平和，没有人赞美约翰·麦克拉伦风趣幽默，或者和蔼可亲，可见这些特点并非他的长项。演讲结束之后，市长送给约翰和玛丽·麦克拉伦一套精美的茶具和咖啡具。

约翰·麦克拉伦在答谢讲话中表示，毫无疑问，他在过去几十年里，为建设巴拉做了一些努力，但是别无选择，他只能去说他认为正确的话，去做他认为正确的事情。无疑这是人们都赞赏的品质，但不见得谁都喜欢。在回答一位讲演者赞赏他为教育事业做出的贡献时，麦克拉伦说：“孩子们的健康成长取决于对帝国福利的依赖。”他所说的“健康成长”包括一个孩子道德、知识和身体上的健康。健康的思想和健康的体魄是维多利亚时代末期学校教育的中心。巴拉应该为帝国的福祉做贡献在那个时代听起来既自然，也合乎人们的理念。在约翰·麦克拉伦看来，一个正直的巴拉公民和忠于帝国的臣民并不矛盾。那时候，许多人为帝国而死，还有的人对帝国的事业提出质疑。而约翰·麦克拉伦不属于这些人之列。

在库伦加卫理公会教派举行的另外一次集会上，讲话的人说，约翰·麦克拉伦远走高飞是“由这样一些每个人都是真诚的、实际能力很强的人”组成的大家庭的重大损失。卫理公会是我曾外祖父实用主义的选择。由于他从卡普达来巴拉的时候，那里一直没有公理教会，他便把“赌注”押在卫理公会上。玛丽·艾伦因为教子有方而备受赞扬。他们家的女儿们都积极从事爱国、慈善事业。她也是“外籍传教士妇女辅助会”的成员，筹集资金，支持传教士的工作。

麦克拉伦家的“小姐们”在库伦加卫理公会主日学校工作多年。人们都将她们姐妹几个统称为“麦克家的”。无论什么时候“有困难，有艰巨的任务”，“麦克家的”都会挺身而出。约翰·麦克拉伦很愿意在告别宴会上讲话，但是申明他不会代替妻子和女儿们讲话。琼会不会纳闷为什么这样一种奋斗精神没有鼓舞她去享受那份奖学金，把大学教育完成？每个女儿都得到一件礼物。约翰和玛丽·艾伦得到一把莫里斯安乐椅。这把椅子最后辗转落到我的手里。

玛丽·艾伦将康沃尔的影响“编织”到了我们的生活之中。

应该说，主要是她，而不是约翰·麦克拉伦，将献身精神转化成以做好工作、帮助需要帮助的人为导向的、实实在在的卫理公会的教义。康沃尔在卡普达、穆恩塔和巴拉的南澳大利亚铜矿公司也产生了很大的影响。最近，人们对这些城镇产生了新的兴趣，纷纷提出建议，要把它们列入跨国的世界遗产名录，从而与现存的康沃尔世界遗产联系到一起。与这种流散而来的康沃尔物质文化和采矿实践相伴的是看不见、摸不着的文化影响。菲利普·佩顿，一位对康沃尔移民颇有研究的学术权威，也是要把南澳大利亚铜矿列入世界遗产名录的倡导者，指出从康沃尔来的定居者欢迎这样的观点：这是一个“没有流放犯的殖民地。这里的人们享有宗教信仰自由，享有追求社会地位和经济发展同样的机会。这是一个民权平等的社会。而这一切在‘老家’是不可能做到的。”这样的话是否描绘出曾外祖母的心态，很难说。从照片上她那顽皮的笑脸也看不出她从康沃尔继承了什么。

一九三八年，约翰·麦克拉伦去世。《巴拉通讯》发表讣告。讣告说：“生前，他因刚直不阿、清正廉洁而赢得世人的尊敬。”我从这番描述中看到父亲的影子，尽管没有别人从其祖父身上看到的苏格兰人的苛刻。除此而外，我父亲一生以教书为业，不像约翰·麦克拉伦那样愿意在大庭广众下抛头露面。吉尔更像奥斯瓦尔德，“没有多少闲暇时间参加公众事务”。除了性格差异可以解释吉尔和他那位热心公益事业的外祖父的不同之外，他们的处境也不同。约翰·麦克拉伦年轻时候就来到巴拉，在那儿一直待到六十五岁，在当地无疑是个很有影响的人物。而我父亲一辈子从一个学校到另外一个学校，从来没有在过往之地扎下根。除此而外，我父亲生活的时代，澳大利亚社会已经发生了很大变化，人们不再像约翰和玛丽·艾伦·麦克拉伦那样有那么高的爱国热情和公德之心。

约翰·麦克拉伦的讣告对他的死因没有做太多的解释，留下不少悬念。看起来，他身体一直很好，除了“有点眼疾”。这倒颇具讽刺意味，我母亲对视力不佳、眼睛有病深恶痛绝，看来原因就在于麦克拉伦家这边有过这样的病例，给她留下阴影。约翰·麦克拉伦晚年是不是也得了黄斑变性的眼疾？这疾病没有给我的外祖母带来麻烦，就我所知，也没有遗传给她的姐妹。她们除了一人之外都高寿。姨姥姥内尔·凯德曼总是一副病恹恹的样子，可是一直活到一百零一岁。麦克拉伦家的人看起来可以抵御任何形式的退化，包括“黄斑变性”。

第五章 女家长，老祖母的故事

以前，不管什么时候，一想起祖母梅，另外一个形象就隐隐约约出现在我的脑海之中。那就是维多利亚女王的侧面像。维多利亚女王去世的时候，梅刚刚进入成年。大英帝国举国上下哀悼女王。遥远的巴拉悲哀的气氛更浓。大街小巷、公共场所、商家店铺都披上黑纱。沃克父子公司捷足先登，货源充足，满足了悼念活动需要的各种商品。和维多利亚女王一样，梅个子不高，刚刚五英尺，但是结实得就像一截柚木。她是家里的女家长。梅不太愿意和别人打交道，即使见了什么人，也只喜欢当听众。我知道祖母很善于处理家务，也很有点“政治手腕儿”，懂得“分而治之”。然而我很喜欢她的精神，喜欢她性格的魅力。现在呢？现在想起她，我就仿佛看见她唇边挂着一丝警惕的微笑。

我的祖母向着辉煌的一百岁高龄迈进。这一点似乎毫无疑问。她经历了各种手术，却没有显示出任何走向生命终点的迹象。她八十岁的时候第一次到海外旅行。她坚持说，要趁年轻享受这种经历。我在祖母九十八岁去世前不久见了她一面。我是和我的父亲、大女儿莎拉去看她的。莎拉那年四岁。吉尔已经七十多岁，负责处理她的账单和“文书”工作。可是在老祖母眼里，我的父亲似乎还是一个没有完全长大的孩子。她那时候还喜欢发号施令。我们正要离开，听见从她的房间里传来一声尖叫。我们连忙冲回去，发现她坐在地板上。原来是她没有站稳摔了一跤。我们把她扶到椅子上坐好，老祖母又露出满脸的笑容。我们跟她开了几句玩笑，第二次离开。走到她听不见的地方，吉尔说，她要是早一点儿摔倒就好了，省得我们又上去一次。摔一跤给她带来天大的好处，瞧把她乐的！他当然不会直接跟她说这话，开开玩笑罢了。其实他这样说的时候，心里充满对老母亲的歉疚。爬进汽车时，我们都笑了起来。

◎作者祖母梅·麦克拉伦

我们家有个故事，梅宣布，她人生比赛的最后一局到九十八岁结束。因为她不想一百岁的时候，总理——那个让人讨厌的邓斯坦[①]——给她发贺电。我知道，梅一直投保守党的票。罗伯特·孟席斯爵士[②]是她喜欢的那种政治家。她没有机

①邓斯坦：南澳大利亚总理（1967 年 6 月—1968 年 4 月，1970 年 6 月—1979 年 2 月）。

②罗伯特·孟席斯（1894—1978）：澳大利亚总理（1939—1941，1949—1966）。生于维多利亚州杰帕里特，卒于墨尔本。

会看到邓斯坦进行改革的种种举措。他放宽饮酒法令，把阿德莱德变成一座艺术氛围浓厚、取得很大成功的美食城。在这里，你会碰到一手拿一瓶夏敦埃酒[①]，一手拿一本《亚洲人：一部小说》的人。梅也许更反对邓斯坦与种族主义斗争的决心。他任命了第一个原住民州长——道格·尼古拉斯神父，是众所周知的反对白澳政策的斗士，属于那种头上长角、身上长刺的人。我母亲认为，邓斯坦之所以在种族问题上态度如此激烈，是因为他嘴唇厚，生在斐济。她认为，他有点“黑人血统”。

关于邓斯坦，阿德莱德有许多流言蜚语。业余相面爱好者们仔细观察他的头发、皮肤的颜色和可疑的嘴唇，希望找到他是个“杂种”的蛛丝马迹。关于他的种种流言当然都是无稽之谈。梅可能参与过反对邓斯坦的活动，尽管她比较谨慎，态度也不太激烈。但是她肯定认为，这个州落在这样一个家伙手里，真是奇耻大辱。倘若梅知道，我认为邓斯坦正是我们这个州在二十世纪剩下的这些岁月里带领我们前进的人时，她一定非常惊讶。

上世纪六十年代中期，我开始对历史感兴趣。我曾经问过父亲，可不可以和梅谈谈她的过去。他一点儿也不热心，生怕我会翻腾起那些不愉快的记忆。我已经隐隐约约感觉到，沃克家平静的外表下面有一些很敏感的东西，最好还是回避。这些敏感的话题到底是什么？为什么敏感？我一直没有弄清楚。我很想知道梅对一九〇一年一月一日联邦政府成立的情景能回忆起多少。我想这件事情不应该惹她生气。我还想知道，她对第

①夏敦埃酒：一种类似夏布利酒的无甜味白葡萄酒。

一次世界大战有多少记忆。这个话题确实让吉尔担心。因为提起“大战”，梅就会想起她的儿子劳伦斯·道格拉斯·沃克。在第二次世界大战中，他被日本人杀害。就这样，祖母和我从来没有聊过这些事情。

我想，如果当年我真的和她谈，还是有可能了解到一些情况的。二十刚出头的时候，我对南澳大利亚的历史并不看重，至于巴拉的历史更觉得不值一提。它有历史吗？一九六五年，澳大利亚历史才在阿德莱德大学开始教授。最初由约翰·扬执教。他是一位太平洋历史学家，那时候相对而言还是一位年轻教师。我那年开始学习澳大利亚历史。虽然学得不错，但是从来不觉得那是真正的历史。最引人入胜的部分，特别是流放犯时期和淘金热时期，和南澳大利亚都没有太大的关系。那是一段从总体上看非常沉闷的历史，虽然约翰·扬尽其所能想把这段历史讲活，还是无济于事。对于南澳大利亚，那简直是一枚荣誉勋章——它的历史不是从流放犯开始。到上世纪六十年代，朗姆酒、暴乱和流放犯的混合似乎恰恰成了南澳大利亚所需要的内容。我们这些大学生非常高兴地发现，爱德华·吉本·韦克菲尔德，南澳大利亚白人殖民地卓有成效的建筑师，原来是个重婚者，而且居然从来没有踏上过澳大利亚的土地。当我们试图探究韦克菲尔德“殖民地的开拓基于给土地定合理价格”的理论时，这些所谓“好玩儿”的事情就完全远离了他。如果南澳大利亚的历史枯燥无味的话，我们家族的历史无疑更加枯燥无味。如果梅要跟我唠叨十九世纪末期巴拉的历史，我肯定会关上她的“话匣子”。如果我知道了更多的情况，也许会问她关于她父母的事情，关于“儿童爱国基金会”、“鼓舞士气协会”或者巴拉华人的情况。遗憾的是，那时候，我对那一阶段的历史不大清楚，所以提不出有价值的问题。

上世纪七十年代，伊恩·奥赫尔着手写《巴拉及其周边地区：老照片的回忆》时，人们一再告诫他，最好去找梅·沃克辨别巴拉老照片上的人物。他打听到梅住在养老院，已经九十多岁了。这可不是什么好兆头。辗转找到那家养老院之后，人家告诉他梅的房间。一个个子不高、动作敏捷、看起来像是七十多岁的老太太给他开门。他问那个老太太，能不能见见梅·沃克。“当然可以，”老太太说，“我该怎么通报她呢？来找她的是谁呢？”伊恩报出自己的姓名，说明来意。老太太笑了起来，但是既不领他进去，又没有去找沃克太太。伊恩心里想，也许她没有听清楚他的话，又重复了一遍，说他是找一位名叫梅·沃克的老人。她在巴拉长大。老太太爽朗地笑了起来，说：“哦，那你就用不着找了。我就是梅·沃克。”她知道自己看起来根本不像九十多岁，就跟他开了个玩笑。伊恩·奥赫尔那本书里收集了与巴拉有关的许多非常珍贵的照片。包括沃克家和麦克拉伦家的照片。我最喜欢的照片中有一张是年轻的板球队员的合影。奥斯瓦尔德也在其中。不知道是谁，居然全然不顾这些历史悠久的照片多么珍贵，用浓墨在他头上画了个圆圈。会不会是梅干的呢？

在阿德莱德大学英语系，文学是发生在澳大利亚海岸线那边几个世纪以来的文化现象，而不是我们这块土地上文明的结晶。十八世纪被特别关注、最好的文学当然来自英国，而且只有头脑清晰、聪明睿智的人才能理解。为了启迪当地学生，系里从“老家”直接引进了一批头脑清晰、聪明睿智的学生。

我们读本科的时候，曾经有一位同学，当属此列。经过挑选，有的同学可以和他交流。那时候，我们都觉得能和此等人物比肩而立、倾心交谈真是莫大的荣幸。不过这种荣幸感渐渐消退。因为我们发现他并无特别之处，一日三餐，吃喝拉撒，平日里也得和我们谈天说地。他总是称呼挑选出来的同学“某先生”或者“某小姐”。摆出一副牛津大学指导老师的架势。在一个激动人心的时刻，他要“沃克先生”谈谈对一个很重要的文学命题的看法：我是否认为把狄更斯的小说说成“只见门前怪兽[①]，不见堂堂楼宇”言之有理？鉴于和我对话的这位“头脑清晰、聪明睿智”的同学喜欢狄更斯，我就想，最好别和他唱对台戏，便说：“倘无堂堂楼宇，何谈门前怪兽？这样的评论纯属无稽之谈。”我觉得，用类比法说明自己的观点很聪明。谈话停顿了一下，似乎不是什么吉兆。知道他将给我以“恩泽”，那位“聪明睿智”的同学说：“我很同意你的观点，沃克先生。”大卫阁下站了起来。

有鉴于在澳大利亚，真正的文学像真正的历史一样，来自别的地方，澳大利亚文学也只能在英语系找到自己的位置。这门课由布雷恩·艾略特讲授。他是第一个对这个课题感兴趣的学者。我选修了澳大利亚文学。我想当时之所以选这门课只是觉得可能不难。作为开端，才思敏捷的学生不愿意学澳大利亚文学。需要阅读的东西似乎很少，因为可以称之为文学的东西不算多。当澳大利亚教育部门认为应该给澳大利亚大学生学习本国历史和文学的机会时，从国外“引进”的“精英”——所

①门前怪兽：此处系指建筑物旁通常立着的形如怪兽头的石雕，用作滴水装饰。

谓“最聪明”的家伙们觉得这两门课对他们没有足够的吸引力。那时候大学里对“才思敏捷”以及拥有这种玩意儿的人议论很多。在我看来，我们这个家族“生产”不出此等人物，我们家只会种大洋葱头。不过因为我是男性，我也知道自己具有某种优势。上世纪六十年代初，社会上普遍认为男人比女人脑子好使。这就让我有一种得天独厚的感觉。不管长短，家族的历史在我看来，都是南澳大利亚历史的一部分。而南澳大利亚的历史是澳大利亚历史可怜的“堂兄表弟”。我们知道，澳大利亚历史算不上悠久，澳大利亚文学亦如此。倘能对这两样略知一二，也该受到表彰。

我不认为祖母属于才思敏捷之列。她的力量似乎都潜藏于别的方面。恬淡寡欲，坚忍不拔。我曾经想象，梅充满活力，办事灵活。因为十九世纪的人们就是这样。麦克拉伦家更是这样。他们把苏格兰人的沉着冷静、不动声色和澳大利亚人的知难而上、勇往直前结合到一起。你很难把这两样东西明确分开。事情就是这样。按照这种观点，时世艰难会造就更多意志坚定的人，温柔之乡只能打造出不堪一击的小船。事实证明，梅比她的“后来人”更有耐力，更顽强，命中注定要把这样一种精神延续下去。事情就是这样简单。

梅·麦克拉伦成长的岁月里，她父亲干得相当不错。那时候，他已经是城里一家很有发展前途的公司的经理，为他在公共事务中扮演重要角色提供了许多机会。麦克拉伦家虽然不是非常富有，但至少是小康之家。他们已经在阿德莱德买了房子，为了纪念苏格兰老家的遗产，将这幢房子取名为科姆里。梅三十多岁的时候，父母亲卖掉巴拉的房子，移居到阿德莱德。他们那幢“位置绝佳、有十个房间的、与六英亩大的牧场相连的住宅”由“班戈特，赛克斯和刘易斯有限责任公司”拍卖。一起拍卖的还有许多令人垂涎欲滴的乌木家具和雪松家具。还有一个琴凳、一个乐谱架、两个画架和许多画儿。这一切都说明，这是一个品位高雅的很有教养的人家。巴拉那幢房子现在还矗立在那儿。那幢房子很漂亮，离市政厅很近，步行过去也没有多远。

一九二〇年八月拍卖的时候，这幢住宅还有一个很大的棚屋和一座宽敞的花园。约翰·麦克拉伦在那儿种葡萄、果树和蔬菜。梅的妹妹玛乔里种她喜欢的龙面花和蝴蝶花。玛丽·艾伦不甘落后，她种的一棵大白菜重达五公斤，参加了巴拉园艺精品展。吉尔常常去看外公外婆，当然从小就对麦克拉伦家很熟悉。但是我回想不起他谈起过他们，也没听他说过他们那幢

◎祖母梅（左）和她的母亲玛丽·艾伦·麦克拉伦在花园

房子和花园。现在我纳闷，要想和他谈这方面的事情，是不是需要一种技巧，需要谈话的艺术，还得不断鼓励，而不是假定，猜测。那时候，显然有一种文化，看重人们讲故事的能力，看你是否伶牙俐齿。吉尔对语言文字很感兴趣，对讲话和缅怀往事就差点儿。老了之后，他喜欢的游戏之一是让我们随便从字典里找一个字，然后让别人说出这个字的意思。比如，他会问："epenathesis 是什么意思？"当然，那是非洲一种行动迟缓、两个脚趾的动物。我至今还保存着他玩这种游戏用的那本已经很破烂的字典。扉页上写着：吉尔伯特·J. 沃克，一九三二年八月，安利，罗伯特大街十七号。那时候，他和外公外婆一起生活在阿德莱德，也许为了给他们留个好印象，总是在那儿查字典、看书。不过尽管对文字、词汇很感兴趣，他也带来一个乡下孩子对于语言表达和讲故事的"不信任"（或者某种谨慎）。也许从小人们就经常告诉他：沉默是金。

梅一九〇七年和奥斯瓦尔德结婚的时候，沃克父子公司也方兴未艾，收入颇丰。从一九〇八年到一九二二年，梅总共生了六个孩子，其中罗娜夭折。库伦加的家很舒适，不远处就是地区医院。我姐姐还记得，一九四〇年前后，梅在家里还雇了个帮手。看起来，那些年她一直在培训当地姑娘当家庭用人。她也许一直雇佣这样的帮手做家务。

我对祖母最早的记忆可以追溯到她在阿德莱德生活的日子。那时，她住在奥斯蒙德很富裕的郊区。对于一位麦克拉伦家的女士，那是一个很合适的去处。她那幢房子位于奥斯蒙德路，都铎式建筑，这也是阿德莱德独特的景观。上世纪三十年代，这种舒适、宽敞的都铎式住宅遍布自然条件极好的郊区。

梅自己拥有这幢房子。

我估计，一九四七年，奥斯瓦尔德刚死不久，她就搬到这里，靠房产的收入一直在这儿生活了三十五年。必和必拓①的股票当然关键时刻也派了用场。除了家务事——拉扯大五个孩子的“家务”不能说不繁重——她一直没有参加别的工作。梅的日子一直过得很舒服。就我所知，她从来没有缺过钱。她不抽烟不喝酒，直到死前都很活跃。生活环境和遗传基因都让她长寿。

去奥斯蒙德路看望老祖母的时候，大家总是有点儿紧张，因为每次去都很正式。记得我总把自己打扮得整整齐齐。倒不是说我有什么精致的礼服，我的外套是校服，系的也是学校发的领带。硬邦邦的皮鞋，鞋带一直系到脚踝，擦得锃亮。如果检查不合格——经常不合格——还得回去重擦。母亲花好长时间打扮我，确保儿子能拿得出手。那仿佛是一场仪式，包括要把我的卷发梳出最好的式样。妈妈让我站在浴室洗脸池旁边，她从水龙头上接水，把梳子弄湿，把我一绺绺“方德诺小伯爵”式的头发摆弄来，摆弄去，直到弄出她理想的发型。然后妈妈朝后退几步，左端详右端详，看她的“活儿”干得怎么样。妈妈身上散发着一股滑石粉味儿，让我老老实实站着不要动。我的卷发总是很难分开，她就不厌其烦地梳呀，理呀，直到完全满意，可以拿去“展览”为止。我的哥哥姐

①必和必拓：世界最大的综合矿业公司，由澳大利亚的布罗肯希尔控股公司（Broken Hill Proprietary Company）和英国的比利登公司（Billiton）于二〇〇一年合并而成。其中占股约60%的澳大利亚公司总部位于墨尔本，占股约40%的英国公司总部位于伦敦。必和必拓在二十五个国家拥有广泛的采矿业务，范围包括铁矿石、钻石、煤炭、石油、铜、铀和矾土等。

◎作者小时候

姐就用不着受这种卷发仪式的折磨了。因为只有我是卷发，也是家里最小的孩子。

格拉森自个儿也许并不特别喜欢去看梅。这位最年轻、说话最没遮拦的儿媳妇后来对我说，梅——她管她叫“龙夫人”——觉得她三位已婚的儿子本来都可以娶更好的老婆。快到奥斯蒙德路的时候，我们还要最后再检查一次衣冠是否整齐，确保万无一失。我们现在是校长家的孩子。和老祖母的相互问候很热情，但是从来没有肢体接触。我们家的人都不喜欢搂搂抱抱、勾肩搭背。我们都有几分羞涩，总是记着种种规矩、禁忌，不会轻易拥抱、亲吻，就在自己应该待着的地方老老

◎梅和奥斯瓦尔德的结婚照

实实站着。

祖母家所有窗户都用窗帘遮挡着，屋子里一片昏暗。大人们都想让小孩子们找点儿事干，他们好安安静静地聊天。天气是个好话题，特别是如果吉尔的姐姐菲利斯和她的丈夫莱尔在场的时候。他们是种小麦的农民，所以对雨水的多少十分关心。梅厨房里有个晴雨表，可以帮助她提前知道风云变幻。宗教也是他们经常谈论的话题。菲利斯和莱尔都是循规蹈矩去教堂做礼拜的人，是卫理公会的台柱子。而吉尔和格拉森却是有一搭无一搭，只是在他们觉得有必要的时候才去教堂。在祖母家聚会，没有酒也没有烟，更没有人说粗话。约翰·麦克拉伦为我们树立了好榜样。我们坚持着，等托盘推车到来，那意味着下午茶（从来没有咖啡）和蛋糕。小孩子不允许喝茶。我们只能喝柠檬水，挑一块蛋糕。记得妈妈总是在一边瞅着，确保轮到我的时候再去拿蛋糕，或者不要洒了杯子里的水。

大人们聊起天来滔滔不绝，经常互相插话，互相打听，谁谁谁在干什么呢？艾伦和诺尔曼还在杰帕里特[①]吗？他们的孩子格雷格里和安妮呢？他们多大年纪了？格拉森几个兄弟现在情况怎么样？埃里克和文还在马坡伦加种杏吗？还有那么多的姑奶奶、姨姥爷的消息需要打听——病情怎么样呀？吃什么药呢？卢叔叔身体一直不好，可是还不戒烟。梅出去的时候，大家就压低嗓门儿，悄悄议论她看起来怎么气色那么好！一年又一年，她却永远那么与众不同。梅看起来越来越壮。他们开玩笑说，真想知道她有什么秘诀。“你是不是认为医生给她吃了猴子胆儿了？”于是谈话转到据称能让青春永驻的“猴子胆儿”上。那时候，报纸上经常登些不着边际的广告。大家都同意，《广告报》已经今非昔比了！很快就该回到“正儿八经”的话题上了。作为校长和大儿子，吉尔有责任肩负起让谈话恢复到正确轨道上的责任。他说，虽然今年他的玫瑰长势很好，但银甜菜却令人失望。这样一来他就给谈话定了调子。

大人们在屋子里聊天的时候，孩子们就在外面转悠，想干点儿什么，常常无功而返。在奥斯蒙德路，时间似乎过得很慢。梅有个望远镜，我们可以——也许还得到鼓励——到前面阳台上轮流拿望远镜看阿德莱德山或者从奥斯蒙德路到老收费站来来往往的车辆。炎热的夏天，柏油路上热气蒸腾，带走了整个城市的活力，什么东西都是慢慢地向前爬行。我的脑子变得非常迟钝、昏昏欲睡，一切行动都让人难以忍受。大人们一直聊

①杰帕里特：澳大利亚维多利亚州的一个城镇。

到天黑，孩子们也不再跑来跑去。该我用望远镜凭窗远眺的时候，我总希望发现点什么重要的东西，但是窗前的景色总是平淡无奇。我们溜达到后院，也无事可干。梅看起来不太善于料理花园。那是奥斯瓦尔德的专长。不过花园里还是收拾得干干净净，有条不紊。几株没有生气的果树显然拒绝结果。一座小丘赫然耸立，山坡上覆盖着松软的草坪。姐姐还记得家人拍摄的一些照片。有的照片上有叔叔劳里，他那时候是个年轻的飞行员。姐姐对老祖母那本《南澳大利亚百科全书》表现出好奇心的时候，梅说，她对这些老玩意儿不感兴趣。曾外祖父外祖母的一张老照片，她似乎也同样不觉得有什么珍贵。

当海岸空无一人的时候，我会溜到梅的卧室。这是很危险的举动，因为那儿是禁区。其实我并不敢真正走进她的卧室，只是把脑袋从门缝里伸进去瞥上一眼。我看见床头挂着一幅很大的油画，画面上有一个非常优雅的裸体年轻女人。她摆的姿势很像著名的克洛伊。但是我那时还很小，并不知道克洛伊其人。那么这个美丽的女人是谁呢？她的画像为什么会挂在祖母床头？我特别想进去看个究竟，但是害怕被人发现偷看祖母的画，最终也没敢越雷池半步。后来我纳闷，这一切是不是我自己凭空想象出来的？因为挂这样的画有悖于卫理公会的教义。许多年后，我问姐姐那画是不是我看花了眼，想象出来的？她虽然和我一样，说不出个所以然，但记得确实有过这样一幅画，只是不知道从哪儿来的，也不知道梅去世后画儿的下落。是不是人一死，画儿就被谁从墙上摘了下来，还是被某个亲戚顺手牵羊拿走了？不管怎么说，画面上那个裸体少女永远都是一个解不开的谜。

第六章　沉默的人

我有一张小女婴的照片。照片上的人物不到一岁，穿得很漂亮，衣服用一层层洁白的细棉布做成。那孩子脸上的表情不大高兴，也许是因为她不得不勉强坐直，面对照相机。画面之外，一定有好几个大人乱哄哄地比比画画，吸引她游移不定的目光。我想，摄影师一定是巴拉业余摄影协会的前干事，奥斯瓦尔德·吉尔伯特·沃克。这个“女婴”是我的父亲。这是他留给我们最早的一张照片——按照那时候的风俗习惯，他穿着女孩穿的婴儿服，而不是男孩子的打扮。我们估计，这张照片是一九〇九年八月，他到库伦加卫理公会教堂施洗礼时拍的。

吉尔伯特·约翰·沃克生于一九〇八年十一月十日，是奥斯瓦尔德和梅的第一个孩子。正式场合，他要么称呼自己为吉尔伯特·约翰·沃克，要么 G.J. 沃克。平常就叫吉尔。外人有时候把他的名字和约翰尼·沃克联系到一起，还希望得到肯定的回答。“约翰尼·沃克”是一种威士忌标签上印的很活泼的

◎吉尔小时候

家伙。作为一个不喝酒的信奉卫理公会的家庭，这种联系连一点儿吸引力也没有。喝威士忌会让人走下坡路，而任何形式的酒都和玩忽职守联系在一起。吉尔在小城镇长大，遵纪守法、为人正直、看重社会地位是他成长过程中最主要的特质。在巴拉，没有殖民地常见的那种狂放不羁的男孩儿，当然也没有不守规矩的女孩。

在南澳大利亚的小城镇中，巴拉有其自己的特点。在澳大利亚干旱、荒凉的原野，巴拉小镇广场让人想起遥远、古老的英格兰。恐怕很难再找到一个将老家熟悉的城镇格局如此完整地移植到“新世界”的例证。高低不齐的桉树似乎无法理解，广场周围一幢幢带阳台的房屋布局合理，就是为了表现这样一种秩序。而正是这种秩序使广场肩负起让蛮荒之地变成文明城市的使命。与此同时，一株株歪歪扭扭的桉树树皮剥落，姿态万千，日夜矗立在广场四周。

吉尔渐渐长大，知道巴拉周围的铜矿能给人带来财富。地质学在巴拉的意义非同寻常。一旦找到矿脉，就能发财。吉尔和他的叔父阿尔夫、堂兄莱斯利经常到巴拉周围踏勘。我们知道阿尔夫有辆汽车。因为那本乐于助人的《巴拉通讯》提到过，有一次他们到乡下旅行，送两位“古代森林人”回巴拉的时候汽车起了火。阿尔夫让这样两位“易燃”的同事搭车真不错！从更远的地方传来幸运之人大发其财的消息。最振奋人心的消息是，维多利亚州丹诺里附近的斗牛犬沟发现一块巨大的黄金，比奥斯瓦尔德还重七十公斤。这是家里和朋友圈子里流传的故事，历史教科书里并无记载。

一八八三年，查尔斯·拉斯普——一位骑马巡修牧场界栏的牧工非常幸运地发现一个蕴藏量巨大的白银、黄金和铁的矿山。这就是后来为大家熟知的布罗肯山。拉斯普的故事让父亲想入非非。因为每一次幸运的发现，每一个天上掉下金元宝的故事，都伴随着关于某座尚未发现的矿山的传言。这些传言让人心痒难耐。比如蕴藏量巨大的拉塞特金矿，曾经和在那一地区勘探的人多次擦肩而过。一九二五年的《巴拉通讯》纪念版曾经说，那一地区仍然埋藏着丰富的宝藏。谁知道会有什么奇迹出现？小时候和父母一起度假，眺望着远处巍峨的群山，我经常说：“那山里一定有黄金。”大人们听了会笑出声来。不过，笑归笑，我们都相信这是真的。

父母看望维多利亚的朋友时，偶尔会谈到不远处连绵逶迤的青山、纵横交错的沟壑。他们说，有的丛林人把非法得来的黄金藏在崇山峻岭中的什么地方。那当然也是传说。这个丛林人会是著名的星光船长吗？我真想看个究竟。我仿佛看见自己无意中发现藏在岩洞里的宝藏。为什么这些大人们不停止谈话，去崇山峻岭中找那些财富呢？也许他们只想怀揣黄金梦，而不想费心劳神地去做点什么。我的母亲或许在想，手捧一杯热茶要比汗流浃背地到险象环生的丛林里找宝强得多。

羊是另外一个财富的来源。巴拉矿山关闭之后，前来“救援”的就是羊。巴拉周围有一些非常漂亮的美利奴羊。它们的照片悬挂在公共场所。展览会上，获奖的羊身披缎带，喜气洋洋地站在展台上。巴拉市政厅有一些给人留下深刻印象的藏品。其中最珍贵的是“巴拉两宝”——“金块”和“所罗门”[①]。亨利·伯吉斯为它们拍了照片，后来都收在《南澳大利亚百科全书》里。它们颇有市议员的风采，庄重、自信，因为知道自己身价不菲，面对照相机绝不会露出逢迎的微笑。它们的角色就是被人赞美，它们也应该被人赞美。羊毛可以换钱，尽管不像找到金矿母脉那样让你一夜暴富。大家都知道，养羊是一件很辛苦的工作，又脏又累，而且巴拉就是一座变化无常的大牧场，干旱常常给养羊业带来灾难。

一九八八年我带吉尔回巴拉的时候，他坚持要去离城二十公里远的“格莱德线”看看。我们家的人提起格莱德都满怀崇敬之情。他曾经是南澳大利亚测量总监，从一八六一年起，干了三十多年。再没有一个人比他更了解南澳大利亚。格莱德做事一丝不苟，持之以恒，是个很严厉的工头。他总是不停地工

① “金块”和“所罗门”：此处系指参展获奖的美利奴羊。

作，生活简朴，处事清廉，不接受任何贿赂。那是一个土地被大块大块打包出售的时代。人们都很狂热，根本不会考虑绘制一幅宏伟的蓝图，规划整个中北部地区的城镇和乡村。别出心裁的制图员沿壮观的市政大厅、宏伟的火车站和让人类变得更加美好的大学，设计出一条条林荫大道。那时候，许多南澳大利亚人满脑子都是宏大的建筑，格莱德却依然持非常谨慎的态度。人们都说他是进步的障碍，是怀疑论者。骂他让中部殖民地后退了好多公里。

让他声名远播的那条“线”就是一个很恰当的例子。格莱德对这块干旱的土地做了非常深入、广泛的调查研究。他画了一条线。线那边平均年降雨量十英寸。线那边，格莱德画出永久性的居住地和可以发展农业的地区。有的人认为，和北领地接壤的地方可以种小麦。他们坚持认为格莱德错了，犁完地就会下雨。但是要想证明这一点就得有勇敢的先行者脚踏实地地去试验。持有不同意见的双方在地方报纸上唇枪舌剑，各不相让。有一阵子，批评格莱德的人似乎占了上风。殖民者越过他画的那条线，因为有几年犁完地真的细雨绵绵。一座座农庄拔地而起。可是到了一八八〇年代，连年的干旱让那些殖民者受到重创，只好离开辛辛苦苦创建的家园，另谋生路。事实证明格莱德是对的。

当然没有一条实实在在的、精确的线，而且即使真能画出一条线也无此必要。原野景色的变化告诉我们，已经到了那条“线”的边缘。这里看起来一片荒凉，放眼望去，低矮的滨藜绵延几英里，连一棵树也没有。这块土地平得像个大头钉，干得像块骨头。父亲很喜欢这个地方。年轻时候他在这儿度过许多美好的时光，打野兔，朝生锈的罐头盒子扔石子儿，想象板球运动之乡——劳德漂亮的比赛，击中三柱门，使击球员出局。七十年过去了，这里没有发生多大的变化。看到远处有一座废弃的农庄，我们就想走近看一看。那是荒野上一座坍塌了的“纪念碑”，纪念“犁地之后就会下雨”的谬论。房顶和门早已不翼而飞，砖墙还艰难地挺立着。这儿曾经是一幢很大、很结实的房子。主人会是谁呢？他们上哪儿去了？吉尔没有就这些问题发表自己的看法。其实，即使有人要他说点儿什么，他也说不出个所以然。大自然主宰万物，逆规律而动，就会徒劳无益。土里刨食有许多不确定的因素，尤其在这个地方。

去“格莱德线”之后，我们带吉尔去巴拉公墓。他开玩笑说，我们来得太早了点儿。清晨，天气有点凉，寒风扑面而来。天公作美，巴拉有时候也会很冷。小镇似乎准备迎接偶然光临的飞雪。向公墓驶去的时候，野兔四散奔逃。吉尔的兴致很高，大声喊道：“好家伙，到处都是野兔。看它们跑得多快！”在墓碑之间穿行，弄清楚不少问题。比方说，这么多年里，父亲原来那些熟人都怎么了？如果看到鲁克和海丝特·戴的墓——他完全可能看到——他也会缄口不言。那是后来的发现。吉尔知道，他不可能在这儿转悠多久，不过他并没有因此而沮丧。“哦，想想看，老某某也跑到这儿了！”尽管因为对某些老熟人的情况多多少少有了点了解，他很满意，但最让他高兴的还是那些兔子。我的两个小女儿看到爷爷高兴得像个孩子，也非常开心。

我再去公墓的时候，科琳·沃克当向导。她嫁给了沃克家族詹姆斯敦那一支，修出一个庞大的家谱。这株家族之树枝繁叶茂，伸向四面八方。我们的亲戚比巴拉公墓的兔子还多。科琳把坚忍不拔的探寻精神和丰富的历史知识融入对宗谱的研究。知道我想让她带我去公墓找谁埋在哪儿，她激动得要命。我们出发去找鲁克和海丝特。找到了。他们并排长眠在那里，一个华人和他的欧洲新娘。海丝特死于一九四二年，鲁克死于一九六二年，时年九十五岁高龄。去墓地的路上，科琳一席话让我大吃一惊。她说："沃克家的女人不能参加葬礼。"是吗？这可有点儿不像话。"直到一九七三年，沃克家的女人还不能参加吉尔堂兄威尔斯·马丁森·沃克的葬礼。这位大学者对此居然一无所知，真是憾事！"科琳对我说。尸体埋葬时脑袋朝东，坟墓的造型、装饰都要有象征意义。"我不只是个金发魔女。"她一边说，一边带着我寻找别的墓碑。

父亲进入九十岁之后，回忆四处奔跑的兔子——那已经是一幅褪了色的风情画——成了他的一大乐趣。我们听到的关于兔子的事远比亲戚的事多。尽管这两者之间的界限经常混淆。吉尔是个很好的射手，但他说，奥斯瓦尔德枪法更好。喜欢射击是我们家的传统。约翰·托马斯·沃克进入老年之后，虽然行动不便，还会带着几个儿子一起去野外打猎。约翰坐在车里，看见兔子举枪就打，儿子们却四散而去寻找猎物。回来的时候，他们经常发现瘸腿爸爸收获最大。他是个神枪手，虽然年事已高，视力却不太差。他们出去打兔子不只是为了取乐。烤兔子，炖兔子，都是对家里膳食极好的补充。兔皮在阳光下发出好看的灰绿色，鞣制加工后也可以卖钱。对我们而言，兔子是"地下羊肉"。对沃克家，它们功不可没。

打兔子虽然算不上什么有知识含量的挑战，吉尔却给自己定了更高的目标。为了节省子弹，他运用数学原理，搞了一次试验，一枪打两个兔子，结果成功了。这个故事我们听到不止一次。这件事和艾伯特·爱因斯坦发现相对论在同一时期。从某种意义上讲，吉尔和艾伯特的成功有相似之处，尽管在巴拉，人们把他的成功看得更高。对于一个农村小伙子，知道如何打枪非常重要。吉尔教我的哥哥布莱恩打枪。一九五七年末，我刚满十二，我们家就搬到南澳的雅典——阿德莱德。我就成了城里的男孩，所以一直没有掌握如何使用 0.22 口径的步枪，也就没能成为一个好射手。

后来，有人送给我一张以前从来没有见过的照片。看着这张照片，我仿佛又漂流回笼罩我们家的“兔子文化”的氛围之中。起初，我没有看清照片上的人是谁。再仔细端详，才认出那是吉尔，并且开始用新的眼光看待他。照片上的父亲大约二十岁，

◎吉尔狩猎后在棚屋休息

样子很轻松，不知道有人在偷拍。画面堪比一幅经典的澳大利亚内陆风情画。简陋的棚屋，打兔子的人坐在一袋子小麦上休息，来复枪立在身后。渐渐地，另外一个故事浮出水面：这是我们家在巴拉附近被叫作“天之涯”的一片蛮荒之地用过的一个棚屋。房主是个农民。他允许沃克家的人在打兔子的时候在这间棚屋里休息。也许沃克家作为回报，送他们几双结实的靴子。这张照片越发证明我的看法——吉尔骨子里就是个农村小伙子。在这样的棚屋，比在哪儿都自在。

吉尔十多岁的时候，沃克父子公司已经风光不再。在交通不发达，到阿德莱德很困难、很费时间的时候，在巴拉这样偏远的农业地区开个杂货店确实有利可图。可是从打上世纪二十年代起，铁路、公路四通八达，汽车也不再是人们买不起的奢侈品，这种小店就很难和城里的大商店竞争了。第一次世界大战后，约翰·马丁在阿德莱德建起的大商场“约翰尼”吸引了南澳大利亚各地的顾客。当规模宏大、应有尽有的购物中心就在眼前的时候，谁还愿意光顾那样一个微不足道的乡村小店呢？也许就是因为这个原因，我父亲不愿意再重操祖业。

吉尔是一个严于律己、很有礼貌、讲话得体、恪守沃克家道德标准的人。他从来不在我面前骂人，从来不开趣味不高的玩笑。他在库伦加加入的卫理公会要求会众清廉正直，与人为善，切切实实做好事，而不仅仅是把入会看作精神之旅，或者读读《圣经》故事。晚年，他经常做噩梦，梦见自己穷困潦倒，一文不名，流落在阿德莱德街头。一辈子走过一条笔直但狭窄的路之后，潜意识之中，他还是害怕自己有一天会丢人现眼，陷入贫困之中。道德上的“人体测量学”主宰了吉尔的一生。

他总是拿所谓良好行为的苛刻标准衡量自己。我至今还记得小时候，学校巡视员来访时家里那种特别凝重的气氛。吉尔一定一辈子都在等待各种“巡视员”对自己作出评判。母亲的、妻子的、上帝的。也许就是这个顺序。

吉尔大约二十岁的时候，阿德莱德这座城市对于他还有点陌生。他曾经有过一次令人恼火的“邂逅相逢”。那天一直下雨，大街上灯光昏暗，潮湿阴冷。人行道上到处都是滑溜溜的水洼。吉尔正想走过一条小巷，明灭不定的街灯下突然蹿出一个身穿破旧军装、满脸忧伤的汉子，挡住他的去路。那人没有刮胡子，一直喝酒。“能给老矿工一枚小钱吗？小伙子。”他说。吉尔吓了一跳，连忙塞给他一枚硬币，什么也没说，继续走自己的路，不知道这样做对不对。那天夜晚，回到科姆里之后，他没有对父母提起那位被遗弃的老兵的事儿，尽管忘不了那人一张绝望的脸。

沃克家的“道德密码”就是从不炫耀自己，喜欢默默地取得成就，老老实实做好自己的工作。龟兔赛跑的故事就是一个很好的总结。兔子有种种优势，在那场著名的赛跑中，毫无疑问会打败老乌龟。可是兔子骄傲自满，到处卖弄，显摆自己。吉尔在生活中总是让自己扮演吃苦耐劳、坚持不懈的“老乌龟”的角色。他经常搬出达尔文的进化论和被他赞同的优胜劣汰的原则教育年轻人。他教导我们，无论干哪一行，都要尽心尽力地干好，否则就要被社会淘汰。我想，正如他这样不遗余力地把这种思想灌输给我和我的兄弟一样，祖父也把这样的理念灌输给他。

一九八八年那次旅行，我们开车越过“格莱德线”，看到发育不良的矮树丛为了活下去紧紧地抓着干旱的土地。当夏天炽热的阳光重回大地的时候，这里无遮无挡。任何生物，包括人，都无法对这块土地奢求什么。这儿压根儿就没有什么东西可以奉献。低矮的树丛下，四散着动物的遗骨。它们一定觉得活着比死还难，干脆就一死了之。中东部地区干旱的土地一望无边，每一样挣扎着活下去的草木都给人以启迪，让人们认识到坚持、忍耐、对明天满怀希望的重要意义。那些低矮的树木不会给人留下深刻的印象，它们的成功就在于坚持。我又听到父亲经常说的那个词儿："耐受力"。我渐渐认识到，我们沃克家之所以总是能后来居上，能在不利的情况下取得成功，就是因为具有这样一种"耐受力"。约翰·霍华德当总理期间，我们经常听到的就是这样一种斗士的精神。它提醒人们，今天的好日子来之不易，那是我们的先辈具有超级"耐受力"的结果。

吉尔这种吃苦耐劳、坚持不懈的精神使得他积攒了运动会赢得的许多奖杯。岁月如梭，这些纪念品早已流失。我记忆中，那些五光十色的奖杯曾经放在车库里，盛钉子、大头针和螺钉。吉尔不是一个手巧的人。奥斯瓦尔德教给他如何使一双鞋穿的时间更长。他按照鞋底大小，剪出一块胶皮，在鞋底涂抹一层胶，然后用手指轻轻触摸。等到胶水的黏度最适合粘东西的时候，把胶皮粘到鞋底上。为了保护鞋底，他还在鞋尖儿和鞋后跟钉两块铁片。这样的鞋穿在脚上，走过瓷砖地面发出咔嗒咔嗒的响声。因为鞋很贵，不可能经常买，我们总是把鞋帮擦得锃亮，不是为了好看，主要是为了延长它的寿命。重中之重，是穿鞋一定要合乎礼仪。把鞋后跟弄坏那可是严重的错误。因为歪歪斜斜的鞋后跟充分说明穿鞋的人没有教养，走路没有规矩。于

◎年轻时代的吉尔

是我从小就对鞋特别反感。不但穿在脚上硬邦邦的，一点儿也不舒服，还能暴露出你穿着它都做了些什么。它们是大人和孩子作对的“同谋者”。

吉尔到小学当老师，恐怕更主要的是因为需要而不是出于某种信念。既然选择了，他就一定要成功。约翰·麦克拉伦毫无疑问愿意倾尽全力，支持巴拉的教育事业。那时候，升迁的途径就是要获得阿德莱德大学文学学士学位。吉尔那个时代，学位很严格也很刻板。拉丁文是必须过关的课程。但是父亲全职教书，后来又有了家，拿学位谈何容易！他应该是我们这个家族第一个走这条路的人。他的兄弟姐妹都没有受过高等教育。和吉尔一起学习的许多同伴都打了退堂鼓。对于他们中的许多人来说，拉丁文是最后一根稻草。吉尔发奋读书，终于于一九四〇年十二月拿到学位。那年他三十三岁。四年后，他又拿到教育学学士学位。用吉尔的话说，他好像总也读不完书。他进大学的时候十九岁，拿到教育学学士学位的时候，已经读了十七年书。他把阿德莱德大学授予吉尔伯特·约翰·沃克的文学学士学位证书装在镜框里，挂在他的校长办公室里。

父亲去乡下学校教书之前在阿德莱德有很多关系比较近的朋友。可是等我长大了，我们家似乎就很封闭了。来访的客人很少，即使有谁来，我们也不认识。我们不到饭馆吃饭，也不去剧院看戏，甚至连到电影院看电影的机会也不多。吉尔虽然也有朋友，有他的社交圈子，但他没有“伙伴”，他甚至连这个词都没有用过。这样做也有它的好处。我长大之后用不着总去听我们有些政治家关于所谓“伙伴情谊”的胡说八道。吉尔是个不善言谈的人。他敬重的杰出人士很多，但没有那么多泛泛之交。

他敬重道格拉斯·莫森爵士。如果有谁可以称之为他心目中永远的榜样的话，非这位爵士莫属。吉尔有幸听过他关于地质学的讲演。一九一二年，莫森带领澳大利亚南极探险队到南极考察。这是一部伟大的史诗。两个同伴死后，莫森在极其险恶的条件下，独自一人走了三十天，回到大本营。尽管胜算的几率微乎其微，他还是下定决心奋力拼搏。这是一种真正坚忍不拔的毅力。莫森关于这次探险的叙述——《暴风雪之乡》是一部极地考察的经典之作。吉尔虽然对莫森非常赞赏，但是我怀疑他有没有这本书，或者读没读过这本书。莫森最后一次极地探险是在一九三一年，我父亲碰到他之后不久。他记得最清楚的是，这位伟人身上那种令人敬畏的东西。莫森走进讲演大厅的时候，听众都屏声敛息，整个报告厅连一点儿声音也没有。大家都知道，此刻他们正置身于一段传奇。这个传奇的主人公经历了别人无法想象的艰难困苦。

埃辛顿·刘易斯是吉尔崇拜的另外一个人物。此人也是库伦加人，比我父亲早一代到当地小学念书。“班戈特，赛克斯和刘易斯有限责任公司”的刘易斯是埃辛顿的父亲。埃辛顿在必和必拓从基层做起，一直做到总裁。他严肃，话虽然不多，但不乏幽默。刘易斯反对酗酒、懒惰、污言秽语。即使在最肮脏的车间，他也要伸出手指摸一摸，看机器上有没有污垢。他办公桌后面的墙上挂着一个镜框，上面写着“我在工作”。一九三四年，刘易斯访问了日本（他父亲在他之前就访问过），急于了解日本钢铁工业发展的情况。尽管日方处处设置障碍，他还是清楚地看到，一旦战争爆发，日本会对毫无准备的澳大利亚造成威胁。刘易斯非常努力地工作，在幕后推动澳大利亚钢铁工业的发展，创立兵工厂和一家飞机制造厂。一九三九年战争爆发，他理所当然地选择当了兵工厂的厂长。对于吉尔来说，刘易斯就是个库伦加小伙子。一个在工业领域取得巨大成功的、具有钢铁意志的男子汉。

上世纪二十年代末期，父亲开始了教书生涯。他的第一份工作在怀亚拉——一座尘土飞扬的钢城。怀亚拉实际上就是必和必拓所属的钢铁公司所在地，人口不到一千。吉尔第一个举动是参加网球俱乐部。有一天下午，他们邀请刘易斯来俱乐部玩。不过毫无疑问，没抱多大的希望。可是他竟来了。他很结实，稍微有点胖，穿一身白色运动服，忘了系裤带，只好用一根绳子凑合。吉尔记得刘易斯因为裤子系得不合适有点尴尬，但是玩起来还是信心十足。不管怎么说，吉尔亲眼看到刘易斯这样一个大人物和一群小小老百姓玩得非常开心。这件事给他留下深刻的印象。

父亲在巴拉长大。那里的文化教给他要顺从，要坚忍克己，恬淡寡欲。他学会顺从父母，即使不如意也不抱怨。在桥街，容不得你怨天尤人，也没有人爱听一个小男孩儿哇哇哇地哭。他更没有在父母面前撒娇的习惯，但是这并不意味这是一个没有快乐的家庭。我的祖父也是个很有情趣的人。我们家的人都喜欢运动和游戏。对于一个教师来说，运动和游戏是很好的工具，可以提高孩子们的学习兴趣。吉尔到老也非常喜欢玩牌、下棋。对于一个家教严格、生活节俭的家庭，这种游戏创造出发挥“主观能动性”的空间。有一张很可爱的照片，是他教书生涯快结束时拍的。照片上，他一手建立起来的象棋俱乐部的成员站在他旁边。他教我哥哥姐姐玩牌，但是还没怎么教就已经力不从心。他和梅一样，都是打桥牌的好手。他们下很高的“赌注”——把火柴盒摞得很高，看谁能赢。我们家的孩子还喜欢猜字谜，说绕口令。

吉尔还热衷于心算。他会突然让你算出二十七的立方根，或者问你一个素数方面的问题。步入老年之后，吉尔还发明了许多种棋类游戏，希望能有一种获得成功，给我们带来财富。八十多岁，他发明了一个叫作“抢劫”的游戏。这个游戏完全由数字组成。一想到或许能把这个游戏卖出去赚一笔钱，他就兴奋得两眼放光。“你觉得有可能吗？”他满怀希望地问，“会是个不错的玩意儿吗？”有一次他问我“抢劫”能不能拿到中国去卖。作为发财的手段，它似乎可以代替拉塞特的“暗礁”。

吉尔一直没有放弃对游戏的研究。我们现在还保存着他用打字机打出来的一部分手稿。那是他想出版的一本书，题目是“魔方之乐”。他还设想了一整套系列丛书，包括如何做押韵诗、字谜、计算器和数字游戏。当然最终都成了泡影。吉尔在写给一位有可能出版这套书的出版商的信里说，魔方之谜“可以像纵横字谜游戏一样有趣。这本书是解决这些问题的指南”。他在这本书里提供的“谜”，如果每周破解一个的话，可以破解数年。如果这本书能用英语出版的话，他觉得完全有可能翻译成其他文字出版。他还为自己这本书配了杜勒①一幅版画《忧郁症》。这幅画的背景就是一个魔方。每一行上面的数字加起来是三十四。吉尔也许是在大英博物馆看到《忧郁症》这幅画的。尽管魔方俱乐部的成员或许早就知道这幅版画。最下一行中间两个数字是十五和十四，说明这幅画创作于一五一四年。哥哥告诉我，吉尔的发明与风靡全球的数字游戏——九宫格游戏很有点相似之处。

父亲当然是男性。玩这种游戏是他们那个时代父亲们的习惯。可他真像个男人吗？他不喝酒。有一次他给一位客人喝啤酒，杯子里放的是吸管和许多冰块儿。那人大吃一惊。他喜欢喝的只有柠檬水，而且慢慢地呷，仿佛那是格兰奇·赫米蒂奇酒店难得一见的美酒。我们知道，吉尔那个时代典型的男人应该是举止粗鲁、性情暴躁、固执己见、吵吵闹闹、喜欢喝酒、纵情大笑。或者开朗大方，不乏幽默感，又善于运用华丽的辞藻。吉尔不属于此列。

①杜勒：德国文艺复兴时期的代表画家。

他的父亲在市场广场开的绸布店很难说是一个培养男子汉忍耐与奋斗精神的场所。各种绸缎，布匹，缝纫机，布料的颜色、质地，与之相配的纽扣，好看的丝线以及与家庭舒适有关的种种，都属于女人的天地。真正的男子汉不会喜欢、关心这些玩意儿。有的男人爱面子，甚至连进都不会进这样的商店。靴子似乎是更具“男子汉”色彩的商品。男人对皮革适当表现出一点儿兴趣，还情有可原。作为一个历史学家，我后来读万斯·帕尔默[①]的小说时，他对“土里土气的绸布商”的讽刺给我留下深刻的印象。在他看来，那似乎是最低贱的职业。帕尔默出生于一八八〇年代，后来成为墨尔本一位很有影响的、激进的民族主义作家。他希望澳大利亚文学以丛林为背景，去表现男人流血流汗艰苦的劳动。他的第一本书取名为《男人的世界》。举目望去，那个世界没有一个绸布商。在他眼里，干这一行的人太没有男子汉气派了。帕尔默痛恨那种只写客厅里卿卿我我、女人们身穿晚礼服叽叽喳喳的文学作品。在他看来，这样的文学既没有阳刚之美，又缺乏澳大利亚风情。帕尔默的这种看法让我困惑。按照他的观点，我那些毕生从事商业活动的先人在这个国家的文学和历史中就没有地位了，尽管他们打兔子的技艺超群，给人留下深刻的印象。我一方面纳闷，帕尔默有什么权利划定哪些人生经历具有真正澳大利亚的属性，哪些经历不具备澳大利亚特色，一方面又觉得他的这种判断不无道理，至少加剧了我少不更事时对老祖宗从事的职业的不安和忧虑。我

①万斯·帕尔默（1885—1959）：澳大利亚作家、评论家。出生于昆士兰州，自幼爱好文学。十六岁开始独立生活，曾做过校对、秘书、店员、教师等工作，并在农场和牧场做过工。他的作品对澳大利亚文学的发展产生了广泛的影响。

对开这种专门经营妇女用品的店铺多多少少也感到羞愧。

小学教师这个职业也无助于培养或者增强吉尔的男子汉气概。教小孩儿更适合女人而不是男人。我经常想，父亲是不是因为当了一辈子小学教师，连和成年人谈话的能力也丧失了？吉尔似乎更喜欢沉湎于青春期前孩子们的游戏、智力比赛和绕口令的世界。

我现在承认，父亲虽然总是有点拘谨，不乏绅士派头，但是他的这种方式深深植根于澳大利亚社会生活。他甚至有点小小不言的喜欢奢华的习气：用一块皮子包着的很贵的表，很结实的袖口链扣，手工制作的鞋。吉尔小时候一头黑发，但是二十七八岁这头黑发就深藏在帽子下面。上世纪二十年代，帽子是男人衣柜里必备的物件儿。可是三十年后，新的时尚兴起。人们更喜欢随意、休闲、不戴帽子。对于头发好的人这本来是件好事儿，可是吉尔不以为意。整个六十年代他都忠实于头上那顶帽子。尽管那时候，帽子已经从男人的服饰中基本上消失。他变成已然消失的文化遗产的一个活标本，让人们想起早些年男人戴帽子时代的恬静安谧。他也许永远都不会是万斯·帕尔默笔下那种血气方刚的澳大利亚男人的形象，但他确实是一位乡绅，是澳大利亚栖息地一个性格内向、不事张扬的人。和那些鼻毛扎煞或者粗喉咙大嗓门儿喋喋不休的人相比，他更胆小，更不愿意出头露面。作为一个“绅士”，吉尔无愧于他正直的外祖父——公德心极强的约翰·麦克拉伦，也无愧于他淡泊名利的父亲奥斯瓦尔德和几位叔叔。他们都是遵纪守法的人，衣冠整洁、行为检点，总是身穿三件套西装，系着领带，皮鞋擦得倍儿亮。称他们为“绅士”，恰如其分。我又拿起父亲的照片端详，他坐在“天之涯”附近什么地方的一个篱笆桩子上——一个礼貌周全、衣冠楚楚的年轻人，另外一个时代的访客。

第七章　力量之美

我的母亲满脸通红、满肚子怒火来到这个世界。谁能责怪她呢？那是一九一一年二月二十九日。那年是闰月年。这是不是意味着每四年才能过一次生日？所以她特别生气。我听人家这样说。一个不错的故事，除了这样一个事实——一九一一年根本就不是闰月年，母亲的生日应该是二月二十五号。我不能不密切关注这件事情，也许是母亲自个儿编的？

如果出生的时间不是让她生气的真正原因，那就是名字让她恼火。“小东西”的名字几乎和她身体一样长：格拉森·莫德·华莱士·伯恩。这样长的一大串名字让人觉得好笑。属于詹姆斯·詹姆斯·莫里森·莫里森·韦瑟比·乔治·杜普里那种可笑至极的名字。小时候，小詹姆斯给我留下非常深刻的印象。他名字之长，气派之大，让人难以置信。这个小家伙三岁的时候，就开始照顾妈妈，警告她，没有他的陪伴不要独自到城外。固执的妈妈当然不会听他的指挥。母亲一定看过 A.A. 米尔恩给我写的那首朗朗上口的小诗。不管怎么说，我总是把格拉森·莫德·华莱士·伯恩·沃克和詹姆斯·詹姆斯·莫里森·莫里森……联系到一起。小时候，我无法预知，我的母亲和詹姆斯一样会以相似的方式走完人生的路。他们都在一片茫然中游走着，无论对自己还是对这个世界都浑然不知。

格拉森这个名字非常少见。我从来没有碰到过还有叫这个名字的人。“格拉森”本来是男孩子的名字，源于苏格兰，意思是“格拉斯哥[①]人”或者“吹玻璃人的儿子”。我怀疑，一定是我自己有什么地方没有搞清楚。格拉森这个名字似乎没有再简化的可能，也没有少一点不正式、多一点女性化的余地。那一长串名字排列的顺序也很难改变。一九一一年，莫德这个名字已经不再时髦。纵观格拉森的一生，“莫德”经历了由盛到衰的过程。后来几乎成了一辈子没结婚的姨妈、姑妈的“代名词”，而且和快速衰落的维多利亚时代不无关系。丁尼森爵士，维多利亚时代最具维多利亚特色的诗人，赋予莫德一种令人心驰神往的浪漫。莫德！他的爱情诗《莫德，请来我的花园》一八五七年发表后立刻受到读者的欢迎。这首诗后来被人们改编成一首流行歌曲。也许就是这首歌让“莫德”成了外祖母的中间或者第二个名字。不管怎么说，“莫德”后来又成了我母亲的中间名。

那么，“华莱士”呢？怎么会成为她那一长串名字的一部分？我好像回想起一个引人注目的家庭的原因。不过不管出于什么原因，这个名字也算不上太合适。“华莱士”这个名字即

①格拉斯哥：苏格兰最大的工商业城市和港口，也是最典型的苏格兰城市。

◎格拉森的母亲洛蒂·莫德和外祖母夏洛蒂·华莱士

使和“伯恩”还算搭配，也给人一种寒意。至于华莱士·沃克真不能算个好组合。伯恩是母亲的小名儿。她加到那串名字里，完全是为了好玩儿。这串名字就这样体现出她的荒诞。在那个充满戏剧色彩的时刻，她把脑袋往后一仰，伸出右手，开始背诵她的名字：格拉森·莫德·华莱士·伯恩·沃克。六十多岁的时候，她还时不时背出这一大串名字。后来又说自己叫姬儿。姬儿？我不知道她怎么又管自己叫姬儿！电话铃响了，格拉森拿起听筒就说：“我是姬儿。”打电话的人要么立刻挂上电话，要么说：“对不起，拨错号码了。”“不，不，”姬儿连忙说，“我是格拉森。”或者吉尔会不会对认识格拉森的人解释说，姬儿就是格拉森？这可不是成功的实验。那时候，抛弃格拉森这个名字为时已晚。除此之外，“格拉森”这个名字和我父亲的名字“吉尔伯特”本来还挺相配，吉尔和姬儿或许就只能是金鱼的名字了。不，格拉森是一个很高雅的、值得人尊敬的闪闪发光的名字。在塑料制品充斥我们这个世界的时候，“格拉森”让人想起橡木、木头的纹理、木匠的手艺。“格拉森”不能轻易扔掉。

小时候我们就知道，格拉森在师范学院读书的时候就在体操和健美操方面表现出天赋。我还是少年人的时候，她已经风光不再，看不出体操方面有什么突出的表现，更谈不到厨房健美操了，只留下一个好听的故事，一位年轻的表演者代表州参加全国比赛。这次比赛一定是指皇家南街举行的那次著名的巴拉腊特体育节。那是澳大利亚第一次将健美操纳入体育比赛。健美操是上世纪三十年代正式引入维多利亚州学校课程的。随后许多年里，在我们家，这场州际间的比赛一直是一段佳话。

不过谈论更多的不是与芭蕾相似的健美操，而是政府部门的权威。格拉森请假参加比赛，南澳大利亚教育部却拒绝她的请求。教育部的手伸到一座又一座城市、一个又一个学校。一大堆条条框框、规章制度专门限制本来已经一文不名的小小老百姓。体操运动员格拉森·伯恩就那样消失了，再也没有显露头角。尽管走过恰拉花园学校时，当年上体育课参加训练的欢声笑语还在耳边回荡。吉尔讲这个故事，或者听格拉森讲这个故事的时候，脸上总有一种忧伤的表情。

还有一个更加神奇的故事：格拉森患有神经崩溃症。当然对此大家都不明言，“意会”而已。我是家里第三个、也是最小的孩子，比前面那位小五岁，所以对家里曾经发生的事情知道得不多。知道的那点儿也是发生在遥远的过去，支离破碎不大连贯。格拉森有个姐姐，名叫布兰奇。她显然很崇拜姐姐。布兰奇非常聪明、活泼，各方面都很出色。布兰奇和格拉森睡一张双人床，两个小姑娘分享着彼此的秘密，总是咯咯咯地笑个不停。后来，布兰奇病得很重，肚子疼得要命。过了好长时间，家人才意识到她得了急性阑尾炎。她死于盲肠穿孔。父亲抱着她，跳上阿德莱德儿童医院的台阶向急诊室跑去，她疼得不停地叫喊。“她死在父亲怀里”这句话，我无数次听过。每一个细节都在格拉森眼前展开。她听见姐姐痛苦地叫喊，看见父亲抱着她徒劳无益地向医院冲去，看见她痛苦地死去，看见那具已经没有生命的尸体。她一定非常伤心，非常自责：“布兰奇要是不去看医生呢？”“医生要是误诊了她的病呢？”“是不是因为延误和犹豫送了布兰奇一条命呢？”格拉森对医生总是怀疑，从来不信任医生。也许是医生诊断错了。

母亲也许提到过布兰奇，但是我不记得她讲过这个故事，不记得她曾经让我坐下来听她讲她的事儿。我们有时候在阴沉沉的星期日到公墓。墓碑上有一道道裂缝，没有颜色的玻璃罐里插着早已枯萎的百合，沙砾小路上传来咔嚓咔嚓的脚步声。我跟在父母身边，不愿意在坟墓间穿行。随着岁月流逝，到公墓的次数越来越少。我们去给布兰奇扫过墓吗？我不知道。后来我去阿德莱德西台地公墓，欣喜地看到，她不是孤零零一个人躺在那里，而是和家里其他成员埋葬在一起。布兰奇在我出生前好多年就死了。那是一九二〇年九月三日。她十二岁，格拉森九岁。那年月，死亡似乎无处不在，对于一个十二岁的女孩儿的哀悼自然也只是家里人的事情，和那时候发生的大事、爆发不久的战争、牺牲精神和爱国主义没有多大的关系。

布兰奇之死造成的伤痛毫无疑问是我母亲精神崩溃的主要原因。这个故事虽然脉络不太清晰，但是还有一条线索可供追根溯源。布兰奇死后不久——多久我不知道——家里人，包括格拉森一起去看电影。他们看的那部电影是恐怖片。那片子对我母亲刺激很大，她的精神就此崩溃了。带孩子看这样的电影显然是一种不负责任的行为。后来人们都批评格拉森的父母太大意了。我由此得知，早在我出生好久之前，妈妈身上就发生了一些可怕的事情。这就可以解释为什么她有时候那么焦躁不安，有时候歇斯底里大发作。然而，这只是故事的一部分。因为显然我那位不喜形于色的父亲把格拉森确实存在的，或者想象出来的神经脆弱，当成意见不同时，让她三分的理由。也正是这个原因，我们家非常严肃地讨论近视眼的时候，大伙儿都不敢畅所欲言，因为那也是引发她大发雷霆的原因之一。这是为了安宁不得已的选择。我们忍受着青春期的懵懂，寄希望于长大之后弄清楚许多事情的真相。

我从来不怀疑母亲是一套设计精美、平衡极好的“液压设备”。十九世纪是伟大的蒸汽机时代。大英帝国在蒸汽机的推动下一路向前，锅炉承受着巨大的压力，有时候会爆炸。工厂、火车、轮船吞噬着森林和煤矿，制造更多的蒸汽，推动无情的涡轮机。各种不同类型的锅炉渐渐进入家庭。好多年，我们家浴室里都用热水器——又一个喜怒无常的家伙。这个家伙工作起来很不稳定，有时候水根本就烧不热，有时候又烫得要命。厨房里有个高压锅。我们就把它和热水器连起来，两个家伙协同工作，如果气压太高，有可能发生危险，高压锅就会发出刺耳的叫声。往后站！高压锅上的金属阀旋转着，就像一个发了疯的歌唱演员在尖叫。格拉森站在热水器——高压锅的同盟军——旁边。那是一个具有潜在危险的器具。我学会了观察蒸汽形成压力最初的迹象。

母亲患有“神经崩溃症”的问题看似清楚，实际上还是一笔糊涂账。是不是有医生给格拉森诊断或者治疗过？如果有，是阿德莱德哪位医生，做了怎样有利于病情好转的治疗？可是就格拉森·莫德·华莱士·伯恩这种特殊情况而言，似乎没有做过太多，或者压根儿就没有做过治疗。我们知道，大家都认为，现代生活给人们的神经造成巨大的压力。这个理论的根据是，整个十九世纪工业文明强劲的势头使农村人口大量涌入城市。城市里熙熙攘攘，人满为患，一天到晚叮叮咣咣，噪声不断。城里人趔趔趄趄，踉踉跄跄，挤过来挤过去，总是行色匆匆，生怕迟到。时间表、备忘录，变得越来越详细。

现代工作的性质从“体力劳动”演变为十九世纪理论家所说的“脑力劳动”。“脑力劳动”更多的是指在办公室动动笔，算算账，而不是出什么了不起的主意。典型的城市“脑力劳动者”是那些坐在办公桌旁边，身体派不上用场，脑袋里也只是装些内容单调、范围狭窄、循环往复的工作。这种生活方式消耗着、延展着人们的神经，加重了思想负担。城里人那股神经绷得那么紧，甚至一件小小的事故都会把它绷断。一声巨响，一个出人意料的动作都会造成严重后果。格拉森就属于这种情况。她的神经仿佛随时都会绷断。

现代城市生活和“神经崩溃症”有某种联系，显然已经不容置疑。于是，一支“制造奇迹”的大军应运而生。他们生产出各种补品，研究出各种治疗方法，让神经衰弱的人恢复健康。通常，这种病的正式名称是“神经衰弱症”。有两位令人尊敬的美国外科医生，乔治·M.伯德和S.威尔·米切尔引起人们对“神经衰弱症”的重视。伯德的主要著作《美国人的神经过敏》出版于一八八〇年，而米切尔发明了著名的“休息疗法”。格拉森是那支日渐壮大的与现代神秘疾病作斗争的“神经衰弱症”患者中的“先行者”，并不是因为造成她神经衰弱的原因有多么神秘。电刺激疗法一时间成为时尚。因为人们认为，人的神经系统也是一种“电路系统”。伯德第一本书的书名就叫人摸不着头脑：《电也是补药》。事实证明，通过电磁皮带把电流输给患者，即使对病人不起作用，对开业医生也是好处多多。十九世纪九十年代，悉尼开设了一个规模庞大的“电子医学与外科研究院”，专治“神经与慢性疾病”。如此说来，神经衰弱确实也是有些人的生财之道。

各种药丸和补药随处可见。按照广告的说法，香烟居然也成了“滋补剂”。抽一支“黑猫”，可以“使你在紧张的工作之余享受最完美的舒缓与放松”。“‘黑猫’始终如一地为你提供越来越好的服务，不但可以润喉，还可以滋养神经。”莫尔斯医生供应一种“白脸人服用的粉红色药丸”。他承诺，让面色苍白的神经衰弱症患者变得面色红润。补药“贝多曼克”声称对神经衰弱患者有神奇的疗效，尤其对萎靡不振的小孩儿。对已经进入“不惑之年”的中年人，“印度根药”是非常必要的膳食补充剂。这些保健品都是灵丹妙药，不但能保证人身体健康还能恢复已经失去的体能。患神经衰弱症的人似乎到处都是，脸色苍白也成了传染病。

那时候，把城市人口健康状况下降和可怕的“种族自杀”联系起来似乎十分普遍。人们甚至认为，飞速发展的城市文明——澳大利亚被认为是典范——是人口出生率下降和白种人堕落的主要原因。一九三四年，有两位先生——一位是心理学家（约翰·波斯托克），一位是内科医生（L. 贾维斯·奈）——出版了一本书，书名是：《枯萎？种族心理和导致澳大利亚民族性下滑的因素探究》。让波斯托克和奈如此关注的“枯萎”和“下滑”与“神经衰弱症”的成因如出一辙。按照当时流行的说法，那种病症更为人们熟知的名称是：神经衰弱，衰竭，或者崩溃。脑疲劳或者神经疲劳，也被人们交替使用。在《枯萎？》一书中，国家本身成了患神经衰弱症的病人。面色苍白，了无生气，经济急剧下滑，而周边都是人口众多、蓬勃发展的亚洲国家，威胁着澳大利亚的未来。波斯托克和奈为了让他们的观点一目了然，还在扉页印了一张地图，用以显示澳大利亚和“东方人口大国”的关系。那时候，这是一个司空见惯的话题。他们人太多，我们人太少。我们能生存下去吗？按照作者的说法，前景一点儿也不乐观。“世界不安定的涡流又一次威胁我们的文明。”面对这样一个涡流，莫尔斯医生的“粉红色药丸”也派不上用场了。

比利·休斯[①]，第一次世界大战时任总理，到二十世纪四十年代仍然代表着一股政治势力。关于澳大利亚未来被威胁，他也有诸多言论。休斯耳朵聋，消瘦，易怒。总而言之，虽然漫长的政治生涯中，他一直为白人的利益奋斗，但是这副形象实在起不到“广告”的作用。一九三七年，白人在澳大利亚定居一百五十周年前一年，休斯警告说，现代人的习惯和生活方式对这个国家的未来造成了威胁。我们的食物越来越多地被加工成半成品，生活节奏太快，缺乏锻炼。一种“流行病”正悄然行走在这块土地上。休斯说：“我们继承了先人的好胃口，但是我们的生活方式却与他们截然不同。”

> 他们在茫茫旷野里生活，用辛勤劳动的汗水浇灌这块土地……我们是这个勤劳、勇敢、富于冒险精神的民族的后代。可是现在，我们坐在屋子里一动不动，不参加有益于健康的运动，不吃有益于健康的食品。

①比利·休斯（1862—1952）：澳大利亚政治家，曾于一九一五年十月二十七日至一九二三年二月九日担任澳大利亚总理。他从一九〇一年澳大利亚议会成立起即担任议员，直至去世为止，共担任了五十一年议员直至去世，是迄今为止在位时间最长的澳大利亚议员。

毫无疑问，事实就是这样。这个民族的活力正在消减。一九三八年，格拉森要生第一个孩子了。传宗接代，一代更比一代强，变成个人的责任。

对“神经衰弱”的诊断虽然看起来没有什么意义，但也不能说是件坏事。现代化的城市生活尽管被说成是这种疾病的原因，但也有其吸引人的地方。特别是神经衰弱和天才的、创造性的劳动有某种联系。画家、作家、表演艺术家患神经衰弱症的人不在少数。高度调整的神经系统有助于我们理解诗歌的韵味。而健美操因其和动人的音乐、优美的舞姿结合在一起，只有具有艺术感觉的人才能欣赏其中的美。神经衰弱可以被看作上帝的馈赠。伯恩家的人当然颇有点儿艺术细胞。他们之中不乏演艺人士。据说格拉森的祖父是个技艺高超的舞者。他的绝技之一是跳舞时，在鞋后跟里放五个鸽子蛋，然后在观众面前做出各种舞蹈动作，鸽子蛋却安然无恙。格拉森的一个弟弟，乔克，继承了这位杂耍艺术家的传统。乔克是这家人的智囊，兄弟姐妹不管谁要在哪儿发言，都要向他请教。他精力充沛，举行聚会时，总是核心人物。伯恩家的大人小孩从来都不是那种打不起精神的人。他们喜欢开怀大笑，爱开粗鲁的玩笑。格拉森没有乔克的语言天赋，——很少有人能达到他的水平——也不像他那样精力充沛。但是格拉森有时候也很有幽默感。

格拉森特别喜欢喜剧演员丹尼·凯[①]。用“乖僻、古怪”形容他表演的喜剧恰如其分。二十世纪五十年代中期，《祈祷好运》刚在澳大利亚上演，格拉森就领我去看。我很少看电影，

①丹尼·凯：美国著名的影视滑稽演员。

这是我能想得起来的只有我和妈妈两个人唯一一次去看的电影。电影院里座无虚席，我们一直挤到最前面才找到位子。银幕上演了些什么我一点儿也记不得了。因为不管电影里演什么也不如我身边正在发生的事情好笑——妈妈笑得前仰后合，浑身震颤，眼泪一个劲儿地流。她越笑，我也越笑。格拉森就那么笑了一场。等电影结束的时候，瘫在座位上半晌没起来。我把自己想象成一个演喜剧的好苗子，已经是艾伯特和克斯特洛的得意门生了。丹尼·凯是个新发现，毫无疑问，是出乎母亲意料的好演员。喜剧可以有很强的感染力。格拉森一定是把我当作她的伴侣带我去看这些演出的。也许在她的心目中，我就像詹姆斯·詹姆斯·莫里森·莫里森一样。我知道母亲脆弱的一面，但也知道她喜欢开怀大笑。

她还给我讲过念师范学院时发生的另外一件事情。她和一帮同学听老师讲枯燥无味的自然课。讲课的老师显然是个很古怪的人，对他栽培的那些花花草草百般呵护。那天，他很优雅地指着一盆花问学生，怎么判断它是死是活？格拉森的一位朋友跑上前去，拔出那株花，说："看看它的根不就得了吗？"大家听了哈哈大笑。这个故事我听过许多遍。每次都哄堂大笑，格拉森更是笑得喘不过气来，不停地擦着眼角的泪。"你不由得不笑。"格拉森一边说，一边注视着我，希望我领略了其中的妙处。她有一次对我说，我的长项不是演那种悲悲戚戚的东西，如果搞喜剧，效果一定会更好。她之所以这样说，也许因为有一次我说"我好命苦呀！"的时候十分夸张，惹得大家哈哈大笑。我说或者做什么可笑的事情时，她总是表示赞许。"你是个小傻瓜，宝贝儿。你知道吗？"

我们家里经常会说些戏剧、电影里的台词，让你在日常生活中都能有点儿舞台上的感觉。坐上汽车准备回家的时候，格拉森常常转过脸，用命令的口吻对吉尔说："回家，詹姆斯，别心疼'马'，跑快点儿。"她父亲也叫詹姆斯。我估计，这句话一定是她童年时代经常听到的。车轮滚滚，我们坐在"先锋牌"汽车里一路向前。吉尔像平常一样，一本正经地开车，我想象着嘚嘚的马蹄声回荡在寂静的夜空。还有些离奇古怪的说法：鸡蛋是"咯咯叫的浆果"，玉米片是"大象的头皮屑"。记得，小时候老师拿出一张上面画着南瓜的卡片，问大伙儿那是什么。我立刻举起手，用我们家里常说的"黄色食物"回答了老师的问题。同学们听了笑得前仰后合，我坚持自己说得没错儿。格拉森的父亲詹姆斯·亨利·伯恩无疑是这些家庭用语的始作俑者。购物回来，他大步流星走到玛利雅特维尔跟前，很严厉地说："摸摸你的钱包，摸摸你的钱包！"孙儿孙女听了都有点儿害怕。格拉森想让我替她做什么事儿的时候，经常说的那句话，最初也一定出自于詹姆斯之口。妈妈要是想让我干什么的时候，就说，我应该赢得她"永远的感激"。等我彻底弄明白"永远"是什么意思的时候，我就对格拉森说，我已经积攒了足够多的"永远的感激"，倘若你以此为理由要我做无论什么事儿，我都会拒绝。她认为我这样回答，是动了一番脑子。如果我偶然说出几件确实值得去做的事儿，格拉森就对我说："你肯定把围嘴儿都弄湿了，宝贝儿！"

和沃克家一样，伯恩家也梦想一夜之间变成富豪，尽管不是在尘土飞扬的矿区大发其财。他们做的是在城里发财的都市梦。不知怎的，伯恩家认为，他们拥有，或者有权利讨回伦敦的“老古玩店”。这家店因为狄更斯的同名小说而闻名。这个故事发展下去的情节是，官司一直打到那个众所周知的法律的迷宫——大法官法庭。我们有一张照片，是詹姆斯和他的父亲去英格兰要求赔偿前一天晚上拍的。后来，他们两手空空回来。格拉森仍然相信“老古玩店”是我们的。我第一次去英格兰，特地去给“我们家”十六世纪的产业拍了一张照片。伯恩家人当然知道，贪婪的英国人不可能把这样珍贵的历史遗址交还给“殖民地”的人。

我不知道格拉森和马利奥·兰沙[①]——美国歌唱家，父母都是意大利人——的“恋情”是什么时候开始的，但我知道延续了好多年。兰沙的声音不仅浑厚有力具有阳刚之美，而且不乏温暖的柔情。幕后他和酒精、身体超重作斗争，但银幕上，在《学生王子》和《沙漠之歌》中，他却那么英俊、热情。他歌唱爱情、抒发心中的渴望时，感情那样深沉。格拉森认为，当马利奥唱“你，只有你”的时候，他指的就是格拉森·莫德·华莱士·伯恩·沃克。我看得出，马利奥·兰沙具有浪漫情怀，而这也恰恰是吉尔缺乏的。吉尔无法用动人的歌声救赎自己。巴拉的教育不曾赋予他似水的柔情，更不会用甜美的和弦、动人的音韵表达心底的浪漫。这可不是巴拉卫理公会的长项。当马利奥·兰沙歌唱爱情的时候，“爱”这个字眼儿宛如丝一般的巧克力，带着磁性从他宽阔的胸膛流淌而出。他啜泣，他呼喊：

①马利奥·兰沙（1921—1959）：著名美籍男高音歌唱家，二十世纪四十年代末到五十年代曾是颇具人气的好莱坞影星。

亲爱的，我全心全意地爱你，
每一次呼吸，都是为你祈祷！
祈祷有一天，你是我的。
夏天或者春天，
冬天或者秋天。
你是我的生命，
我的爱，我的一切。

《月光小夜曲》是格拉森喜欢的另外一首歌。

头顶，一轮皎洁的明月
宛如盛开的白莲。
万籁俱寂，只有夜莺在歌唱。
在梦境般的夜空，
我的心为你跳动。
啊，亲爱的，告诉我，
何时到窗前听我诉说情怀。

他那极富表现力的、不乏意大利歌剧渲染与夸张的动人的歌声，一定触动了格拉森的心。而吉尔抓淡水小龙虾或者用0.22口径步枪从很远的地方打兔子的本事，肯定不会让她心旌摇动。对于我来说，马利奥·兰沙对母亲有这么大的影响，总不是什么光彩的事情，即使只是在我们自己的家里。毫无疑问，她也看得出，他只不过是那种骗人的展览会上的一匹小马，就像走遍全世界都能看到的“拉丁情人”。我不无紧张地意识到，如果允许马利奥·兰沙制定浪漫史的标准的话，我也会遇到麻烦。

我们能真正了解自己的父母吗？神经衰弱和被挫败的体操运动员的故事又扩展成为一种更加痛彻心扉的、难以名状的伤害和失望。格拉森进入教师行业的时候正是妇女最不受重视和尊重的年代。那时候，教师，特别是女教师，必须是市民的楷模，不能招来任何风言风语。除此而外，女教师无论多么优秀、多么有能力都不能和男教师同工同酬，哪怕她的男同事压根儿就胜任不了工作。而从伯恩家继承来的倔强的性格使得格拉森不适合在学校里教书，也适应不了教育部的官僚作风。

教师这个职业不可避免地要涉及监测和提高新一代的健康水平。老师要做许多测量工作。胸部的轮廓、线条引起人们的注意。人体测量学那时候方兴未艾。二十世纪二十年代和三十年代，人们说到体育运动（包括体操和健美操）总是和种族复兴、种族健康联系在一起。其使命就是繁殖、培养更加健康的新一代，高举文明的火炬走向未来。德国人在这方面做得特别好。繁殖，成了健康人的责任，尽管实际上，担此重任的常常是不健康的人。当健康人不积极参与的时候，那些体弱多病、身体畸形、智力迟钝、谨小慎微的人便繁殖出许多心智和身体都欠缺的人。“劣等民族”似乎可以繁殖出比他们更好的人。而格拉森一只脚踏在两个阵营。按照那时候的标准，她神经衰弱应该属于“不健康”之列。可是健美操精湛的技艺从优生学的角度看，又是一个非常完美的“样本”。所以，格拉森从这个角度看很健康，可是从另外一个角度看又不健康。

那时候，出版了许多体育锻炼方面的书。我有幸收集了不少已经很难得的版本，包括 F.A. 豪尼布鲁布的《腹部锻炼：肥胖和便秘的治疗方法》。我只花了一块钱就把这件“宝物”弄到手。其实，光里面那些奇异的照片就值这点儿钱。许多体育方面的书，比如堂·阿瑟尔多的《保健，力量与肌肉之美》，是写给男人看的。阿瑟尔多结实的胸膛值得一看。我还十分高兴地买到伯纳尔·迈克范登一九三七年编撰的《健康与体育大全》。这套书共有八卷，里面收集了不少精美的图片。这套书在但尼丁[①]一家专门卖绝版图书的很不起眼儿的小书店里等待我的到来。对于一个旅游者来说，买这套“大全”实在算不上明智的选择。迈克范登图书股份有限公司专门从城里送来这套书。书用很厚的、价格昂贵的铜版纸印制而成，皮革封面。每一卷上都印着伯纳尔的侧面头像，就像希腊的圆形浮雕。总共三千八百四十六页。八卷书的重量可想而知。一本本拿起来看一看都是个很费力气的体力活儿。我翻看着，在心里琢磨要不要买下它。它让我不由得想起格拉森·莫德·华莱士·伯恩的世界。她也许没有看到过伯纳尔的“大全”，但是这套书代表了二十世纪三十年代体育文化出版的最高水平。让人肃然起敬的伯纳尔，是当代体育文化最积极的倡导者之一。格拉森一定听说过他。绝对不能把这套百科全书丢在但尼丁不买。

伯纳尔的著作主要宣扬了改善人类体质的观点。在那个时代，体育文化、体育事业在一般人眼里，或多或少还有点儿“伤风败俗”之嫌。因为，体育要使人的形体美，如果可能的话，

①但尼丁：新西兰城市。

还要表现这种美（健美操是从两个希腊单词借鉴而来的，意思是“力量之美”）。尽管伯纳尔已经六十五岁，过了盛年，但他还是愿意展示他的力量之美。我们看到他只穿一条绿色短裤，一双希腊凉鞋，摆出一副健美运动员的姿势，浑身上下发达的肌肉给人留下深刻的印象。即使年轻人也很难有那样健美的身材和发达的肌肉。他们鼓励读者像德国人那样积极参加体育运动，比如户外行走，通过对日光浴和少穿衣服产生兴趣逐渐提高健康水平。少穿内衣内裤。伯纳尔热情支持妇女参加体育运动。他认为体育锻炼可以使妇女从家庭传统的牢笼和迷信中解放出来，毫无疑问也会摆脱“合乎礼仪”的层层叠叠陈规陋习的束缚。体育运动帮助妇女和男人在人生的起跑线上比肩而立。格拉森十七岁的时候，健美操在一九二八年阿姆斯特丹举行的奥运会上被正式列为比赛项目。她站在了历史发展的潮头。

作为一位体育教育家，伯纳尔和我母亲的观点不谋而合。他坚信，大自然可以为我们提供长寿和健康生活所需要的一切。新鲜的空气，来自大自然的食物和良好的姿势是他崇尚的健康准则。伯纳尔不相信药和医生，格拉森也不相信。他们从来不服用什么“粉红色药丸”，也不抽“黑猫”牌香烟。正确的姿势非常重要，他还费尽笔墨告诉人们，特别是在城市，人们长时间在办公室工作，就会造成驼背和身体变形。伯纳尔讲了许多养生之道，并且对这些方法寄予很大的希望。

我认为我不是一个循规蹈矩、什么都按计划去做的人。我的胃口很好，总是在问：“喝茶的时候，吃什么呀？”吃了还想吃，好像总也吃不够。在家里，大家都管我叫“兔子”罗伯特[1]（罗伯特是我的中间名），没有别的原因，就是因为我总是在吃东西。格拉森还喜欢叫我“瘦青鱼”。“他吃的东西都上哪儿去了？”她经常说，“他那两条腿一定是空的。”显然看不出我吃了那么多东西都吸收到哪儿去了。我不是堂·阿瑟尔多，但是即使对于一条“瘦青鱼”，保持良好体态的基本原则也至关重要。没有什么比“圆肩”[2]更糟糕的了。“圆肩”让胸脯变得狭窄，肺活量减小，使得新鲜的、充满氧的空气进入胸腔时不够通畅。记得父母亲曾经指出，我也有“圆肩”的毛病，当然不太明显。他们让我肩膀往后抻，挺胸收腹，挺直腰杆。脊柱弯曲可是个大问题。伯纳尔脊柱笔直，宽肩膀，阔胸膛，女人们看一眼就能着迷。我也确实认识到这种体形的优势。父母也鼓励我昂首挺胸，当然是希望我也能成为一个充满阳刚之美的男子汉。

让格拉森失望的另外一件事情是，她的第三个也是最后一个孩子视力比另外那两个差。近视眼那时候好像是一件丢人的事情。如果情况严重，一辈子都会呆头呆脑、跌跌撞撞，日子自然很难过好。我有一次读了一本二十世纪二十年代出版的儿童书。这本书的主人公是一个名叫“护目镜”的小伙子。他虽然经常被人欺负，但作者并没有谴责那些欺凌他的人，那似乎很正常。故事赞扬的是“护目镜”打板球时表现得非常勇敢，使他所在的球队反败为胜。对格拉森来说，不戴眼镜就是解决

①兔子的英文是 rabbit，和罗伯特（Robert）发音相近，故有此说。

②圆肩：若长期在肩胛骨外旋姿势下工作，如弹琴、写字、打键盘等，就会形成圆肩（Round Shoulder），女孩子尤其常见，习惯性地将肩膀向前向内缩，使得菱形肌因长期被牵拉而造成疼痛，严重时穿脱衣都感到困难。

问题的办法。她也许觉得这样一来就不会被人欺负，不会丢脸。但是我怀疑这未必就是她真实的想法。或许她认为经常戴眼镜会让眼部的肌肉变得无力。那时候，不只她一个人认为，近视眼不戴眼镜，使劲儿瞅东西的话，就会使眼部肌肉变得强健，从而改善视力。这就是格拉森关于肌肉功能的理论：眼镜是人工制造的玩意儿，有害。视力还是自然恢复吧。

格拉森也特别相信新鲜空气对人的健康有好处。而且她认为，只有户外的空气才新鲜。屋子里的东西，特别是睡过的床，必须好好晾晒。她总是“晒床”。在户外活动比待在家里更健康的观念便给读书带来一些问题。因为书主要是待在家里读。我意识到，整天关在屋子里会使我和我的视力都变弱，在旷野里奔跑就能让自己变得更强壮。我知道由于在室外“自由放养”，澳大利亚人比英国人更健康。从人种来说，我们当然都是白人。可是我们澳大利亚人的肤色比英国人要深一点儿，因为我们肺里吸了更多新鲜空气。我们谁都不像他们那样面色苍白。澳大利亚的阳光把我们晒成了紫铜色。

格拉森喜欢沙拉和水果。伯纳尔也赞同这种“养生”的吃法。我却怀疑，吃沙拉也是图省事。那玩意儿未免太原始了点儿。两片生菜叶，加上没有切的西红柿，稍微拌点儿调味汁就说营养丰富了。好的时候黄瓜、土豆也会搅拌其中。与之相配的经常是高压锅炖牛腿肉。星期天吃烤肉。水果管饱。小时候在我的印象之中，好像水果不花钱。我们在墨累河边瓜果之乡卡德尔居住时，后门的台阶上经常放着半箱子杏、桃、油桃。都是对我们非常友好的当地人送给老师吃的。

健康的饮食被认为重要的同时，所谓力量之美包含怎样的内容一直也没有说明白，也没能系统化、理论化。关于健康的生活方式，没有人做长篇大论的演说，因为过分渲染，或者公然宣传，看起来就显得太武断。把自己的想法藏起来，别锋芒外露，总比把想法暴露出来被人关注、招人嘲笑强。后来，伯纳尔就穿着他的绿内裤到处表演，昂首挺胸，展示他那身结实的肌肉。人们都觉得挺好笑。他是美国人嘛，什么事情都做得出来。我们澳大利亚人不会这样显摆，不会这样臭美，不会这样自以为是。

好多年，格拉森一直坚持形体锻炼，她自己和我。有力的握手也是这种训练的内容之一。松松垮垮的人常常会离你太近。他们缺乏控制能力。形体软弱的人，思想也不会坚强。我不知道格拉森什么时候开始练瑜伽，那是一种持续不断锻炼身体的很好的运动。就我所知，她不参加什么训练班，她是偷偷地一个人练，有时候我趁她不备，看见她做各种伸展运动。我当然知道，身为儿子，评论母亲的腿有失体统，但她在客厅练瑜伽的时候，我确实注意到她腿部的肌肉非常结实。乍看上去她似乎不太起眼儿，但这是假象。格拉森·莫德·华莱士·伯恩·沃克浑身是劲儿。她是一个从来不妥协让步的人。

第八章　山雨欲来

父亲无论什么时候，只要讲起他是怎样和格拉森第一次相遇，就沾沾自喜。他觉得自己的进取心是值得赞扬的。那天，他坐有轨电车去恰拉花园学校上班的时候，看见两个很漂亮的年轻姑娘。怎么才能和两个姑娘搭上话呢？他当然知道去学校的路，但是决定问她们俩学校的方向。两位姑娘说她们在恰拉花园下车，正好和他走一条路。吉尔听了假装非常惊讶，兴冲冲地一边和两位来学校实习的女大学生走，一边东拉西扯地聊起天儿来。吉尔的两个孙女儿是这个故事忠实的听众。她们总是夸爷爷智勇双全，老头听了乐得合不拢嘴。

吉尔想给格拉森留个好印象，讨她欢心。弟弟们帮不上忙，他们还都年轻。这事儿又不好意思问父母。于是他就去找茹贝姨妈。茹贝嫁了奥斯瓦尔德富有的弟弟卢。卢在必和必拓公司占有很多股份，他要在北阿德莱德大教堂对面建一条林荫大道，大道两面都是艺术风格浓郁的公寓。茹贝知道该怎么讨好格拉

◎父亲吉尔和母亲格拉森的结婚照

森。她教给吉尔买一块很贵的巧克力，再到剧院订两张包厢里的票。巧克力应该是南澳大利亚的名牌“黑格”。真让茹贝说中了！格拉森非常爱吃巧克力，对“黑格”更情有独钟。至于到没到剧院看过戏就不得而知了。

吉尔伯特·约翰·沃克和格拉森·莫德·华莱士·伯恩一九三六年十二月二十六日在阿德莱德罗斯公园公理教会教堂结婚。我们有照片为证。由于我的眼睛黄斑变性，这样大的一张照片也看不清楚。照片上的人模模糊糊，晃来晃去。好不容易找到身穿漂亮婚纱的格拉森，吉尔不见了。后来他终于出现，就像个暴发户。他回来得那么快，从照片上满脸严肃地看着我，假装一直在那儿待着。有的人在我这个黄斑变性的病人眼里会变得奇形怪状。莱克斯叔叔一会儿腰板儿倍儿直，一会儿又像香蕉一样弯腰曲背。或者是这个小乔克像平常一样作弄我们？格拉森的弟弟埃里克总喜欢插科打诨，现在却一反常态，像个“最绅士的好人儿”，一本正经地站在那儿。我以前当然看过这张照片。我知道那是一个正式场合的正式记录。拍摄时非常认真地摆弄了半天，个个面带微笑，没有人在旁边捣乱、开玩笑。这张照片按照当年照相馆的技术水平，染了颜色。背景有看起来很漂亮的柱子，几个人好像刚刚从帕台农神殿①走出来。照片装在很大的镀金框子里，很重，拿起来都不那么容易，简直像一件家具。他们举办婚礼显然花了好多钱，这样一张装在相框里的大幅照片自然也得上档次、够气派。

我一直不太喜欢这张照片，就像旧货店摆放的那种笨重的手工制品，与过去割裂，和周围的摆设又不相称。可是，吉尔一时冲动要处理东西的时候，郑重其事地告诉我们，一定要保存好这幅照片。因为“格拉森不在了”。我自然也郑重其事地接受了他的嘱托。这张照片还有一点我不大喜欢，就是着色不理想，颜色不真实，还不如黑白照片的效果好。参加婚礼拍照的这些人面色苍白，个个贫血，仿佛生命的活力正在一点点消减。莫尔斯医生发明的那种“白脸人服用的粉红色药丸”似乎很快就能派上用场。

吉尔为婚礼有那么多鲜花而骄傲。我的两个女儿小的时候，爷爷经常给她们讲，教堂如何用华彩装饰婚礼现场。来参加婚礼的客人说，他们从来没有见过这么多鲜花。“你们说呢，”

---

①帕台农神殿：希腊用以祭祀雅典娜女神的神庙。

他经常弯下腰，带着得意的神色看着两个孩子说，“觉得怎么样？”那时候，他一个人生活。格拉森已经去世，老年痴呆症慢慢地剥夺了她的生命。一九三六年十二月，当然不会有这种结局的蛛丝马迹。我们也一样，只是没到时候罢了。他们选择的鲜花是剑兰。大家都认为这种花非常漂亮，可是实际上他们都处于危险之中。他们举行婚礼的时候，宾客们有所不知的是，就在绿树成荫的墨尔本郊区——许多坏事儿都来自于墨尔本——一个两岁大的男孩儿正被剑兰病毒折磨着。二十年后，巴里·哈姆弗瑞斯将向剑兰宣战。那个饱受折磨的、无辜的孩子把剑兰变成人们嘲弄挖苦的对象。自从哈姆弗瑞斯向剑兰发起攻击之后，人们就再也没用先前的眼光看那张照片。

我的哥哥姐姐还记得上世纪四十年代我出生前，他们去巴拉的情景。听说祖父很重要的副业之一就是为阿德莱德花卉市场甚至更远的地方供应剑兰。他大面积种植，按照不同颜色用薄纸仔细包好，然后装到盒子里，送到阿德莱德。这活儿他干了好多年，已经形成一条“流水作业线”——长长一溜桌子，加工一束束鲜花。还有冷藏设备，好让花儿保鲜。知道这些，那张结婚照上的鲜花就有了新的含义。为了儿子的婚礼，奥斯瓦尔德精心选了一批剑兰球茎，削好之后送给格拉森的父亲。格拉森的父亲把剑兰种到他们家的后院。一九三六年的下半年，沃克和伯恩家的话题之一一定是剑兰长势如何。他们会不会为准备这场婚礼尽了最大的努力？詹姆斯和莫德·伯恩有没有辜负奥斯瓦尔德亲自挑选的那些球茎？

花园里花草的长势如何，会不会下一场绵绵细雨，都是大家最关心的话题。就像一件漂亮的衣服把人打扮得与众不同一样，一座鲜花盛开的花园也会把一幢房子打扮得光彩照人。房前花园里怒放的鲜花吸引人的眼球，路过的人不由得驻足观看。最好的花儿搬到屋子里作为装饰。种花儿是男人的事情，如何摆布，就是女人的责任了。蔬菜都种在后院，经常施牛粪马粪，确保土壤肥沃。在我的记忆中，我们家的花园就是这样。但是等我到巴拉，看到奥斯瓦尔德和梅的房子，才发现他们家前面压根儿没有花园。房子就盖在人行道旁边。我关于前后花园的概念用到桥街那幢房子就不适用了。

我们现在已经不太知道吉尔和格拉森对上世纪三十年代世界上发生的那些大事有什么看法。格拉森没有必要给家里人写信，因为他们都住在玛利亚特威尔郊区，离得很近。吉尔和巴拉的父母倒是书来信往，但是那些信件已经荡然无存。一九三七年，他们结婚的第二年，世界各地传来的消息越来越让人担忧。欧洲面临又一次大战。而关于日本军国主义力量与日俱增的警告远远超过来自日本充满希望的故事。这年年底，关于日本人在南京残酷屠杀中国民众的报道不断传来。紧接着又传来西班牙城市格尔尼卡[①]被轰炸的消息。那是遥远的战场，离阿德莱德很远。那些地名在我们听起来都很陌生。欧洲变幻的风云已经让人目不暇接，远东正在发生的事情恐怕连国际政治系最勤奋的学生也难探究竟。

《广告报》是我们获得世界各地重要新闻的主要来源。从十九世纪九十年代到上世纪二十年代，约翰·兰登·博奈森一直是这张报纸唯一的所有者和编辑。他出生于一个非常富有、

①格尔尼卡：西班牙中北部城镇。

极具公德之心的家庭，他把他主办的报纸看作扩大人们视野、提升人们心智的重要工具。无论在整个州还是在沃克家，《广告报》都是不可或缺的朋友。这张报一直力图弄清楚日本人的意图。从一九三四年到一九三五年，《广告报》一直刊登关于太平洋地区一触即发的冲突的报道。同时也指出与正在实现工业化的日本贸易的可能性。人口也是一个重要的议题。一九三一年，南澳大利亚著名学者和外交官沃克·克劳克发表了一篇题为《日本的人口问题：即将到来的危机》的文章。克劳克同情人口过剩的日本。一九三四年，《广告报》又以“人口过剩，帝国主义侵略的根源”为题，在报纸上发表文章，探讨这一问题。如果日本想扩张，人烟稀少的澳大利亚或许对他们极具诱惑力。这种看法颇有点儿耸人听闻。还有的人则认为，日本人没有什么可怕。他们根本没有进攻西方的能力。看看他们的产品就知道了。他们制造的玩具玩不了几天就稀巴烂。除此而外，他们很多人都是近视眼，一到晚上就什么也看不到了。但是克劳克依然担心一次新的世界大战迫在眉睫。

一九三五年，《广告报》采访了海军上将杜马斯。此时他只是停泊在阿德莱德外港的“蒙古人号”上的一位乘客。杜马斯虽然早已退休，但在人们心目中还是“太平洋地区国际问题权威”。“如果我是日本人，”他说，“我当然会把嫉妒的目光投向人烟稀少、幅员辽阔的澳大利亚。”一年后，澳大利亚决定对外贸易从日本转向大英帝国所属各殖民地国家。大家认为，盎格鲁－撒克逊大家庭应该更紧密地团结在一起。空气中弥漫着明显的战争逼近的寒意。

到一九三八年二月，《广告报》似乎已经认定，日本要发动战争。该报发表社论《东方历史重演》。文章一开头就引用了人所共知的莎士比亚的《李尔王》的典故。让人们接受这种看法并非易事。读者通过这篇文章得知，就像考狄利娅[①]，日本的声音“温柔、亲切、很低”。可是，《广告报》警告说，日本不可信任。作者挖掘出一段两千年前的公案与之相比较。马其顿的腓力[②]不就是在计划攻打雅典人的时候好话说尽，而误导他们吗？狄摩西尼[③]警告雅典人不要上当受骗。《广告报》接下去又扯到当代中国。文章说，中国人不需要狄摩西尼，因为他们知道，虽然日本人满嘴和平，实际上只对战争感兴趣。澳大利亚只能被卷入即将到来的冲突之中。所以必须未雨绸缪，早做准备。

虽然战争步步紧逼，伯恩斯·菲利普航运公司还热衷于组织为期十九天的“樱花日本之旅”。我在想，作为喜欢花卉并且从日本进口绸缎布匹的沃克家人会不会动心，去那个遥远的国家赏花旅游呢？上世纪三十年代，澳大利亚人一直希望女人秀丽、樱花烂漫、手工艺品精美的日本不要发动战争。

我很少和父母亲讨论政治和国际局势。他们不关心政治，对于人们普遍认为政客都唯利是图的观点，也并不完全赞成。

①考狄利娅：《李尔王》中小女儿的名字。

②马其顿的腓力：腓力二世的绰号，马其顿的第十八位国王（前 359—前 336），亚历山大大帝之父。

③狄摩西尼（前 384—前 322）：古雅典雄辩家、民主派政治家，曾在伊赛奥斯门下学习修辞术。狄摩西尼的演说很有说服力，他能用简练的语言取得很大效果。他的散文风格庄严简洁，明白流畅，生动自然，时时流露出强烈感情，最能激动人心。

或许这是一个人最简便的政治态度，因为这样做既不需要研究什么政策，也不需要参与什么政治活动。这便使得批评家们有了为我们这个世界悲叹的理由。在我们这个世界，民选的领导人最好的时候也就是信息不灵，最糟糕的情况便是无法胜任。我庆幸自己没去干那种崇尚空谈的事情。对周围的事物不妄加评论有时候可能让你对复杂的情况有更微妙的领悟。就我所知，吉尔和格拉森就是持有这样的立场。他们处事谨慎。政治是“雷区”，不同的意见和激情在那里爆发。最好当个旁观者，而不要冒自己的意见被人嘲笑的危险。除此而外，我们是谁呀？我们能改变这个世界吗？

吉尔和格拉森结婚一年多之后，托马斯·普莱福德，一位自学成才的农民，加利普里战役[①]的老兵，成为南澳大利亚总理。普莱福德非常精明、简朴、不喝酒。他在划分选区的问题上做文章，使农业区的选民超过城市选民，从而获胜。太多的城市人表现出不健康的倾向，愿意把票投给工党。如果正直的乡下人在投票时占的比重大，结果当然对他有利。普莱福德的政治生涯比澳大利亚各州和联邦的头头脑脑都长。好像谁都不能“锄掉”他。他在州总理任上干了二十七年，一九六五年才离任。那时候大家似乎都觉得，只要普莱福德在台上，就没有必要多去谈论州里的政治。汤姆叔叔说，那时候各方面的事业发展得相当好。

战争真的爆发之后，吉尔的两个弟弟劳里和艾伦参加了澳

①加利普里战役：一九一五年第一次世界大战中盟军惨败的一场战役，无数澳洲人参与这场战斗并牺牲在这座岛屿。

大利亚皇家空军[1]，格拉森的弟弟埃里克参加了澳大利亚武装部队，2/43营。吉尔是教师，虽然年龄并未超过当兵的界限，但因为从事的是不服兵役的职业，就没有上前线。他已经有个两岁的女儿，第二个孩子也即将出生。记忆深处还有一个故事，那就是吉尔到一座兵营的事情。故事画面远非清晰，就像被蠹虫咬坏了的老照片。虽然最重要的部分被咬掉，但是大概还能看清楚。吉尔不喜欢他在兵营里看到的情况，或者不愿意成为人家希望他成为的那个样子。他当然会摆弄步枪，但是要用枪杀人似乎是问题的症结之所在。“蠹虫”把后来发生的事情搅得一团糟。他是扔了步枪离开兵营，还是拂袖而去再也没有回来，不得而知。沃克家和麦克拉伦家的历史上有不少这种固执己见、刚直不阿、拒绝违心地去做有悖自己理念的事情的“小插曲”。吉尔是不是也是因为这样的原因离开那座兵营的？反正他从来没有公开说过。别人也没有说过，他不赞成当时政府号召民众去打那场战争的做法。家里其他成员也从来没人批评过吉尔没去当兵。劳里、艾伦和埃里克的情况不同。他们都年轻，单身。劳里训练过无线电发报，那是战争中非常需要的技术。埃里克在轻骑兵里当过志愿者，对军事方面的事情并不陌生。他们都没有明显的理由不应征入伍。

艾伦·大卫·沃克，吉尔最小的弟弟，一九二二年生于巴拉。我之所以用他的名字命名，是为了表达对他的敬意。我最早对艾伦叔叔的记忆是他骑着一辆带挎斗的摩托车。似乎是在卡德

①澳大利亚皇家空军（RAAF）：澳大利亚国防军的空军部分。前身就是创立于一九一二年三月的澳洲空军团，这也使它成为世界上第二支空军。

尔，战争结束不久。他把我抱到车里，兜了一会儿风。艾伦参加澳大利亚皇家空军，在加拿大和英国度过战争岁月。我们在罗伯特·孟席斯爵士的故乡——盛产小麦的杰帕里特看望他。艾伦在那儿当邮政局长。他和妻子诺尔玛有两个孩子。那应该是上世纪五十年代中期，我们两个受人尊敬的家庭都生活在乡村小镇。吉尔对艾伦的评价很高。也许还有点儿嫉妒，艾伦叔叔风度优雅，社交能力强，长得也很帅。

艾伦和诺尔玛和我的父母比，随和多了，没那么多规矩，更适应现代生活。一方面和年龄有关，但从另外一方面看，毫无疑问和战争也有很大的关系。艾伦当过兵，善于和人打成一片，诺尔玛也喜欢交往。艾伦有时候开些吉尔认为下流的玩笑。他虽然保持了沃克家不说污言秽语的优良传统，但必要的时候也会说点儿粗话。他喜欢抽烟斗。此举突显了他的性格。他是一个喜欢读书和思考的人，喜欢讨论政治问题，特别是那些最终证明自由党只是个智囊团的问题。在他们家没有多少卫理公会的规矩，也没有别的禁忌。我非常惊讶地看到他们家允许十几岁的儿子看《花花公子》。在我们家，倘若有这样的事情出现，吉尔和格拉森一定会气得发疯。让人想起所多玛与蛾摩拉[①]。

在他们家，战争也不是一个经常谈论的话题。就我所知，艾伦没有参加过澳新兵团纪念日[②]，尽管有很多这样的机会。在沃克家，战争一直是个很敏感的话题，对于我最了解的吉尔

①所多玛与蛾摩拉：《圣经》里记载的罪恶之城，因其居民罪恶堕落到了无可救药的地步而遭到上帝毁灭。

②澳新兵团纪念日：为了纪念一九一五年澳新兵团在加利波利的登陆，每年四月二十五日被定为澳大利亚和新西兰共同的节日。

和艾伦更是如此。在我的印象里，似乎有两场大战，一场是官方组织的，通过澳新兵团纪念日以及与之相关的各种仪式纪念，另外一场是与我们家庭有关的战争。我从来没有见过的劳里叔叔在这场战争中牺牲。对于他的死，我们家总是避而不谈。

第九章 劳里和我

家里人从来都没有讲过劳里叔叔的故事，也没有把他的经历告诉我们这一代人。毫无疑问，导致他死亡的原因一定很复杂，很难说清楚。似乎没有人能准确地说明白到底发生了什么事情。家里人只知道他被日本人砍了头，估计死刑是在澳大利亚北面某座岛屿执行的。时间是在日本人投降之后不久。我们家很少提起他的名字，即使偶然说到，也是几句话匆匆带过，然后就是一阵沉默。小时候，我们只知道他命运悲惨，没有听过关于他的故事。目光和神情比言语更说明问题。大人脸上的表情清楚地表明，这不是一个可以讨论的问题。只有现在，父亲那代人已经没有了，我才能够就我了解的情况讲出叔父的故事。

作为一个历史学家，我有条件研究劳里身上到底发生了什么事情。翻阅文件档案，是一部分工作。这件事情没有人给我压力非做不可，也没有人鼓励我去做。不管家里人态度如何，都无法解释我为什么不愿意去研究到底在哪儿发生了什么？我之所以不愿意去做这件事情，是因为我觉得家族的历史在人类历史的长河中，只是沧海之一粟。不是我研究的那种历史。家族史是业余爱好者和文物工作者研究的对象。对于这个故事，我学会了避而不谈的本事。妻子和女儿们却总是催促我一探究竟。我磨磨蹭蹭，做别的事情。她们去澳大利亚战争纪念馆，发现一些档案资料，确认劳里死于荷属东印度群岛（即现在的印度尼西亚）的安汶岛[①]。她们让我看了那些文件的摘要，很吸引人。材料很多，但需要拼凑起来才算完整。我答应了她们的要求，可还是踟蹰不前。

发生了什么变化？是什么又让我回到劳里的话题？我眼睛出现问题之后，重新考虑我能写什么样的历史？我不得不找到另外一种更具个人色彩的声音，找到另外一种写作的方法。把历史和个人联系到一起、结合到一起看起来可以为我开辟新的天地。我惊讶地发现，我开始挖掘家族的历史。沃克家的人是怎么回事？麦克拉伦家和伯恩家我又知道些什么？而劳里的情况还有另外一个障碍需要克服，这个障碍和日本有关。

日本人应该为安汶岛发生的可怕的屠杀负责，他们的罪行当然让人厌恶。我可没有兴趣详细阐述日本人的暴行。尽管我们家对日本极不信任，但是在我的记忆中，家里人很少说对日本态度偏执的话。虽然听不到如何喜爱日本人、如何原谅他们种种暴行的话，但是也听不到明显表示厌恶和仇恨的话。没有人愤怒地骂一句“日本佬”。在一个温文尔雅、很有教养的家

①安汶岛：印度尼西亚东部岛屿，即安波那岛。

庭，既没有一套词汇，又没有一种嗜好，去描绘那样的暴行。

与此同时，上世纪七十年代，我开始阅读日本翻译小说，并且迷上了小说里那些举止优雅、严守纪律的日本人。那时候，我正在位于悉尼洛克斯的新南威尔士州档案馆研究一些文件。档案馆附近有一个叫“桉树果”的咖啡馆。我经常和与我同样研究历史的朋友斯蒂芬·加顿和朱迪思·艾伦一起在那儿吃午饭。我们这几个“桉树果”的食客抱怨研究家族史的人越来越多，影响了档案馆的正常工作。他们在阅览室里为发现的什么材料大呼小叫：“瞧这个！一定是哈里叔叔！”安静点，安静点！屋子里还有正经八百的研究人员在查资料呢！

附近还有一家日本人开的小商店。回家的路上，我经常进去看他们的小说。那时候我已经养成买书的习惯，经常买一本新书犒劳自己。每次买书，柜台后面站着的那个打扮得很漂亮的日本女人——我的“蝴蝶夫人”——都会点点头，一边看我选的书，一边面带微笑，祝贺我挑了一本好书。我把谷崎润一郎那本战后的经典《细雪》递给她的时候，她觉得这样一个“非常悲伤”的故事对我不会有吸引力。“看这本吧，你也许更喜欢这本。很好看。”她递给我一本夏目漱石的《我是猫》。我心里有点儿怀疑，我对“猫们”写的书还没什么兴趣。我说，如果这样的话，我两本都要了。她听了脸上露出迷人的微笑。有一次，她问：“你去过日本吗？”我没去过，不过当然很愿意去。就这样，我成了小店的常客。在档案馆的工作结束后，还经常想起和她简单而非常有礼貌的交谈。我告诉她很喜欢《细雪》之后，她似乎松了一口气。听说我喜欢夏目漱石那本有点儿古怪的、不乏幽默的小说后，她一点儿也不惊讶。人们普遍认为日本人缺乏幽默感，夏目漱石改变了大家的看法。

一九八五年，我和妻子、两个小女儿第一次到日本。一个星期日，我们去了东京的商业中心银座。在那里惊讶地发现，一片欢笑声中，各色人等，包括身穿西装的“白领”都在玩呼啦圈儿。他们使劲摇摆着，扭动着，好像明天就不活了似的。我们参观了京都非常幽雅的庙宇和公园。这个古老的都市从十九世纪六十年代起就令外国人着迷，今天依然让我流连忘返，久久不愿离去。我们访问了平安神宫。那里曲径通幽，别有洞天，宁静安谧。突然听到一阵快乐的尖叫声，原来是一群小女孩儿发现我们两个金发碧眼的女儿。她们俩一个三岁，一个八岁。她们叫喊着：“Kawai，Kawai！”（“太可爱了，太可爱了！”）她们都想和我的两个“小天使”照相，居然排起队来。有的全家人都不想错过这个机会，也排起队来。这当儿，两位身穿华丽和服、举止优雅的歌妓从一辆很大的黑色轿车下来，以神庙为背景拍照。其中一位非常有礼貌地点点头，同意和我的妻子合影。

劳里非常不幸。他碰到的日本人和我们面前的日本人真有天壤之别。

我不知道劳里死后，家里人和他服役的那个中队的战友有没有接触过。澳大利亚皇家空军中队的士兵来自全国各地，所以很难找到他当年的战友。如果在澳大利亚武装部队，就容易多了。武装部队招兵的时候都是按地区招，所以老乡比较多。到二〇〇八年，我开始正经八百地写劳里的故事时，能记得起他的幸存者已经寥寥无几了。

在尘封已久的档案里，我发现一张纸。纸上的文字是一位空军战士写的。他提到了劳里。他是撤离安汶岛的最后一批空军士兵之一。我读了好几遍他就自己亲眼所见写下的材料，才注意到他的名字叫 J.L. 梅洛特赛。我立刻到“谷歌”去查，但是收获不大，直到后来才找到和这位 J.L. 梅洛特赛有关的一条信息。此人曾经是一九五八年特威德河[①]香蕉节的组委会秘书。就这么多。虽然算不上特别有用的线索，但激励我继续寻找下去。我估计特威德河总该有个类似历史学会之类的学术团体，就在网上找这个组织的主页，然后按照他们提供的电话号码，拨了个电话。刚拨完我就意识到，已经过了下班的时间，正想挂电话，听筒里传来格文·哈特的声音。我也没有做什么铺垫，立刻开始讲关于安汶岛和那个叫梅洛特赛的人的离奇故事。格文打断我的话，说：“哦，是杰克。我以前跟他一起工作过几年。把你的电话号码留下，我看看还能不能找到他。”她又补充道：“杰克快九十岁了。”十分钟后，她打电话告诉我梅洛特赛的电话号码，还说老人家很想和我通话。于是我和 J.L. 梅洛特赛在电话上聊了起来。我问杰克还记不记得劳里。“当然记得。”杰克回答道。他虽然年事已高，但仍然声如洪钟。杰克住在昆士兰州金斯克里夫。我问他能不能来墨尔本和我谈谈往事。他说：“当然愿意，不过你认为我得准备多少块手绢儿擦眼泪呢？”对于我们俩来说，那都是一次非常伤感的谈话，是需要一大摞纸巾。杰克和劳里一入伍就一起在墨尔本附近的拉弗顿接受空

---

①特威德河：澳大利亚著名的旅游胜地，是黄金海岸附近一条非常清澈、碧绿色的河流，因为接近出海口，都是咸水，因此水产也非常丰富。

◎身穿空军军装的劳里

军部队的训练。后来一起到安汶岛的拉哈空军基地。六十六年过去了，往事依然记忆犹新。我现在非常后悔没有早点儿来找他。我深信父亲和艾伦叔叔一定想和杰克见面，听他讲关于劳里的事情。那些事情一定会帮他们更多地了解逝去的亲人。

除了一些照片，家里似乎没有别的东西记录下劳里童年和青少年时期的经历。没有书信。《巴拉通讯》刊登的消息称，他是一九三四年巴拉高中成绩最优秀的学生。战争结束之后，人们偶然提到劳里，都说他本来是个很有前途的、几乎可以称之为圣洁的年轻人。我的一位远房堂姐，现在已经八十多岁，对我说，他“满头黑色的卷发，是个非常可爱的小伙子”。

吉尔比劳里大十岁，也许没怎么见过他。因为吉尔离开巴拉的时候，他才八岁。艾伦比劳里小四岁，和他的关系亲密多了。

艾伦和劳里一起在巴拉长大，沿着小溪玩耍，到早已废弃的矿井里“探险”，吓唬野兔。念完高中后，劳里和哥哥们一起到了大城市。他在阿德莱德电力供应公司当电力机修工。这份工作锁定了他的命运。他一直在那儿工作，直到参加澳大利亚皇家空军。他高中的学习成绩很好，本来可以去上大学，可是他好像不太想继续深造，更喜欢做实际工作，就到阿德莱德矿业学校读书，专修贸易。

年纪大了之后，艾伦因为耳朵聋，在电脑上安装了图像处理软件，一天到晚给哥哥留下的那几张照片重新着色，还做点儿别的处理。在那些照片上，劳里变得栩栩如生。艾伦认为，劳里最好的照片是他刚入伍时拍的那张。坐在照相机前，他英俊潇洒，面带微笑，真是一个帅小伙儿。我把这张照片和一盒纸巾递给杰克·梅洛特赛。“可怜的劳里，”他说，“他的运气不好，从那堆牌里抽了最后一张。”

劳里在皇家空军档案里留下的足迹远比他在家里留下的多。劳里最初想按照“帝国空军训练计划”的要求应征入伍，做一名空勤人员。约翰·麦卡锡撰写的《帝国最后的召唤》对这一计划做了详细的阐述。一九三九年，英国每年大约短缺空勤人员将近三万。英国政府和其他英联邦国家签订一项协定，帮助他们补足这一空缺。麦卡锡指出，“帝国空军训练计划”把英国的利益放在澳大利亚以及其他英联邦国家之上。加拿大试图改变这种不平衡，澳大利亚代表却不想为此做什么努力。一九三九年十二月，澳大利亚签署这项协定后，此后的三年之内，要给英国提供二万八千名空勤人员。初期训练在澳大利亚，全部训练在加拿大完成。

劳里没给“帝国空军训练计划”的面试官留下好印象。他们对他的评价似乎和家人的看法大相径庭。我们从面试材料上看到，劳里“爱国，愿意为国家服务。愿意参加澳大利亚武装部队”，他被描绘为“皮肤黝黑，行动迟缓”。在“智力、精确度、灵敏度和快速反应能力”这一栏下面写的是：“对普通问题回答缓慢，缺乏敏锐的观察能力。”在“个性”一栏，写了个“否”字。虽然这个字放在这儿语义不清，但显然不是赞美的话。第二个面试官的评语也同样糟糕。那人说，劳里虽然行为举止不错，但“动作迟缓，没有敢冲敢打或者斗志昂扬的精神”。同样也记录着他又黑又矮。

我真希望没有看到这些几近蔑视的面试结果。我纳闷，他的推荐人之一——库伦加的一位化学家对他的评价是不是更客观一些？他是这样描绘劳里的：“一个诚实、直率的小伙子，总是彬彬有礼。我深信，无论委以怎样的重任，他都能担当。”“帝国空军训练计划”的面试官自然更希望他“敢冲敢打”，而不是“彬彬有礼”。劳里个子真的会那么矮小吗？还是让数字说话吧。他体重一百零六磅（四十八公斤），五英尺五英寸高（一百六十五厘米）。知道他原来这样瘦小，我确实吃了一惊。吉尔绝对算不上身材魁梧，但也比他高出十三厘米，二十多岁的时候，体重就将近六十八公斤。杰克也证明，“劳里个子确实不高”。他是家里的小弟弟，吉尔当然觉得有责任保护他。就这样，劳里面试没有通过，考官用黑墨水郑重其事地写道：“不适合当空勤人员。”下一个！

对于一个刚二十二岁的年轻人来说，这样的评价确实太尖刻了点儿。不过也显示出，他是在一个把循规蹈矩看得比勇于创新更重要的环境中长大的。面对身穿军装、一脸严肃的大官儿们，劳里这样一个小伙子一定很胆怯。而那些考官一定不善于解读没见过大世面、不爱出风头的农村青年，特别是那些从小被训练成龟兔赛跑中的乌龟而不是兔子的人。劳里的身材确实对他不利。大个子在面试的时候肯定比我叔叔那样的小个子占优势。《广告报》在报道“帝国空军训练计划”招募新兵时强调发现“合适人选”的重要性。英国只想让最优秀的人献出他们的生命。麦卡锡在那些负责为“帝国空军训练计划”招募新兵的军官身上看到许多守旧的标志。巴拉高中也许没有什么特别之处。面试阶段就有一半报名者被淘汰。劳里并不孤单。

我问杰克是否记得劳里时，他第一句话就是：“他个子不高，挺黑。我想他应该有‘岛民’的血统。”有没有“岛民”的血统对于杰克当然无所谓，可是那些面试官或许因此而怀疑他是不同种族通婚的产物。在他们看来，那自然是不得了的问题。劳里的外祖母玛丽·艾伦·麦克拉伦是康沃尔人，毫无疑问，“黝黑的皮肤”就是从她那儿继承来的。尽管杰克承认劳里是个沉默寡言的人，但是他并不认为他智力有什么问题，更不认为他笨。不，他只是不爱说话罢了。

我们已经很难弄清为什么空军那么吸引劳里。艾伦有一次说，对他自己而言，在蓝天下翱翔和在陆地上跋涉相比，当空军是比较舒服的选择。劳里也许也是这样想的。第一次世界大战可怕的死亡数字仍然像驱不散的乌云，笼罩着他们这一代人。尸体遍野、战壕纵横的可怕景象对于上世纪二三十年代长大的年轻人并不陌生。对那种场景的恐惧，不愿意裹挟其中当然不难理解。劳里和艾伦是否也像吉尔那样，不愿意近距离朝什么人开枪？或者，更糟糕的是，把刺刀刺进另外一个人的胸膛。这种情景对于习惯了安静的田园生活的巴拉小伙子，特别是沃克家的孩子们可没有什么吸引力。空军似乎可以避免这种血腥的屠杀。除此之外，澳大利亚皇家空军深蓝色的军装穿在年轻人身上显得特别帅气、特别与众不同。人们都管他们叫“蓝色大丽花”。奥斯瓦尔德现在有几朵真正奇异的“大丽花”增加到他的收藏之中了。劳里和艾伦报名参加空军的时候，也许从来没有坐过飞机。一九四〇年前，很少有年轻人飞上过蓝天，这也许使得当飞行员成了他们心仪已久的事情。

我的叔叔后来又去报名参加空军。这次是空军预备队。一九四〇年八月二十号，他通过了面试。虽然他不是“帝国空军训练计划”要求的那种类型，电气机修工的背景却为他成为无线电报务员创造了条件。澳大利亚皇家空军急需这种人才。劳里虽然身材矮小，但部队的体检医生对他的健康状况却非常满意。“体格健壮，智力健全，没有淋巴结核、肺结核、梅毒，视力好，声音洪亮，听力正常，没有疝气，没有痔疮，没有静脉曲张，睾丸形态正常，没有精索静脉曲张，没有皮肤病，没有慢性溃疡，没有因为受过体罚而留下的残疾，胸脯没有畸形，脊柱弯曲度正常，总而言之，没有任何影响他成为一个战士的疾病或者身体的缺损。”

知道这些很有必要。

劳里入伍的前一天，联邦政府宣布，任命约翰·莱瑟姆爵士为澳大利亚第一任驻日本公使。这一任命充分说明，澳大利亚越来越认识到，如果可能的话，要学会如何和日本作为太平洋地区的邻居相处。《广告报》发表社论，对莱瑟姆的任命表示欢迎。但是由于德国对英国又一轮轰炸，人们还是把关注的焦点放在欧洲。一九四〇年四月，德国侵略丹麦和挪威之后，又占领了荷兰和比利时。澳大利亚北部的近邻荷属东印度群岛的局势越来越危险。六月末，法国沦陷。

就在纳粹节节胜利的消息一直占据报纸头版头条的时候，有的澳大利亚人，包括埃辛顿·刘易斯，对日本人的意图越来越关注。任命莱瑟姆为驻日公使标志着联邦政府清楚地认识到在太平洋地区发展自己势力的重要性。像这样重要的任命以前并不多见。大约这个时候，联邦政府还对华盛顿和中国的重庆，做了类似的任命。澳大利亚在实行独立自主的外交政策方面迈出了第一步。因为他们越来越清楚地意识到，地处太平洋，这个国家将面临新的危险。

莱瑟姆从一九三五年起就是高等法院的首席法官，也是联合澳洲党杰出的政治人物，一九三四年第一个远东友好访问团团长。他的此项任命显然具有非同寻常的意义，尤其显示了对日本特别的关注。德高望重的散文家和时事评论员瓦尔特·默多克私下里祝贺莱瑟姆。他说，这是“有史以来委派一个澳大利亚人做的最重要的工作，是外交战线一项最微妙、最重要的任务”。默多克认为，这是“一个好消息，犹如沙漠里的一片绿洲”。

关于莱瑟姆这项任命，《广告报》发表社论，认为无疑具有积极的意义。这是一项非常“自然”的发展。因为“在太平洋地区的大国中，日本是澳大利亚最近的邻居。联邦真诚地希望能和它保持长期友好的关系”。日本方面也欢迎这个任命。

东京一位外交事务发言人说："日本政府相信，日本和澳大利亚联邦的关系未来将变得更加重要，同时更加真诚。"善良的愿望，真诚，友好邻邦。在这么多美好的愿望和动人的宣传的影响之下，我们家的人希望劳里到欧洲打仗而不是在太平洋服务。珍珠港事件以及和日本开战，还是一年多以后的事情。

劳里很快就被送到墨尔本城外的库克点军校[①]。他在那儿一直待到一九四一年五月。他的学习成绩相当不错。虽然不是名列前茅，但也属于优秀之列。离开库克点军校之后，他被分配到达尔文，一九四一年六月正式加入皇家空军第十三中队，很快提升为空军二等兵。

自从劳里自愿服役，一年过去了。一直没有战事，而且看起来似乎会一直平安无事下去。达尔文根本看不出处于风云变幻的中心。自从十九世纪六十年代起，关于北方未来的扩张论甚嚣尘上。但是这种预言一直没有变成现实。一九一一年，南澳大利亚很高兴地向联邦承诺对北方的发展尽一份责任。现在，人们虽然又预言联邦的接管会使北领地有所发展，空阔的北方仍然人烟稀少，大部分地区无人问津。然而，达尔文战略上的重要性越发凸显了它发展的缓慢和滞后。

达尔文保证了澳大利亚和世界的联系。一八六九年，格莱德把这座城市作为大陆电报线的终点，将阿德莱德和达尔文连接起来。海底电缆从那儿出发，经由爪哇岛、新加坡和伦敦连接起来。到上世纪三十年代末期，达尔文成了澳洲航空公司、荷兰 KNILM 航线和几内亚航线的终点。在达尔文巨大的海港，

---

①库克点军校：澳大利亚皇家空军学院。

新的码头正在建设中，以便增加海港的运输能力，更好地为海军舰队服务。燃料库也建了起来。早在一九四一年，澳大利亚就和荷属东印度群岛签订协议，一旦敌人进攻，澳大利亚陆军和空军中队立即迎战。虽然各种军事设施已经兴建，劳里和他的空军战友们并不特别清楚，他们为什么要驻扎在这里。对于那些乘船经海路进入达尔文的陆军部队来说，那儿仍然是一个遥远的阵地，离真正的战场还很远。

J. 墨尔霍兰德回忆战争中的达尔文时说：一切似乎都以"H"开头：炎热（hot）、沉重（heavy）、艰难（hard）、潮湿（humid）。镀锌铁皮搭建的棚屋越发闷热难当，皮肤病和登革热很普遍而且很难治愈。就连最健壮的人为了稍微凉快点儿也喜欢穿纱笼[①]。还爆发了脑膜炎。喝酒、赌博、相互取笑是他们娱乐活动的主要内容。一个星期到当地可以称之为电影院的地方看一次电影。劳里不可能去酗酒、赌博。作为一个受过良好家庭教育的小伙子，他当然要经常给父母，给姐姐和三个哥哥写信。送信，收信是他生活的重要内容之一。"古玩小屋"是个买邮票和给家里人买点儿小玩意儿的好去处。店主脊背有伤，只能倚靠在床上做生意。在北方，人们做事情和南方有很大的不同。

劳里来这儿驻守前不久，作家弗兰克·克鲁恩访问了离达尔文几英里远位于帕罗的那座"耗资百万英镑建起的军用机场"。一九四一年，克鲁恩以"乘飞机到新加坡"为题，写了一本书，描绘了他从悉尼途经达尔文到马来亚的空中之

①纱笼：马来群岛土人穿的围裙。

旅。克鲁恩希望“有亲人在北部边陲澳大利亚武装部队和澳大利亚皇家空军服役的人们对这本书有特别的兴趣”。如果我的亲戚读了克鲁恩这本书，就会看到，新加坡的安危都掌握在空军上将和英国远东总司令布鲁克·波帕姆爵士手里。克鲁恩觉得布鲁克·波帕姆是一位非常机警的英国人，握手的时候劲儿很大，一双蓝眼睛清澈明亮。这一切显然有助于新加坡的安全与稳定。坚定有力的握手一直持续到一九四一年。承认英国面临战局逆转、形势不利之后，克鲁恩发现，新加坡是一剂真正的“补药”。“我意识到，英国把这块要地变成了世界上最坚固的堡垒，无论进攻还是防守，都可立于不败之地。”克鲁恩访问荷属东印度群岛的时候，荷兰的决心和军事力量以及与“当地人”的亲密合作都鼓舞了他。“现在我们可以胸有成竹地说，”克鲁恩以一个和所有重要人物都接触过、什么都知道的权威人士的架势说，“在一个很大的范围之内所做的准备已经完成。把达尔文近郊建成固若金汤的军事要塞已经成为可能。”

随后的几年，克鲁恩的使命就是让世界各国对澳大利亚北部有更多了解。他虽然夸口说走遍了荷属东印度群岛，但他似乎没去过安汶岛。尽管克鲁恩那本介绍澳大利亚北部岛屿的书《香料之岛》前面的地图上标明了安汶岛。《乘飞机到新加坡》出版的第二年，Amboyna 变成了 Ambonia。那是这个世界让人迷惑不解的一部分。

想想看！五千万有色人——无宗教信仰的人、穆斯林、佛教徒和印度教徒，他们是我们最近的邻居。

从悉尼，只需二十四小时就能到达他们中间……

承蒙澳大利亚皇家空军的好意，一九四一年十二月，克鲁恩坐飞机四个小时就到了“他们中间”。魅力和神秘色彩结合在一起，浑然天成。空中飞行的新奇让克鲁恩着迷。在所有关于亚洲的书里，他都着力描绘在澳大利亚和亚洲城市之间的飞行。飞行，让世界变小，让国与国之间的联系更紧密。飞行，缩短了距离。

一九四一年十二月七日，日本偷袭珍珠港之后，战争以快得可怕的速度向太平洋地区迅速推进。克鲁恩的《乘飞机到新加坡》出版六个月之后，“和平”变成异想天开的事情，澳大利亚和日本“经久不衰的友谊”已成泡影。美国终于参战。达尔文，那样一个遥远的、萧条的阵地，被投入新的战区。十二月二十六日，吉尔和格拉森结婚五周年纪念日，香港沦陷，被日本人占领。短短一个月之内，敌人占领了新不列颠[①]的腊包尔[②]。接下去便是安汶岛。荷属东印度群岛突然之间变得不堪一击。我们可以推测，从打日本偷袭珍珠港，劳里就和家人失去了正常的联系。他已经向北飞去，迎战敌人。

①新不列颠：位于南太平洋，现属于巴布亚新几内亚。

②腊包尔：巴布亚新几内亚一座城市。

第十章　拉哈大屠杀

劳里一九四一年十二月七号到达安汶岛，两个月之后的一九四二年二月就牺牲了。这期间发生了什么？现在我们有可靠的历史资料可以详细地回答这个问题。至于家人对劳里命运的解释另当别论。关于这段历史的说法有两个方面：一方面是，关于安汶岛的战斗以及这场战斗非常可怕的后果；另外一方面的说法和劳里牺牲的消息如何送达奥斯瓦尔德、梅以及其他亲人有关。讲述历史的人可能会把事情讲得很清楚，可是或许因为没有感情色彩，他们描述的事件经常被与这些事件有直接关系的人否定。

我的家人也许一直试图弄清楚太平洋战争的脉络，可是报纸上很少有关于皇家空军在安汶岛活动的报道。和新加坡、科科达不同，安汶岛压根儿就没有记者。《广告报》在报道日本偷袭珍珠港事件之后，又陆续报道了日军向前推进的消息。但是由于涉及太多澳大利亚人不熟悉的东南亚的地名，人们看了也如堕五里雾中。由于我们掌握的材料有限，就只能靠猜测填补这些空白了。一九四二年一月二十三日，《广告报》以“对太平洋侧翼无耻的攻击”为题对当时太平洋地区的局势做了详细的介绍。文章称，日本的战略部署是，切断澳大利亚和荷属东印度群岛的通讯联系，“敌人这一行动的战略意义怎么强调也不为过”。安汶岛一直没有消息，直到二月三号，“安汶岛争夺战”成了重要新闻。消息见报后只几个小时，安汶岛就落入日本人之手。

安汶岛陷落几天之后，奥斯瓦尔德和梅就收到空军委员会一封“很遗憾地告诉您”的电报。电报称，“劳里在一次敌人的袭击中失踪”。详情待得悉后告知。随后的三年里，一直没有新消息。一九四五年十月，战争结束两个月之后，澳大利亚皇家空军告诉我的祖父母，“关于劳里的命运还没有准确的消息”。还有人说——事实证明传言有误——劳里所在的部队登上一艘日本驱逐舰，该舰在安汶岛和塞兰岛①之间海域沉没，船上的人无一生还。最后，一九四五年十二月初，当地一位牧师对奥斯瓦尔德和梅说，“大家都认为劳里已经死了”。因为众说纷纭，官方的消息也变来变去，家人便做出种种猜测，甚至有了截然不同的推断。一直没有找到他的遗体，也不知道他牺牲的准确的时间。官方估计，他可能死于二月六日到二十日。现在已经确认，他们那个中队有四个人的尸体已经从拉哈一座集体埋葬的墓地挖了出来。还有七个人没有找到，估计也埋在那里。又过了六个月，祖父母收

①塞兰岛：一译“斯兰岛”，位于印度尼西亚东部。

到“伤亡调查局”一九四六年六月十八日的来函，确认劳里已经在拉哈牺牲。

这封信解释说，劳里是皇家空军中校欧内斯特·达拉斯·斯科特带领的一支小分队的成员，他们想坐船逃到塞兰岛附近的一座小岛。结果被一艘日本巡逻艇捕获，全部送回到拉哈机场。在那里，他们成了日本人对战俘大屠杀的牺牲品。那封信继续写道：

> 非常遗憾的是，你们失去儿子的痛苦，你们在漫长等待中的煎熬，由于确知了他是在完全违反人类文明的暴行中丧生而加剧。

这封信还解释说，日方几名首犯已经被处决。奥斯瓦尔德和梅等了四年半，才等到这个噩耗，而此延误，也在情理之中。对于安汶岛上发生的事情，只有战后才能详细调查，挖掘工作也只有那时候才能开始。

一个月之后，“伤亡调查局”收到奥斯瓦尔德和梅·沃克的信。信中用大写印刷体对“调查局”通知他们劳里牺牲的消息表示感谢。“我们非常难过，但是想到他没有在可怕的死亡营经受非人的折磨，稍感宽慰。”他们只能感谢政府“帮助他们度过痛苦等待的年月”。一年多一点儿之后，祖父——一个“形容憔悴、被痛失爱子彻底打垮”的老人与世长辞。我的哥哥听到大人们悄悄地说，劳里经历的痛苦和最终被敌人杀害的噩耗，加速了祖父的死亡。

奥斯瓦尔德去世六个月之后，“伤亡调查局”又给他来了

◎安汶岛的纪念碑

一封信。信中说，劳里和大屠杀中牺牲的其他无名烈士被安葬在安汶岛贾拉拉战争公墓。劳里的名字被刻在帝国战争墓地委员会竖立的纪念碑上。奥斯瓦尔德地下有知一定会感到稍许的欣慰。“伤亡调查局”还告诉他，公墓俯瞰“风景秀丽的安汶岛湾”，“园丁”奥斯瓦尔德听了也一定高兴。

既然这些报告的细节那么清楚、具体，我就很难理解，为什么人们一直认为劳里直到战争结束、敌人宣布投降之后，才被处死呢？是不是奥斯瓦尔德和梅没有把这些信息传递出去呢？是不是零零星星的消息传播过程中走了样呢？关于战争结束之后士兵被敌人杀害的事情当然多有报道，包括发生在安汶岛上敌人的暴行。从一九四二年二月劳里失踪到一九四六年六月他的牺牲被证实，家里人没有一天不在惦记他；他到底出什么事儿了？他是不是被敌人俘虏了？是不是部队转移到别的什么地方了？会不会有一天前门被敲响，盼望已久的劳里站在面前？他们一定多次和儿子梦中相见。在他失踪的那个不为人知的地方，什么事情都可能发生。那个什么 Amboyna，还是 Ambonia 或者 Amboina 究竟在哪儿呢？不管到底叫什么名字，安汶岛都是一个充满神秘色彩的地方。任何地图都找不到它的踪影，很少有人听说过那个地方，大家认识的亲戚朋友没有谁去过那儿，以后也不可能去那儿。安汶岛是个我们无法理解、也难于到达的地方。人们压根儿就不抱希望，弄清楚那儿到底发生过什么事情！

澳大利亚皇家空军档案里还有劳里所在部队其他战友家属写的信。那些信都流露出同样的“不确定”“不可靠”。有关部门通知艾萨克·瑞德的父母，说他已于一九四一年十二月三十日阵亡。过了不久，这个消息被证明不确实之后，他们便不再相信儿子在安汶岛失踪的报告。他们和奥斯瓦尔德、梅一样，继续给儿子写信。战争结束，官方正式通知他们艾萨克·瑞德已经牺牲之后，他的父亲因儿子“速死”，得到一丝宽慰：

> 我们应该感谢上苍，他在那些惨无人道的敌人手里待的时间不长。免除了别的可怜的小伙子们经受的非人的折磨……

S.L. 哈里斯先生写信给儿子说：“考虑到临死时的情景，他的死还不算太糟糕，那是最让我揪心的事情……”和沃克家一样，儿子战死沙场的影响犹如浓重的阴云笼罩着一个个家庭，久久不肯散去。一九五一年，乔治·韦瑞守寡的母亲写信请求社会帮助。独子死亡，留下她一个孤老婆子身无分文，艰难度日。

二十岁的弗朗西斯·梅耶的父亲在表达心里的伤感时和别的父母不同，给人"鹤立鸡群"之感，让人难以理解：

> 我们很欣慰地得知，他（弗朗西斯）在保卫国家的战斗中，和澳大利亚空军这样光荣的团体联系在一起。他是不幸的，但也是幸运的，战争让他快速成长。而他的弟弟，一位热血青年，却要等到下个月过完十八岁生日之后，才能踏着他的足迹，去继承他的遗志。我们只希望他的运气能比哥哥好一点点。

沃克家没有从这种爱国主义的豪言壮语中找到什么安慰。他们的痛苦是一种深藏内心、难以言传的痛苦。如果劳里是战死在战场，他们或许会有一个脉络更为清晰的故事讲给大家。那会是一个他们和别人都更容易理解的故事。

看起来，我们家没有人读过道格拉斯·吉利森一九六二年出版的《皇家澳大利亚空军 1939—1942》。这本书是《第二次世界大战中澳大利亚人的历史》的一部分。吉利森在这本书里详细介绍了太平洋战事初起之时，澳大利亚空军，包括劳里所在的第十三中队的情况。吉利森在确凿的事实基础上指出，一九四一年到一九四二年，澳大利亚空军装备很差，根本没有做好迎战日本的准备。一九四一年十二月，太平洋战场上，只有一百八十架飞机可以到一线作战。

尽管自己的空军力量薄弱，但澳大利亚政府向荷属东印度群岛保证，要给予空中支持。澳大利亚的飞机将飞往布鲁岛[①]的楠勒阿，飞往荷兰帝汶的古邦[②]，飞往拉哈机场和安汶岛下龙荷兰水上飞机基地。到了一九四一年底，这种支持显然已经没有必要。十二月六日，先遣队已经飞抵上述地区。因为必须保守秘密，第一批机组人员都穿着普通老百姓的衣服，持假护照。杰克·梅里特希的身份是种植园经理。尽管他对种植知之甚少，对经营更是一窍不通。劳里似乎是十二月七日和第十三中队的战友一起从达尔文飞到拉哈的。

安汶岛是一个重要的香料集散地，和欧洲贸易已经有很长的历史。弗朗西斯·德雷克爵士[③]横跨太平洋之后，访问了这座岛屿。一五二一年，葡萄牙在这儿建立了殖民地，英国和荷兰紧随其后，登上这块土地。后来一位游客写道："这座小岛只有三十英里长，十英里宽，可是风景秀丽，崇山峻岭，连绵逶迤，没有可以耕种的土地。只有一块不大的平地建成拉哈机场，与辽阔的水域和安汶市相连。"澳大利亚空军部队到达之后，很快就在机场周围构筑防御工事，执行上级交给的侦察任务。一九四二年一月，第十三中队在荷属东印度群岛发起了澳大利亚人对日本人的第一次袭击——向安汶岛北面的托比岛发起进攻。

一九四一年十二月十七日，代号为"海鸥"的第二十一营

①布鲁岛：印度尼西亚马鲁古群岛的岛屿。

②古邦：从欧洲到澳大利亚长途航班降落的枢纽。一九四一年后期，葡萄牙统治下的帝汶暂时被荷兰和澳大利亚军队占领，他们试图阻止日本对这个岛的入侵。

③弗朗西斯·德雷克爵士：专门在美洲打劫西班牙财物的十六世纪英国探险家。弗朗西斯·德雷克第一次环球航行之后，伊丽莎白一世将他封为爵士。

紧随澳大利亚空军部队，来到安汶岛。这是以鸟为代号的三支守卫部队之一。另外两支分别是驻守在帝汶岛的“麻雀”和去腊包尔的“百灵”。在安汶岛，有大约一千一百名“海鸥”的士兵，他们主要来自维多利亚州。还有隶属不同部队的二千五百名当地的荷兰士兵。除了拉哈机场和下龙机场，安汶岛重要的战略意义在于它有很长、很隐蔽的深水码头直通岛内。“海鸥”的大部分士兵都驻扎在安汶市附近的兵营里，只有一支人数不多的小分队守卫拉哈机场。

拉哈的条件很差。天气闷热，常常让人连气都喘不过来。西谷椰子、雨林和稻田里老鼠乱窜，昆虫如织，蚊蝇如云。淡水供应不足，食品短缺，而且质量极差。安汶岛人主要吃鱼，因为没有可以饲养牛羊的牧场。那里有热带水果，但是蔬菜极少。杰克·梅里特希好像跳进了菠萝堆里。拉哈的许多澳大利亚人得了疟疾或者痢疾，但是缺医少药，有的士兵不治身亡。

杰克还记得那时候只能玩牌消磨时间，他们还越过海港到安汶市。劳里有时候也和四五个战友一起到“阳光饭店”。“那是一个很不错的小店，”杰克对我说，“我们一进去，店老板就两眼放光。我去吃煎蛋卷儿。可是端上来的蛋卷儿很小。我们就让他们重做。五个鸡蛋煎一个蛋卷儿。”他解释说，鸡蛋很小，也许是矮脚鸡下的。“我们一定把他们的鸡蛋吃光了。”吃饱之后，他们就去商店给家里人买点儿小礼物寄回去。杰克想给他的女朋友买衣服。“这活儿可真不好干。安汶岛女人个子都小，根本买不到大一点儿的衣服。”我问他安汶岛人怎么样，他说，他们非常友好，澳大利亚人很喜欢他们。

他们到那儿不久，一位荷兰军官就告诉他们，无论跟当地人买什么东西，都要讲价，出的价格只能给要价的一半。“我们没太在意，”杰克说，“那儿的东西非常便宜，对于我们来说根本算不了什么。再压价觉得不公平。”那位军官还说，那个地方性病猖獗，他警告澳大利亚士兵不要和当地女人发生性关系。这个令人讨厌的家伙还大言不惭地说，对安汶岛人唯一的办法就是“踢他们”。杰克做了个踢的动作。“我们可不喜欢干这种事儿。我们觉得荷兰人太狂妄了。”杰克继续说，“我们不是天使，可是如果当地人走到你面前，还是要道一声‘你好！’还是要和他们聊聊天。”

夜里，空袭警报经常响起，谁也睡不好觉。从十二月下旬起，消息传来，日本一艘很大的护卫舰正向拉哈驶来，形势变得越来越紧张。拉哈几乎每天都遭受空袭。但是那里连最基本的防空设施也没有。机场没有伪装设施，没有完备的空袭警报系统。非常容易受到攻击。加油设备也很落后。尽管多次申请，仍没有引擎和其他零部件用来修理损坏的轰炸机。连可以定期对飞机进行维修保养的最简单的车间和设备也没有。机组人员只能靠手头的工具和材料凑合。杰克回忆说，空军战士虽然受过如何使用武器的训练，可是连一支步枪也没有。“起初我们觉得日本人根本没有什么了不起，”他对我说，“他们制造的玩具一碰就坏，简直就是垃圾。可是很快我们就改变了看法。他们哪方面都比我们强。”

尽管国内的报道一直强调我们部队的士气多么高昂，真正了解实情的人们却不相信澳大利亚和荷兰能挡得住日本人的进攻。正如澳大利亚空军一位士兵说的那样，“如果你能看到迎接你的是什么，明天就得跳下大海，向澳大利亚游去”。可是最高当局却不这样认为。一月十五日，韦维尔[①]将军说：“就我判断，安汶岛的局势还没有那么危险……虽然偏居一隅，孤军独守，但我相信，不论发生什么事情，澳大利亚军人都会与敌人血战到底。”早些天，二十七架日本轰炸机轰炸了拉哈机场，炸毁跑道，油库起火。很少有澳大利亚人知道，安汶岛的情况多么悲惨。

墨尔本无视安汶岛一次次要求派增援部队和设备的请求，相反，陆军总部派约翰·斯科特去领导“海鸥”。斯科特是一位坚决忠于大英帝国的军官。他信心十足，认为自己有能力唤起战士们的斗志。殊不知他刚踏上安汶岛，就被人们看作讨厌的瘟神。从一月十六日到一月二十三日，日军轮番轰炸，拉哈机场已经被炸得一塌糊涂，跑道也只能夜里勉强用一下。盟军的飞机根本不是日本人的对手。澳大利亚空军已经无力去骚扰正在破浪前进的日本舰队。笨重的“哈德森”已经损失得非常严重，只能出去侦察的时候派点儿用场。有人告诫墨尔本中央作战室，“就像已经取得空中优势一样，敌人也控制了海洋。因此现在的局势比当年克里特岛[②]之战的形势还危急”。

皇家空军中校欧内斯特·斯科特（不要和陆军中校斯科特搞混）是安汶岛地区联合总部澳大利亚皇家空军高级军官。斯科特二十八岁，已婚，有一个两岁的女儿。斯科特有相当丰富的飞行经验，是一位优秀的军官。一月十四日，上级告诉斯科特，接到韦维尔将军的命令之前，必须坚守拉哈。斯科特向总部保

①韦维尔：英国中东军总司令。

②克里特岛：地中海东部的希腊岛屿。

证，坚决完成任务。话虽这样说，大家心里都清楚，光靠决心于事无补。“那几架勉强能用的‘哈德森’根本不可能赶跑敌人，甚至不可能给他们造成损伤。”当时的局面完全没有希望，高层领导终于变得理智。一月二十四号，斯科特接到撤退的命令。“海鸥”将在没有空军援助的情况下，离开拉哈。劳里所属的中队于一月二十八号开始行动。

现在撤退为时已晚，不过即使晚也比不撤强。一月二十九日晚，海军少将田山庆一郎指挥一支日本海军接近安汶岛北部海岸。日本海军陆战队和海军第二十一扫雷先遣队的士兵在海图–拉玛和瓦凯附近村庄登陆。那里和拉哈机场只有一山之隔。到一月三十号，那里只剩下两架“哈德森”和二十九个机组人员。这就是那支被斯科特中校留下的不走运的侦察小分队。飞行员们接到命令，借手电筒的亮光给飞机加油，准备起飞的时候，大家都松了一口气。只需四个小时就能飞回达尔文，就能平安无事。他们开始清理飞机上的东西。为了减轻重量，甚至连头上戴的钢盔、脚上穿的靴子都扔掉了。可是他们万分惊恐地发现，有一架飞机因为油箱被防空炮火打坏而漏油。斯科特命令十八个机组人员上那架还能飞的飞机。月光下，剩下的人眼巴巴地看着飞机沿着坑坑洼洼的跑道，颠簸着向前滑行。杰克·梅里特希回忆说，飞机上挤得连站脚的地方都没有，“我们都屏住呼吸”。飞机突然颠簸了一下，杰克心想，这下子都完蛋了。斯科特和另外三名军官：空军上尉怀特、空军上尉梅耶和中队长安德森留下。还有七名机组人员，劳里是其中之一。总共十一个人。

我们家里一直说，劳里硬把最后一架“哈德森”上的位子让给一位已经结婚的朋友。这当然是英勇的壮举。由此推测，家里人曾经从乘坐那架飞机回来的人们那里听说过发生在拉哈机场的事情。现在没有记录可查，不知道那位朋友是谁。不过，作为电气机械师，拉哈机场也需要劳里。他有技术，可以修理损坏了的轰炸机。作为无线电发报员他在随后的两天里可以把斯科特的报告发送到达尔文。他报告说，修理飞机的一切努力都告失败，飞离安汶岛已成泡影。

到一月三十一号，争夺拉哈机场的战斗打响。澳大利亚和荷兰的工程兵炸毁了油库和弹药库。爆炸声震耳欲聋，熊熊燃烧的汽油像一条火龙流入大海。安汶岛人冲到小船上，逃离小岛。下午，敌人开始登陆。小股日军潜入机场附近很高的草丛中。激烈的战斗近距离打响，日军排长及川一开始就被打死，敌人开始疯狂地报复。

与此同时，劳里——唯一的无线电发报员蹲在加了伪装的帐篷里，用手提发报机向达尔文和楠勒阿发出最后一份电报。后来，电池没电了，斯科特最后发出的电文是："所有密码均已销毁，一切设施均已破坏……有可能的时候再呼叫。"他们炸毁了那架已经损坏的飞机和机场上的所有设备。和敌人主力交火的澳大利亚人向海港那边眺望，看见日本的太阳旗在拉哈上空升起。在这场战斗中，三百零九名澳大利亚人被打死。

"安汶岛战斗"根本算不上什么战斗。一九四二年一月三十一号凌晨，日本人向海岛突然发起攻击。弗兰克·柯伦一直把希望寄托在荷兰人身上，但是第二天，荷兰人就举手投降了。三百名荷兰士兵成为战俘。两天后，"海鸥"也投降。又给日本人送去八百名战俘。澳大利亚人和荷兰人尽管浴血奋战，但寡不敌众，最终被全部歼灭。安汶岛被俘的人四分之三都死在战俘营。死亡率远远高于修筑缅泰公路时被折磨死的战俘。可怕的集中营的幸存者考特尼·哈里森在《安汶岛：浓雾弥漫的岛》一书里记录了这段可怕的历史。

拉哈陷落之后，S.B. 怀特上尉，也是个医生，在丛林里的一个流动急救站给伤员包扎伤口。斯科特带着手下的几个人来到这里，怀特上尉给了他们一些食物。他们告诉怀特上尉，打算翻过那座山，到北部海岸，再坐船逃往塞兰岛。那真是苦难之旅。山崖陡峭，密林覆盖，灌木丛生，狭窄的小路通往深深的山谷。潮湿、炎热难以忍受。澳大利亚空军部队这些战士年轻，也许很强壮，尽管有的人得了疟疾或者痢疾。哈罗德·华利对于在这种情况下如何生存也很有经验。他曾经是新几内亚[①]巡逻队的军官。

从拉哈到北部海岸利马的路上，安汶岛人认出他们，卖给他们一条名叫“威廉敏娜女王号”的渔船。这给了他们逃走的机会。现在他们总共有十七或者十八个人，顺风顺水乘夜色向塞兰驶去。大英帝国的水上飞机在那儿等待，把他们送到安全的地方。太阳升起的时候，塞兰已经遥遥在望。可惜他们开始倒运。那天早晨，海面上飘摇着许多条当地的渔船。有一条船上有个教师，说他亲眼看见一艘日本巡逻艇向那些澳大利亚人飞驰而去。被俘的空军战士受到怎样的对待，已经无从得知。我们只知道那些日本人是日本海军陆战队特种部队的士兵。他们都有敢于自杀的勇气，对敌人绝无半点儿人格的尊重。澳大

①新几内亚：澳大利亚北部岛屿。

利亚人被押上一艘驱逐舰，然后被关进拉哈附近的战俘营。作为战俘，他们有权得到一九二九年日内瓦国际公约的保护。

上世纪九十年代，我去了一趟安汶岛。那时候，我对这座海岛几乎一无所知。虽然我任雅加达印度尼西亚大学一个澳大利亚研究项目的顾问已有多年，每年都要去几次印尼。一九九七年，我有机会和理查德·肖威尔一起访问安汶岛。理查德是安汶岛历史的权威。所以这真是百年不遇、不能错过的机会。路上，我们在苏拉威西岛[①]乌戎潘当市停下，到一家小饭店吃饭。有一个当地人想知道我们来这儿“有何贵干”。理查德用流利的印尼语说，我们是大学老师，来印度尼西亚大学访问，希望能引起人们对澳大利亚的兴趣。我不会说印尼语，只是希望自己儒雅的长相能让他相信我们是学者。可是我们这位新朋友断定我们是日本商人，来苏拉威西岛就是为了赚钱。他摆出一副没人能骗了他的样子，你就是说破大天他都不信。这次邂逅相逢之后，我觉得，树立澳大利亚形象的使命比以前变得更难，但也更有必要。

下一站是拉哈机场。自从一九四一年十二月，劳里踏上这块土地，我是沃克家第一个来到这里的人。从天空俯瞰，小岛的布局清清楚楚呈现在眼前，狭长的港湾把安汶城和黑头半岛上的机场分隔开来。我还看见把拉哈和安汶岛北海岸上的渔村分隔开的高山。越过看起来狭窄的海峡，塞兰岛清晰可见。走过铺有柏油碎石的飞机跑道，热浪扑面而来。还没有走到写着“拉哈机场”的那座建筑，我们已经大汗淋漓。我眺望劳里牺

①苏拉威西岛：印度尼西亚中部岛屿。

牲的地方，只看见一片椰子树林和香蕉林。还有几只鸡在周围的泥土中刨食。

战争在安汶岛当地人的记忆里依然那么清晰，营造出一种与澳大利亚的关系，这种关系远比我想象的紧密。谁都知道澳大利亚人汤姆·杜兰的故事。他只用手榴弹和步枪就挡住了敌人的进攻，直到打完最后一颗子弹。他的雕像现在成了当地的一个标志。如果安汶岛在大多数澳大利亚人眼里只是大海里的一滴水，澳大利亚在许多安汶岛人心目中则是耸立在地平线上的大陆。在安汶岛拉哈这一侧，我们在蒂姆拉大学见到帕提锡拉诺。他是一位历史学家，日本人侵略的时候，他还是个小孩。他对劳里的故事非常感兴趣。帕提锡拉诺还记得看见过集中营里的澳大利亚战俘。他还回想起当年大人们悄悄地讲日本人屠杀战俘的事情。夜里他和当地的一些小伙子想帮助那些战俘逃走。毫无疑问知道要冒很大的风险。开始行动之后，他们悄悄溜到集中营跟前，分开铁丝网下面的椰子树叶，眼前的景象把他和小伙伴们吓呆了。

第二天，我们在安汶市访问了卫穆·嘎斯珀斯兹。嘎斯珀斯兹是殖民地时期，最有影响的安汶岛家族。战争爆发前，卫穆的父亲丹是在荷兰殖民地政府中任职的级别最高的安汶岛人。卫穆本人也曾在荷兰殖民地政府任职，现在是新建立的印度尼西亚政府的官员。嘎斯珀斯兹家族曾经和澳大利亚军队密切合作，至少帮助一条满载澳大利亚士兵的船平安回到澳大利亚。在苏哈托[①]执政的初期，他们协助政府和“海鸥”部队的

①苏哈托（1921—2008）：印度尼西亚共和国第二任总统、军事强人。

老兵重新建立了联系。

理查德和我乘坐渡船，从拉哈到安汶岛。又是一个闷热天。那个地方似乎就没有让人神清气爽的日子。嘎斯珀斯兹家浓荫覆盖，倒还凉爽，但我们还是热得难受。落座之后，卫穆的孙女，一位举止优雅的姑娘送上冰凉的柠檬汁，然后悄悄地退出。卫穆听我给他讲劳里的故事。我讲完之后，他说："你知道，日本人的战俘营原来就坐落在我们家这块地。现在那儿是牺牲者的墓地。"我问他发生在拉哈的事情。

> 我们知道那儿发生过非常可怕的事情。我的一位雇工亲口对我说，那天他吓坏了。他说，他去机场附近找椰子，听到日本士兵渐渐走近的脚步声。他爬到树上，看见日本人在残酷地屠杀澳大利亚士兵。他吓得不敢看，把头转了过去。那真是血腥的场面。你叔叔就是在那场灾难中人头落地，真让人难过。

卫穆回忆说，打仗那几年，安汶岛人的生活非常艰难。不但缺医少药，连粮食也不够吃。人们传说着许多谣言。"日子虽然过得非常艰难，"卫穆说，"有一件事却很可笑。谁都越来越瘦，越来越饿，可是我们注意到，狗却油光水滑，越来越胖。日本人兵营里钟声一响，它就嗖一下跑了出去。我们后来发现，原来那钟声是日本人举行祭奠亡灵的仪式时敲响的。这种仪式会留下许多供品。狗一定认为钟声是召唤它们去吃东西的。"

卫穆苦笑着说："或许只有狗觉得打仗不错。"

卫穆带我们去看屠杀的现场。当地人在那儿竖立了一座纪念碑。那里一片荒凉，和那些保护良好、十分整洁的烈士墓形成鲜明对照。拉哈应该还有一些纪念那场战争的东西。这块无名烈士的墓地只有当地的村民照料，很少有外人知道这个地方。我们造访的那天，白草萋萋的墓地只有理查德和我。

一九四五年十一月二号和三号，战争结束之后，澳大利亚人刚回到拉哈，就挖开机场附近第一座乱葬岗。十天之后，我诞生在这个世界。在安汶岛，在四座墓葬里，挖出三百多具尸体。第一座里挖出五十具，但是没有澳大利亚皇家空军的官兵。第二座里挖出六十一具。他们确认了皇家空军中校斯科特、中尉威利、一等兵戈斯金和空军飞行员埃文斯。埃文斯刚满二十三岁，和劳里同年。劳里是在这座墓里还是在第三座墓里，不得而知。从这座坟墓里挖出一百三十九具尸体、一块浪琴手表和一枚澳大利亚皇家空军帽子上的徽章。沃克家不会花那么多钱买名贵手表。

劳里牺牲的时间最有可能是一九四二年二月六号，或者二月二十号。这两天分别是大屠杀第一次和最后一次的日子。吉利森记录的日子是二月二十号，死亡证明书也是这样说的。关于死亡地点，那一纸证明写得很简单：“国外”。作为二月六日大屠杀的目击者，日本军官滨西茂雄对审判战犯的法庭做出如下的陈述：

> 囚犯们在通往拉哈的公路附近被处决。那个地方离苏瓦可都当地人的一所小学大约三百五十米。他们被反剪双手，但是没有蒙眼睛。他们跪在地上，日本行刑者举起日本军刀朝他们的脖子砍去。许多人的脑

袋掉到地上，但是有的人脑袋还和身子连着，不过人还是立刻就死了……

为二月二十号大屠杀作证的是卫穆的雇工克里斯汀·尼凯珠卢：

一九四二年二月二十号，我在距离荷兰军队拉哈飞机库附近那座桥只有二十米远的一棵椰子树上，看见两个日本兵手里端着步枪，在我藏身的那棵椰子树下面转来转去。他们这样做是确保周围没有人。搜索完之后，一个日本兵喊另外一个日本兵过来。这个兵手里没有枪，只有一把大约三十厘米长的砍刀。这个人带来一个双手反剪、眼睛蒙着一块布子的澳大利亚人。

那个澳大利亚人被带到荷兰部队的司机用来躲避空袭的一个小洞旁边，被砍头之后，扔到洞里。尼凯珠卢亲眼看到五个澳大利亚人一个接一个地被日本人砍掉脑袋。他陈述道：

我头晕目眩，把脸转过去，不敢再看。我在那棵树上待了两个小时，才慢慢转过脸，看见那个坑里堆满了澳大利亚士兵的尸体。

为什么他们要处死这些澳大利亚战俘？一位日本目击证人说，他们是替登陆时被打死的那个排长而大开杀戒的。还有的资料显示，海军少将田山庆一郎下令处死这些战犯是因为日本扫雷部队在安汶湾扫雷时遭到重创，就下此毒手。命令一直传到中川中尉那儿。他后来这样描绘这次行动：

> 我把我的人分成九个小组，两个小组负责杀人，三个小组保证送战俘去刑场的时候不出现意外。另外两个小组的职责是把战俘从营房押解出来。另外一个小组在刑场周围警戒。还有一个小组应急。

马克·费尔顿在审查日本海军的战争罪行时，强调了日本军事文化中对上级绝对服从的重要性，无论那命令多么伤天害理，都不得违抗。日本兵一直受军国主义宣传的影响，把敌人看作劣等民族，被俘虏的士兵更无尊严可谈。残酷杀戮是不是日本人生来就喜欢使用暴力的表现呢？战后最初几年，许多澳大利亚战俘都这样认为。罗翰·里维特在他一九四四年第一次出版的《竹幕背后》中强调了日本人虐待狂的本性。“他们是灭绝人性的敌人，”一个被害空军战士的家人说。有些关于拉哈大屠杀的报道中，那些行刑的人都是志愿者。他们杀了人以后就像过节一样庆贺。

澳大利亚军队很快就找到公平和正义。从一九四六年一月起，六个星期中，九十一个日本人因为拉哈大屠杀和其他战争罪行在安汶岛受审。这是澳大利亚人对日本人第一次单独进行的规模最大的审判。可是在澳大利亚并没有引起太大的反响。《悉尼先驱晨报》只是在审判开始和结束时做了报道，而且没有详细的内容。战后很长一段时间，拉哈大屠杀的历史仍然很少为人们所知，而且这一段战争的插曲将继续成为鲜为人知的历史。椰树林中那一座白草萋萋、无人祭奠的墓碑就充分说明了这一点。可是在军事史上，彼得·斯坦利把拉哈大屠杀定义为“一九四二年，日军对盟军战俘规模最大的、最凶残的屠杀”。

一九四五年末，澳大利亚媒体提出质询，为什么要把一支实力不够的军队派到安汶岛？可是无论当时执政的工党政府，还是达官贵人，谁都对这个疑问没有兴趣，不置可否。至于那些死难者，说他们是“无谓的牺牲”准确吗？当然他们上前线是为了打日本，可是这样一支装备不足、力量薄弱的军队怎么能有效地抵御敌人的进攻呢？完全是以卵击石。

我们也许永远弄不清楚那些日本人为什么会在拉哈穷凶极恶地杀人，但是我们知道，军国主义滋养了他们。战争本身非人的折磨帮助我们更好地理解他们何以做出那样令人发指的事情，而不应该简单地归咎于他们是日本人。在澳大利亚军事史上，安汶岛大屠杀是不堪回首的往事。无论荷兰还是澳大利亚军事家们都不可能制订出有远见的、精明的计划。至于日本人也没有多少可说的，也许我们只能说，在军事冲突中，他们轻而易举就赢得了胜利。无论从哪个角度讲，他们在安汶岛的屠杀都是惨绝人寰的野蛮的行为。唯一可以信赖的是经受了可怕的折磨、幸存下来的战俘，一两个还有点儿良知的日本卫兵和在这场并非由他们挑起的冲突中被抓住的安汶岛当地人。那些被残酷斩首的牺牲者遭遇了最可怕的命运。

至于劳里，在到巴拉公墓之前，我一直认为对他唯一的纪念是在安汶岛。可是在巴拉公墓，我看到一块纪念亲人的石碑，上面刻着：洛娜·穆丽尔·沃克，出生八周后去世，劳伦斯·道格拉斯·沃克曾在澳大利亚皇家空军服役。没有生卒年月日。我到堪培拉澳大利亚战争纪念馆参观时，在已经发黑的阵亡将士金属墙上一行又一行的名字里寻找劳里。可是在第十三中队牺牲者的名单里没有他。他和他的那支小分队又一次被放错了位置。他们的名字出现在“空军司令部”下面。我们在他的名字后面放了一朵罂粟花。我想起我把年轻的劳里身穿军装的照片拿给杰克看的时候，他说的那句话：“可怜的劳里，他的运气不好，从那堆牌里抽了最后一张。”

第十一章 『精灵之火』，艾伦叔叔的故事

一九九六年，我第一次访问了苏格兰斯特灵[①]。城外有一座纪念威廉姆·华莱士[②]的纪念碑。爬上小山，看纪念碑，眺望周围的景色时，我想起老一代人灌输给沃克家年轻一代要勇敢坚强时说的那些老话。根据传说，另外一个著名的苏格兰人，罗伯特·布鲁斯——后来成了国王——被敌人打败之后，藏到一个山洞里，非常沮丧。他坐在那儿沉思默想的时候，看到洞口有一个小蜘蛛想织网。蜘蛛一次又一次掉到地上，每掉下一次，它都会重新爬上去，继续织那张网，最终蜘蛛成功了。老人告诉我们这些孩子，罗伯特·布鲁斯从那只小小的蜘蛛身上学到一个非常重要的道理，那就是要坚持不懈："如果你第一

---

①斯特灵：英国苏格兰中部城市，中央区首府。

②威廉姆·华莱士（1272—1304）：号称"自由战士"。华莱士生于艾尔德斯莱，父亲是苏格兰贵族詹姆斯·斯特沃特的佃农，叔父是教区的神父。他的叔叔教给他很多知识，包括拉丁文、法语等。他是英格兰人痛恨、追捕的"叛逆"，苏格兰人崇敬、效法的偶像，一个充满传奇色彩的人物。

次没有成功，就要继续试，继续试，直到成功为止。”我们最重要的榜样就是一只早已死去的苏格兰蜘蛛。

在斯特灵，我干了许多人家告诉旅游者应该干的事情，包括去参观那座城堡。表上开列的一些游客们要去的旅游景点我没有兴趣，所以我就把它扔到一边。我想花点时间到一家二手书店。我找对了地方。店老板相当不错。女主人个子不高，胖乎乎的，十分热情。男主人却有点憔悴，大胡子，头发蓬乱。我是那天他们头一个顾客。我对他们说，我对种族、气候和优生学一类的书籍很感兴趣。主要是十九世纪末、二十世纪初出版的书籍。他们似乎觉得，对于一个旅游者来说，想买这样的书太正常不过了。“好好转一转，看一看，”他们说，“能找到你想要的书。”

我按照他们的说法，转了转，看了看。他们有一套很精美的亨利·托马斯·巴克尔著的《英格兰文明史》（开本不大，皮革封面，分三卷出版）。这是一部雄心勃勃的著作，作者试图把气候和种族作为产生重大影响的因素解释历史的发展与变迁。巴克尔认为，热带气候导致了独裁、奢侈和凶残。而比较凉爽的地区可以造就一个遵纪守法、令行禁止、比较民主的政府。现在看来，这种观点当然失之偏颇，但是巴克尔想要书写世界历史的宏图大志，仍然给人留下深刻的印象。我相信，《南澳大利亚百科全书》的编辑亨利·托马斯·伯吉斯一定研究过巴克尔的著作。旁边那本书是洛斯洛普·斯托达德那本装帧漂亮的、危言耸听的小册子《正在兴起的有色浪潮动摇了白人世界至高无上的地位》。我选择的第三本书是荷马·李写的那本《撒克逊时代》。作者是又一位美国的危言耸听者。他预言种族退化和白人世界的完结。斯托达德和李都警告澳大利亚人要“顶住黄种人”。

那次访问苏格兰我还到了格拉斯哥。对于我，它就是歌里唱的那个“破旧的格拉斯哥”，一个灰蒙蒙的、令人生畏的地方。我那几位“意气相投”的东道主坚持说，不是那样，格拉斯哥已经是一个非常洁净的地方。他们还给我讲了查尔斯·雷尼·麦金托什的故事。他是二十世纪初格拉斯哥一位了不起的建筑家和设计师。有一个画廊正在举行麦金托什的展览。他们都催促我去看看。我坐火车去格拉斯哥，被那座美丽古老的城市、一幢幢宏伟的建筑以及许多出自麦金托什之手的“作品”折服。他设计的坐落在柳荫大街的柳荫茶室和艺术学校的校舍都充分显示了格拉斯哥机巧睿智现代的风格。黑色的工业烟尘不复存在，公共建筑散发出温馨的、蜜色的光辉。

到车站的时候，还有点早，我就想到“联合王国”经营得那么好的小酒馆静静地喝一杯啤酒结束这一天的旅行。喝上一杯酒，格拉斯哥就属于我。我正在想自己的心事，一个衣冠楚楚、六十多岁的人问我能不能和他一起喝酒。他听说我第一次来这儿，是来苏格兰参加学术会议的历史学家。也许因为知道我再也不会和他邂逅相逢，便讲了他的故事。这个故事他以前也许讲给过别的像我这样的人听。尽管我没有理由得出这样的结论。

年轻时，他到朝鲜打过仗。那时他才二十岁，在异国他乡，他经历了非常可怕的事情。战争结束之后，他回到格拉斯哥，极力想忘掉经历过的那一切。他成家立业，有三个孩子，生意做得很好。“你听起来一定觉得还不错，”他说，“我自个儿也觉得不错。可是每天夜里，我都会想起那场战争。这许多年，噩梦一直缠绕着我。”我不知道该说什么。倘若道一声“对不起”听起来也没有什么“力度”，而且我觉得他并不是寻求别人的慰藉，也不是想听别人的建议。我只是一个读了一些书的陌生人。对于他，这就足够了。他没有必要和我解释朝鲜战争。他没有和妻子、和成年的孩子们讲起过他在朝鲜战场经历的苦难。他觉得不能。不能讲那些不堪回首的事情。随后的半个小时，他给我讲了他在朝鲜战场看到的事情、做过的事情和他的噩梦。过了一会儿，他问我赶哪次列车。“我要回斯特灵。”我对他说。“喝完啤酒，我送你去站台。”火车进站时，我们握手道别。“谢谢你听我唠叨那些往事，”他说，“祝你平平安安回到澳大利亚。”我们没有互通姓名。

那时候，我不知道我的另外一位在澳大利亚皇家空军服役的叔叔艾伦·沃克和这位格拉斯哥朋友经历过类似的苦难。他们俩从外表上看也有点像，都穿戴得整整齐齐，仪表堂堂，上了年纪。叔叔比这位参加过朝鲜战争早已退伍的老兵大十岁左右。艾伦一九二二年生，正好赶上第二次世界大战。一九四二年三月，差一点二十岁生日的时候，他参加了澳大利亚皇家空军预备队，十月份正式应征入伍。那时候，大家对劳里的命运还一无所知，但是安汶岛落入日本人之手的消息早已传到澳大利亚。奥斯瓦尔德和梅一定忧心忡忡，眼看着最小的儿子——第二朵“蓝色的大丽花”走向战场。

从三十年代和四十年代家里保留下来的资料看，有关艾伦的材料没有劳里的多。有他的照片，但是没有书信和日记。关于他，《巴拉通讯》也只有非常少的报道。一九三七年七月十三号在《巴拉警方消息》这个不吉利的标题下面，我们看到艾伦在他的“犯罪生涯”迈出第一步。他两手撒把骑自行车，被判有罪，不过没有处罚金。巴拉选区那时候的法律似乎很严格。艾伦的父母自然不会因为他以这样的方式让家庭在媒体曝光、吸引读者的眼球而感谢他。此外，这样的行为会发展到什么地步呢？他入伍登记表上“有无犯罪记录”一栏下面写着曾经违反交通规则。毫无疑问，这一次不会是骑自行车两手撒把那么简单吧。两年之后的《巴拉通讯》说，艾伦在库伦加邮政局干了一段时间后，调到阿德莱德郊区德马斯邮局做职员。他是高中毕业后直接到邮局工作的。那时候这种情况很普遍。不过，三十年代，要想找到这样一份差事并不容易。竞争也很激烈。他在邮局的工作包括发电报。

艾伦的档案比劳里的薄多了。毫无疑问因为劳里属于失踪人员，就需要有更多的文书工作、更厚的案卷。艾伦是被帝国空军训练计划（EATS）接收的。照例应该有各种表格、面试记录，不过他的档案里没有。到一九四二年末，入伍的条件可能已经放宽，或者艾伦在面试时比劳里更自信。他个子也比劳里高（五英尺八点五英寸，一米七四），而且更结实（一百四十八磅，六十七公斤），皮肤也不像哥哥那么黑。艾伦甚至在堪培拉寒冷的冬天，皮肤也黝黑，显得健康，但绝对不会让人想到他有“海岛人的血统”。作为奥斯瓦尔德和梅最小的孩子，他成长的环境自然更加宽松，不像吉尔那样，动不动就给自己惹上麻烦。我想艾伦一定在精神上比吉尔和劳里更自由。他可以骑着自行车在巴拉到处玩，在女孩子们面前显摆。

日本人打到澳大利亚家门口的时候，艾伦到了离阿德莱德大约八十公里的维克多港。那里的布雷堪山上坐落着第四飞行训练学校。那时候，澳大利亚共有三十所训练飞行员的学校，南澳大利亚有五所。小时候我去过维克多港，给我留下美好的记忆。马车载着游客，走过长堤，把游客送到花岗岩岛。那些让人难以忘怀的故事仿佛就在迷蒙的烟雾中萦绕盘桓。大船曾经在花岗岩上碰得稀烂，马车沿着铁路线，驶向小岛。我或许看见过布雷堪山上那座俯瞰小城的公馆，但现在已经不记得了。对我而言，拉车的马和失事轮船的水手比那些房屋更重要。

布雷堪山庄是十九世纪七十年代阿德莱德最优秀的建筑师威廉·明爵士为威廉·海伊建造的。威廉·海伊是从丹弗姆林[①]来的苏格兰移民，在新殖民地干得很好。这座山庄有宏伟的大厅，漂亮的舞厅，五层高的塔楼，许多摆满豪华家具的房间，在南澳大利亚也是最好的山庄。战争年代，从第四飞行学校毕业的学员多达五千人，他们分别在澳大利亚皇家空军和澳大利亚空军女兵辅助队服役。他们住在帐篷里，没有机会享受风景怡人、设施豪华的山庄。新兵都领到军装、背包和毯子。他们排成一行，接种疫苗，以防感染破伤风、天花、肺结核。第一个医官先用碘酒棉球擦擦身体某个部位，第二个医官注射。训练很严格，还有许多很重要的课程。毯子叠得有棱有角，背包装得平平整整。方方面面都要检查。

经过六个月的准备和考评后，艾伦被派到位于悉尼北岸布莱菲尔德公园的第二航空站。最初的训练主要是考核新兵的技

①丹弗姆林：苏格兰行政区。

术和能力，包括数学、无线电发报以及航行的理论和实践能力。这些课程的要求都很高，教官也很严厉。艾伦作为空军二等兵来到悉尼。那也许是他第一次离开南澳大利亚。在布莱菲尔德公园待了一个多月之后，他又被派到墨尔本阿斯科特维尔第二航空站。这时候他已经习惯了部队生活不可预知的流动性。

一九四三年一月十五日，艾伦离开墨尔本到加拿大，两个星期后抵达。一九四三年全年他都在加拿大。在澳大利亚，人们只知道 EATS 是英联邦在加拿大的航空训练计划（BCATP）。EATS 在澳大利亚整个参战过程中，相对而言规模比较小，但意义重大。而英联邦在加拿大的航空训练计划（BCATP）却是加拿大战争中的核心部分。他们所做的一切值得人们永久纪念。按照 BCATP，他们总共训练了七万三千名加拿大空勤人员，澳大利亚不足一万。罗斯福总统把加拿大描绘为“民主的航空站”，加拿大人没有辜负他的希望。BCATP 之所以成绩斐然，主要应该归功于战争期间的总理麦肯锡·金。完成这一计划，购置设备，招募工作人员，建立几百个培训中心、航空站和兵营的重任都落在加拿大人的肩上。在这里建立空军基地合乎情理。加拿大既没有受到敌人的袭击，离欧洲战场又不太远，可以及时把训练好的空勤人员送到欧洲战场。除此之外，加拿大疆土辽阔，是训练空军的好地方。

EATS 的空勤人员离开澳大利亚之后，便和加拿大皇家空军编在一起，直到到达联合王国。他们在那里加入了皇家空军（RAF）。加拿大的空勤人员在联合王国组建了自己的空军中队。澳大利亚的空军战士却分散开来和其他国籍的人编到一起。有时候一个中队有两三个澳大利亚人，可是经常只有一个。这种经历和在澳大利亚武装部队的体验完全不同。在都是澳大利亚人的部队服役，一旦打起仗，就会有一种集体主义精神鼓舞着大家为保卫祖国同生共死。艾伦被分配到轰炸机指挥部总部。十个人一组，只有他和中尉是澳大利亚人。

离开澳大利亚之前，劳里和艾伦那位终身未嫁的姨妈玛乔里·麦克拉伦一直负责照料他们俩。玛乔里·麦克拉伦是麦克拉伦家五个女儿中第四个女儿。她给他们制订了一个严格的训练计划。她认为，小伙子们如果当了空军，就可能到海外服务，就得学会跳舞。代数、莫尔斯电报密码和三角法当然很重要，但是如果连狐步舞也不会跳，怎么参加社交活动，怎么结识女孩子？他们无疑需要到城里的“快乐歌舞厅”跳舞。于是，在阿德莱德郊区安利舒适的家里，玛乔里在起居室里放唱片，逼两个小伙子学跳交际舞。闹得太厉害的时候，玛丽·埃伦·麦克拉伦会悄悄地把一个花瓶或者别的什么贵重的摆设拿到一边，免得被他们碰倒打碎。总而言之，你就逃不脱玛乔里的掌控。她下定决心，一定要让两个小伙子学会跳舞。

艾伦后来对我姐姐说，玛乔里实在是做了一件大好事。他出国之后果然总有舞会可以参加。战争年月如果错过这唯一的娱乐，日子一定更难熬，更寂寞。艾伦开始抽烟，而且用不着有谁怂恿，很快就学会喝两杯。在遥远的加拿大，人们管他叫“约翰尼”·沃克。奖罚记录记载，他曾经因为赌博被罚拉煤。大的错误倒没有犯。他只是稍微有点放纵自己。他还年轻，正在打仗，像他这样的小伙子每天都有人牺牲。而库伦加的卫理公会是另外一个世界。

一九四三年一月底，艾伦来到加拿大埃德蒙顿。在加拿大的城市里，埃德蒙顿比较靠北，一月份的平均气温可以达到零下十六度。新来的人安排在埃德蒙顿展览区骑兵营住。三个星期后，艾伦又被调到温尼伯第三无线电训练中心。温尼伯的天气比埃德蒙顿还要冷。他又在那儿待了八个月。经过严格的训练，将马可尼无线电密码烂熟于心。见习发报员要求每分钟发出三十五个字。为了提高技术，他们爬到塔楼第四层的房间里，用无线电发报机和附近斯蒂文森机场加拿大皇家空军的飞机联系。艾伦在那儿飞行了三十一个小时。毕业之后，一九四三年十月又回到萨斯喀彻温省莫斯班克第二轰炸和炮兵学校。六个星期后，经过十二个小时飞行的考核，他成了上士，无线电操作员兼空中射手。他在加拿大的最后三个月是在新斯科舍[①]哈利法克斯度过的。一九四三年节礼日[②]离开加拿大到联合王国。在那里接受了英国皇家空军九个月的训练。

一九四四年的某一天，艾伦去看望姨妈琼·理查兹。她是和她的英国丈夫一起来英国生活的。他来看望琼的时候，她的丈夫刚遗弃了她和三个年纪还不大的女儿。她们的日子过得非常艰难。一家人挤在教区牧师住宅上面狭窄的小屋里。两个大一点的女儿还记着她们那位英俊的澳大利亚表哥到她们家的情形。艾伦身穿蓝色空军服，看起来特别潇洒。波琳那年八岁，求艾伦让她戴戴他的军帽。艾伦是个和蔼可亲的人，当然就让她戴了。她记得艾伦是个非常可爱的人，深蓝色的眼睛，迷人的微笑。

---

①新斯科舍：加拿大东南部省，省会是哈利法克斯。

②节礼日：圣诞节后的第一个工作日。

一九四五年初，艾伦第二次去看望她们的时候，琼已经搬到艾塞克斯[①]。这次，他带着未婚妻——一位来自北威尔士雷克瑟姆[②]的年轻姑娘。他们之间的关系很牢固，他说她，还有她的父亲和他是患难之交。艾伦不是唯一一个在异国他乡谈恋爱的人。大约有两千个澳大利亚皇家空军士兵和军官与英国女人结婚。这一对年轻人是怎么认识的，不得而知。他们交往的细节也不甚了了。他似乎是在北威尔士兰德罗格驻防时认识她的。早些时候他在伊特斯堡驻防，在那里积累了驾驶各种飞机的经验。他在兰德罗格驾驶阿芙萝·安森斯飞机飞了十八个小时四十分钟。琼的大女儿玛格丽特还记得他第二次去她们家的情景。那年她十岁，她说艾伦的未婚妻把腿抹成棕色，让人觉得她好像穿着长筒袜。这件事给她留下很深刻的印象。

这是发生在战争期间的爱情故事，很难按部就班地进行下去。艾伦刚满二十二岁，年纪尚轻，但远离祖国，鞭长莫及，家人已经很难对他产生什么影响。即使愿望再良好，也很难把这样的关系维持到战争结束。他在短时间内就得一次又一次地换防。离开兰德罗格之后，他又回到英格兰。然后从一个机场调到另外一个机场：锡尔弗斯通，温瑟普，瓦丁通，迈瑟林汉姆，赛尔斯敦，很难保持联系。艾伦的家人认为，他的未婚妻一定想在战争结束之后，跟他来阿德莱德结婚。她已经准备好移民澳大利亚必备的手续，虽然那是一件很费时间的事情。她

①艾塞克斯：英国英格兰东南部的郡。

②雷克瑟姆：位于威尔士东北部一座工业城镇，邻近英格兰，范围包括人口集中的东部低地区，西北部的埃斯克鲁萨姆山、鲁阿本山，西南部延伸至克伊里奥格河谷及其周围山地。

◎艾伦和他的朋友们

还给艾伦寄来一个箱子，里面有结婚用的东西。她那块擦茶杯用的威尔士毛巾一直到五十年代初还在艾伦家用着。可是后来这对有情人为什么未成眷属，就不知道了。

故事似乎到此告一段落。没有完结，支离破碎，模糊不清。通过偶然结识杰克·梅洛特赛老先生，终于弄清楚劳里的经历。这件事激发了我对艾伦未婚妻的好奇心，很想弄清楚，她到底发生了什么事情？于是通过雷克瑟姆政府机构打听她的消息，可是一无所获。他们建议我可以在地方报纸登一则启事。我想尽可能完整地把这个故事写出来，就怀着一线希望，寄了出去。但是石沉大海，没有回音。年代太久了，没有什么线索。这当儿，我一直和艾伦的外孙女埃丽卡·卡尔森保持联系。埃丽卡住在西澳大利亚班伯里，她非常喜欢外公，很想多了解点他的情况。和许多当过兵的人一样，艾伦没有太讲过他在空军部队的事情。事实上，他在努力忘掉经历的一切。他不想回忆那段失落的爱情，不想回忆战争中那位可爱的未婚妻。此外，沃克家的男人不喜欢谈论这方面的事情。

有一天傍晚，埃丽卡和她那个车间新来的一个女孩聊天，她问她从哪儿来？她回答道，她是从威尔士一个名叫雷克瑟姆的小镇来的。这个镇子，埃丽卡一定听都没有听过。一个本来就很离奇的故事一下子变得更离奇了。这个女孩的祖母依然生活在雷克瑟姆。而这位老祖母最好的朋友居然是艾伦当年的未婚妻！她现在已经快九十岁了，终身未嫁。朋友的孙女从班伯里给她打电话，问她认不认识一个叫艾伦·沃克的澳大利亚空军战士。她一听就哭了。是的，当然认识！她至今还保存着一九四四年和她订婚的那个英俊潇洒的家伙的照片。虽然年事已高，但她还想在朋友的陪伴下来一趟西澳大利亚。如果埃丽卡感兴趣，她还可以把照片带给她。虽然困难重重，又一条非同寻常的关系链就这样建立起来了。我同意去班伯里，在那儿可以和埃丽卡一起送一束鲜花给我们远道而来的客人，和她聊天，请她吃饭。日子一天天过去，与她相见似乎变得遥遥无期，直到我们终于确信，不会有这样一次会面了。原来她到珀斯后就打消了见沃克家人的念头。那一切太痛苦了。和我们相见就意味着重新燃起心底的失望之火。她无法让自己面对我们。

一九四四年，十一月底，艾伦奉调到四六七中队。他的战争已经真正开始。在众所周知的“轰炸机司令部”巨大的车轮上，他现在是一个小小的齿轮。他在四六七中队一直待到一九四五年十月一日，在林肯[1]南部的瓦丁通机场执行任务。他也许不

①林肯：英国英格兰东部城市，林肯郡首府。

知道，这里正是沃克家的老家。大约一个世纪前，威廉·沃克和他的妻子伊莎贝拉离开离这儿不远的伯恩镇去了南澳大利亚，住到巴克山那个棚屋里。四六七中队一九四二年十一月七号组建。组建这个中队的初衷是，想把它建设成为一支主要由澳大利亚人组成的部队。可是直到战争后期，才基本上实现了这个愿望。这时候，飞行员失踪，飞机被毁的记录时有发生。对于飞行员而言，他们在战争中一举一动的记录就是飞行日志。这些“日志”记录下他们飞行的日期、飞行的时间和大概发生了些什么事情。二〇〇四年，艾伦去世后，我们在他的遗物中发现这本早已泛黄的日志。

艾伦在机组中是个很重要的成员。在他最熟悉的兰彻斯特轰炸机里，无线电发报员坐在紧贴机身的非常狭窄的空间里。虽然所有机组人员都饱受飞机噪声之苦，但最苦的还是无线电发报员。许多人，包括艾伦，战争结束之后，听力都受到永久的破坏。发报员面前的小桌上放一台马可尼式发报机和接收机，还有浴缸形的莫尔斯电键和鱼塘形的夜间侦察歼击机用的雷达探测器。左边，放着机组人员使用的对讲机。桌子下面有个曲柄，用以控制轰炸机的拖曳天线和保证飞机设备运行的各种动力机装置。艾伦负责保养和维修这些设备，同时通过收发报机和地勤人员保持密切的联系。所有无线电报务员都接受了空中炮手的训练，必要时可以代替炮手向敌机发起攻击。他们还接受训练，随时可以急救。当飞机在暴风雨中飞越北海，并且已经进入敌人高射炮、歼击机的射程时，其他机组人员都沉着冷静，因为他们相信，无线电报务员能听到立即返回基地的召唤。如果不得不丢弃飞机的话，他们需要发报员坚守岗位，确定所处的位置。艾伦肩负的责任之重大，可见一斑。

艾伦进入四六七中队的时候，对于轰炸机司令部那些冷峻的统计数字知道得一清二楚。加拿大兰开斯特博物馆网站对此做了很好的总结：轰炸机司令部每一百个机组人员，就有五十一个在行动中战死，九个因飞机坠毁在英格兰丧生，三个重伤，十二个被俘，只有二十四个安然无恙。艾伦当属少数的幸运者。当死亡、重伤、被俘成为大多数战友的命运时，他自然觉得自己听力受损不值一提。轰炸机司令部培养出来的空军战士比澳大利亚武装部队任何一个部门牺牲的人数都要多——超过四千。战争进入一九四四年末，艾伦幸存下来的机会增加了。到一九四五年三月，他们的处境有了改善。

艾伦主要的任务是飞越鲁尔河[1]峡谷，那儿是德国的工业重地。飞行日志显示，他第一次执行任务是一九四四年十二月四日，飞往海尔布隆[2]。那是一次对敌人“毁灭性的打击”。他们总共出动二百八十二架兰开斯特飞机，损失了十二架。艾伦那个机组驾驶的是兰开斯特轰炸机。现在放在澳大利亚战争纪念馆。这次行动总共用了七个半小时，尽管轰炸只用了六分钟。艾伦在日志中写道：“兰开燃烧……坠毁。”海尔布隆三百五十英亩大的地方夷为平地，七千人葬身火海。

十二月六号到十八号，他又执行了七次任务。轰炸吉森[3]。后来因为天气恶劣，没能按计划轰炸伍尔夫特大坝。袭击慕尼

①鲁尔河：莱茵河的支流，位于德国西部。

②海尔布隆：德国西南部城市。

③吉森：德国中部城市。

◎艾伦在兰开斯特轰炸机上

黑之后，艾伦在“日志”中写道：“大火。”轰炸格丁尼亚[①]波罗的港之后，他写道：“坠毁。”十二月，因为天气不好，他们的飞机没有再出动。一九四四年圣诞节，一场大雾创造出一个白色圣诞节[②]。机组人员都已经落地。消息传来，欢声四起。下午和晚上都有舞会。艾伦自然场场不落。

一九四五年一月一号，飞行任务又开始。这次他们轰炸的目标是多特蒙德埃姆运河。和大多数任务不同，这次轰炸在白天，而且大获成功，对德国的运输体系造成很大的破坏。整个一月，他们都去轰炸捷克斯洛伐克西部的炼油厂。一月末，大雪不断，能见度很差，飞行员们只能原地待命。

①格丁尼亚：波兰北部港市。

②白色圣诞节：指圣诞节期间下雪。

艾伦的日志接下去记载的是二月十四和十五号第一次轰炸德累斯顿。他们那个机组投了一枚四千磅重的炸弹、十四枚五百磅重的炸弹。日志记录了“精灵之火与光”。光来自那枚四千磅重的炸弹。人们管它叫“甜饼”。炸弹爆炸后升腾起蘑菇状的云团，红光闪烁，久久不能散去。从空中看去，景色十分壮观。七百九十六架兰开斯特轰炸机轮番轰炸德累斯顿，总共投下重达二千六百吨的炸弹。大部分都是燃烧弹。大火熊熊，至少三万人丧生，这座城市的核心被彻底摧毁。米德布鲁克和埃弗雷特损失更加惨重，死亡人数超过五万。艾伦参与了对多特蒙德埃姆运河、维尔茨堡[①]、博伦、不来梅[②]、维塞尔、法奇、弗伦斯堡的轰炸。这些地方主要是军事目标、工业重镇、交通枢纽，或者是燃料储存地、炼油厂。但维尔茨堡是个例外。那是一个教堂林立的城市，几乎没有什么工业。一九四五年三月十六、十七两天，这座城市陷入灭顶之灾。许多古老的建筑物被夷为平地，四五千人丧生。虽然这些行动会在艾伦心中积淀下无法忘记的伤痛，但是最让艾伦痛苦的是对德累斯顿的轰炸。

对德累斯顿的轰炸一直持续了好长时间。温斯顿·丘吉尔曾经积极策划这次众所周知的“霹雳行动”，可是后来避之唯恐不及。有的历史学家把这次轰炸看作战争罪行。这时候距离德国投降还有十二个星期。于是人们提出疑问，这样狂轰滥炸在军事上还有实际意义吗？历史学家质疑，德累斯顿算不算重要的军事目标？那里虽然有工厂，有交通运输枢纽，也有军事

①维尔茨堡：德国中南部城市。

②不来梅：德国港市。

设施，但轰炸的目标是市中心。德累斯顿是德国一座典型的巴洛克风格的城市，典雅、文化氛围浓郁，纳粹统治之前文明程度也很高。市中心老城区大多数建筑物都是木结构。美国人为这场屠杀层层加码，“轰炸司令部”轰炸之后，他们又出动飞机白天空袭德累斯顿。这样联合轰炸的目的是创造一场火焰风暴。大部分人是闷死在熊熊燃烧的楼房下面的地下室里。

维克多·克莱姆普尔亲历了那次可怕的空袭。他的日记被翻译成英文，一九九九年出版，艾伦生前还有足够的时间去读这本书。事实上，关于德累斯顿的书，他读了不少。克莱姆普尔是一位世俗的犹太人，不顾家人反对，和天主教徒艾娃结婚。他对宗教不感兴趣，热衷于书籍和学问。可是纳粹对他步步紧逼，对他的限制越来越严。不准学校雇用他，限制他和学生、同事接触，甚至不让他进图书馆。可是尽管如此，克莱姆普尔依然坚持记日记。他目光犀利，头脑清楚，见地独特。他虽然对自己的健康、对他的书和日渐消退的视力忧心忡忡，但仍然用审视的目光看纳粹报纸上被篡改过的消息。到一九四五年初，克莱姆普尔已经是家无隔夜粮，日子过得非常艰难。他们每天只能吃一点点肉汤、干面包和土豆。谣言四起，有的人说，俄国人就要进入这座城市，有的人说，柏林已是一片混乱。二月十三号，克莱姆普尔注意到仿佛春天已经来临。那天他一直给犹太人家庭送信，通知他们新的放逐令已经颁布。他们都知道，所谓放逐，就是把犹太人送上不归路。还没走的人，包括维克多和艾娃，很快就会逼上这条路。

二月二十二到二十四日的信记录了轰炸的情景：

我们很快就听到飞机越来越近、越来越大的嗡嗡声。灯都灭了，附近的爆炸声一浪高过一浪……我们屏住呼吸，低着头，跪在椅子中间，周围一片哭喊声。飞机又一次盘旋而来，轰炸又一次开始……脑子里一片混乱，已经弄不清都发生了什么。只是看见一片火海，听到大火燃烧和热浪如风暴般袭来的声音，觉得精疲力竭，非常害怕。

大火燃烧，房屋坍塌的时候，克莱姆普尔和艾娃被烈焰分开。可是几个小时后，他们又奇迹般地团聚。混乱中，克莱姆普尔和别的犹太人从衣服上撕下“大卫之星”①。周围的建筑物都起了火，艾娃弯腰从脚边捡起什么东西点燃香烟，结果发现那是一具正在燃烧的死尸。到处是死尸和残缺的肢体。空气中弥漫着人肉烧煳的臭味。

已经不是第一次了，就在我以为所有记录都消失殆尽的时候，在西澳大利亚一个车库里的“考古挖掘”，让艾伦三本影集得见天日。这些照片记录了他在加拿大度过的时光，和他交往过的姑娘、他乘坐过的飞机。有许多年轻女人、许多飞机。有一本影集里照片的背景都是芝加哥和纽约。推测起来大概是他休假期间在那儿照的。另外一些照片拍摄的是他参与的空袭造成的破坏。艾伦是个办事认真的人，每张照片都写了说明。他的字迹看起来工整清楚，可是读起来就不是那么回事了。那些说明充满了一个年轻空军战士的自信和乐观。有一张照片下

①大卫之星：犹太人标记，两个正三角形叠成的六角形。

面写的是：他们正给饥饿的杰里[①]装"蛋"。另外一张下面写着：一千磅重的"蛋"。

艾伦去世前不久，我的哥哥去看望过他。他发现，战争的经历让晚年的艾伦非常痛苦。艾伦和诺尔玛退休后，住到阿德莱德郊区雷内拉一幢简陋的房子里。他们不喜欢堪培拉寒冷的冬天。艾伦的听力越来越差，和诺尔玛无法正常交流，两个人的关系很紧张。他的内心比以往任何时候都孤独。他一天到晚坐在电脑前，摆弄家里那些老照片。经常给黑白照片着色。他尽最大的努力让照片上的亲戚们变得光彩照人。他还喜欢上源于日本的插花艺术。对于他，这种嗜好似乎有点不好理解。因为他永远不会原谅日本人在劳里身上犯下的罪行。他后门外面摆放着一些造型很漂亮的盆景，尽管那些花草因为远离故乡不无凄凉之感。有一次他要送我们一盆。因为不忍心拿走老爷子精心培育的奇葩，我没有接受。诺尔玛说，她巴不得我们把那些破玩意儿都拿走才好呢！她对老头和他的癖好越来越反感。于是，我们欣然接受了艾伦叔叔的馈赠。现在来自莫尔顿湾的三棵无花果依然摆放在我们家的厨房，为我们增色不少。

艾伦和诺尔玛是非常好的东道主。他们为我哥哥的到来做了充分的准备。桌子上摆着蛋糕、饼干、咖啡。艾伦手边放着威士忌和葡萄酒。总得让客人们喝点什么。在雷内拉总是这样。艾伦对附近麦克拉伦谷的酒庄颇有研究。他以他那种特有的有条不紊的方式，把每种酒的口味开列得一清二楚。这是他在计算机上干的另外一件事儿。他开玩笑说，真遗憾，我们外公也

---

①杰里（Jerry）：德国人，尤指德国士兵。

姓麦克拉伦，但是和葡萄酒庄毫无关系。随便聊了几句之后，不知怎的话题就转到战争。我哥哥读了不少关于“轰炸司令部”的东西，包括最近出版的关于轰炸德累斯顿的书。因为以前大家很少谈论那场战争，哥哥没有意识到战后这么多年，这个话题一直非常敏感，轻易不可触及。突然之间，刚才还那么沉着镇定、乐呵呵地想让客人再喝一杯的老人哭了起来。沃克家的男人不轻易流泪。艾伦为自己的眼泪羞愧，诺尔玛再三道歉，但是很难再回到先前快乐的氛围中。伤口又被重新打开。

后来，我和艾伦的孩子克雷格、安妮聊天。他们证实，在过去的十多年里，艾伦变得越来越烦躁不安。他后来读了不少关于德累斯顿和那次大轰炸造成巨大破坏的报道。那时候或者后来，为轰炸合法性做的任何辩解都无法慰藉他那颗痛苦的心。“精灵之火”伴随着男人、女人、儿童的惨叫，经常在噩梦中出现。浑身是火的人、已经烧死的人和受伤的人一一在他眼前闪现。和劳里一样，艾伦之所以参加空军是因为不想在战场上近距离地杀人。坐在飞机上，俯瞰下面的战场，扔颗炸弹就跑，似乎感觉好多了。然而，对于艾伦，这种痛苦和负罪感只是推迟了一些日子罢了。什么道理也说服不了他，他压根儿就不需要别人开导。安妮说，到晚年，他甚至想过自杀。如果艾伦腿骨折了，他也许会去看医生，但是对于他这一代人，承认自己经常做噩梦几乎是不可能的事情，更不要说找人帮助驱散“心魔”。

第十二章 快乐的老鼠

我想通过舅舅埃里克·伯恩部队里的战友打听他的事情。可是经过这么多年，不会有那么多人记着他。他在北非、新几内亚、婆罗洲[1]服役。一九四〇年十二月到中东。直到一九四五年十月三十一日才退伍。对他来说，那是一场旷日持久的战争。他们给我出主意，可以去找比尔·科里。他虽然已经九十一岁，但记忆力很好。于是，我给在阿德莱德的比尔打电话，向他说明我的意图。比尔沉默了一会儿，对我说，他想不起来有个叫埃里克·伯恩的人，但是他确确实实记得有个家伙大伙都管他叫“卷毛伯恩”——一个特别爱说爱笑的人。埃里克就是满头卷发，而且特别幽默，要让他老老实实待着，不开玩笑比登天还难。所以这个“卷毛伯恩”肯定

①婆罗洲：印尼人称加里曼丹岛，是世界第三大岛，排在格陵兰及新几内亚之后，面积为七十三万六千平方公里。

◎埃里克退伍回家种果树

就是埃里克·伯恩。

我知道，埃里克是墨累河边一座小镇马坡伦加的一个转业兵。因为这里是灌溉区，所以早在一九一四年，小镇就陷入动荡不安之中。那一年是有历史记录以来最干旱的一年。巴拉也受到严重的影响。二〇〇四年也是一个少有的大旱之年。我曾经和吉尔谈起这事。那时候，能对这两次大旱做比较的人已然寥寥无几。第一次世界大战结束之后和第二次世界大战后期，政府制定了一个安置计划，把退伍军人和他们的家人安置在马坡伦加。当时分给这些人的土地面积很小，即使那些很有经验的农民也难以此维持生计。埃里克一九四五年离开部队后，本来想重操旧业，当他的木材加工技师，但是因为得了矽肺，从上世纪四十年代末期起，埃里克就和妻子温妮决定加入安置计划。他们在马坡伦加承包了一块地，种杏、柑橘、柠檬。我第一次去看望他们是在一九六二年。随后的三四年，我圣诞节假期常常去他们那儿，和朋友们一起摘杏吃。我们在河边可以称之为宿营地的地方“安营扎寨”。那里岸柳成行，有很大一块空地，是我们玩乐的好地方。

埃里克中等身材，不胖不瘦。他看起来似乎是那种一根羽毛就能碰倒的人，但事实上，他和羽毛一样“强壮”。他日复一日，在果园里迈着大步干这干那，似乎不知疲倦。他总是穿着靴子，这也许是当兵养成的习惯。埃里克在战争爆发前是个优秀的体操运动员，几乎可以和格拉森的健美操媲美。一九六二年，他已经五十多岁，但看起来依然特别健壮、快乐。认识埃里克的人都被他的幽默感染。不知道为什么，他好像天生就爱开玩笑，一辈子都是个乐天派。他总是大步流星，风趣幽默，就这样熬过了第二次世界大战艰苦的岁月。托布鲁克[①]、阿拉曼[②]和新几内亚芬什港，都留下他的足迹和笑声。

我还记得埃里克给我讲过战争中的一个故事。他讲这个故事的主要目的是鼓舞我们好好干活儿，而不是为了教育我们。他说，作为一个关心体贴别人的人，如果处理杏的棚屋里的温度计显示超过华氏一百一十度，他就允许我们停下手里的活休息。酷热难当的时候，他会跑过来说，我们可是他认识的最倒霉的孩子，温度计显示的数字就差一点点没到一百一十度。埃里克看起来为我们难过，一副垂头丧气的样子。可是，那当儿，我们从收音机里听到，气温已经超过华氏一百一十二度。我们问埃里克，是不是他的温度计有问题。他笑着说：

你们这些小家伙还没尝过热是什么滋味儿。有一天夜里，我在一块荒地的弹坑里睡觉，一直睡到第二

①托布鲁克：利比亚港口。
②阿拉曼：埃及北部村庄。

天太阳老高。那才叫热！你们在这儿，微风轻轻地吹，

我还给你们提供了这么好的树荫。

埃里克朝那一排排绿荫铺地的杏树林指了指，似乎那是特意为我们栽种的。“也许，”他补充道，“你们愿意温妮来给你们扇扇子？”

或许那么多次去马坡伦加玩才听到这样一个故事算不了什么。格拉森还讲了另外一个故事。战争期间，她显然认为面对日本人的侵略，澳大利亚不堪一击。她很着急，也很生气。因为丘吉尔领导的英国为了一己私利阻止澳大利亚武装部队回来保卫澳大利亚。柯廷反对丘吉尔的做法，命令澳大利亚部队回国。埃里克所在的那个营也在其中。格拉森讲这个故事当然是赞赏柯廷的做法，但主要目的是对英国表示不满，指责他们总觉得比我们澳大利亚人更重要。战争结束好多年之后，她还为这事生气。尤其是因为在格拉森看来，他们没有把实情告诉澳大利亚军队。

重新过上老百姓的生活之后，埃里克好像把那场战争完全扔到了脑后。他当了五年兵，现在想以种杏为生。后来因为那块地盐分太大，不适合种果树，他就到南澳大利亚安达莫卡开采蛋白石。在我看来，他对归国退伍老兵协会及其活动不感兴趣。不过最好还是核对一下。不久，我就收到马坡伦加一位研究当地历史的先生寄来的照片。照片上有“归国退伍老兵协会”的历任会长。我惊讶地发现，一九六四年到一九六六年的会长是C.E.伯恩。C代表“查尔斯”。他显然早就不用这个名字了，因为太英国化，颇有点居高临下的意味。澳大利亚人更喜欢埃

里克这样的名字。伯恩家的人有个习惯，如果觉得名字不再适合自己，就会随时更改。

伯恩家的一位表弟把他父亲写的关于他们家的回忆录——“乔克·伯恩手记”送给我之前，我觉得了解战前伯恩家历史的机会等于零。乔克是我母亲的弟弟，比埃里克小十岁。他写的这份回忆录已经残缺不全，故事在好多关键地方中断，保留下来的只是部分原稿。乔克刚刚提到格拉森，下面的文字就没了。至于他到底写了些什么，不得而知。虽然只是些“片断”，甚至“只言片语”，乔克的回忆录还是犹如一点点火花，照亮了久远的过去。

乔克记得他的父亲，我的外祖父，是一个非常善良的人。人们总是管他叫“胖普”。“胖普”是《广告报》上一个卡通人物。外祖父名叫亨利·伯恩。他十二岁辍学后，在阿德莱德东帕克兰兹给人家放牛，不挣工资，能给家里赚回些土豆。后来他成了水管工人，常常步行好几英里去干活。我还记得妈妈说过他要走很远很远的路，一直到阿德莱德山深处给人家修水管子。有时候，天还没亮他就得上路，手里提着一盏马灯照亮。后来他胳膊和腿上起了很严重的皮疹，甚至引起中毒。再后来他不干水管工，成了自来水供应维修公司的一个小领班。干这个差事就得长时间离开家。小乔克问他都到过哪儿，他就说：欧迪纳·伍普·伍普（颇有点不知所云）。胖普主要是负责查看阿德莱德东部郊区的储水箱。他先是骑自行车，后来开一辆带斗的摩托车，再后来开一辆客货两用的棕色小汽车。我还依稀记得，有一次外祖父带我去查看储水箱时，我非常高兴，觉得自己也蛮了不起。

◎胖普·伯恩和洛蒂·伯恩

我对外祖母洛蒂一点儿记忆也没有。人们都管她叫莫蒂。从照片上看，“胖普”挺帅，保养得很好。莫蒂看起来却显得饱经沧桑，疲惫不堪。拉扯大五个孩子的辛苦再加上布兰奇的死——乔克说她的彩色照片一直挂在起居室——都对她的健康造成很大的损害。莫蒂以裁缝开始她的职业生涯，众所周知人们对裁缝要求很高。一周六天，包括星期六，她都从诺伍德郊区步行到城里上班。倘若冬天，就得顶着星星进城，披着月亮回家。在乔克的记忆中，“胖普”和莫蒂非常节俭也非常拘谨。妈妈生了个小弟弟，名叫马克斯。这消息他是坐在“胖普”自行车大梁上听到的。他们在坑坑洼洼的大道上一路颠簸，“胖普”讲得含含糊糊，他都没有弄清家里到底发生了什么事儿。

莫蒂觉得自己因为没有受过教育，吃了不少苦头，就把希望寄托在儿女身上。他鼓励乔克上阿德莱德男子中学。这所学校是阿德莱德那时候最好的公办学校。看到女儿格拉森上了师范学院，她一定非常高兴。在她看来，教师是最好的职业。我想，清教徒一样的乔克一定也提到宗教信仰方面的事情。但是就现在留下来的回忆录里没有他们去教堂做礼拜的记载。

埃里克生于一九一二年。他在阿德莱德近郊玫瑰园公立学校念了七年书。十四岁领到毕业证书之后离开学校，到一家家具厂干活儿。工作之余还上夜校。乔克回忆说："哥哥经常赚回些代金券买工具，爸爸和埃里克经常一聊就是好几个小时，商量买什么工具才能发挥其最大的价值。"只有埃里克才能和"胖普"共享后花园里的工棚。在这个神圣的地方，埃里克学会了许多男人干的活儿。在这个棚子里，他们干的都是正经八百的活儿，用的工具也都很贵，所以不能让孩子们随便进去搞破坏。有一天，家里乱作一团，大伙儿都吓得要命。连难听的脏话也被大声叫骂出来。像清教徒一样的莫蒂以前在这个家里可是从来没有听过。原来是有人从工棚里偷走最好的工具。表姐玛格丽特·伯恩对我说，工具被大胆的盗贼偷走这个故事一直伴随着她的童年。

埃里克只是个学徒工，所以赚钱很少。为了买一辆自行车，他参加了一个储蓄购车俱乐部。每星期五晚上都要交一个先令。一年后，一辆崭新的自行车推进家门。"胖普"和埃里克用自行车带着家人轮番在街区转悠，坐在后架上的人虽然不怎么舒服，但是大家对这个新玩意儿都赞不绝口。晚一些时候，埃里克垂头丧气地推着自行车回来。新车的辐条断了好几根。"胖普"和莫蒂严厉地责问他出了什么事？埃里克一口咬定，他把自行车靠在一块"墓碑"上，结果"墓碑"和自行车一起倒下来，砸断了辐条。埃里克明明知道谁也不会相信他胡编的这个故事，但脸不红不白，就是不承认自己的过失。"他这辈子，"

乔克写道，“就爱张开想象的翅膀，编故事，撒谎。”不过他的谎撒得挺有意思，颇多技巧。

埃里克很有社会活动能力，参加俱乐部的活动也很积极，后来成了玫瑰园公理教会健身俱乐部的骨干和教练。在全州比赛中获得金牌。他的身材一直保养得很好。第二次世界大战之前，篮球还不怎么普及，但是埃里克已经在这项运动中崭露头角。他还是个游泳健将，舞也跳得不错。所以机会到来之时，他参加轻骑兵也在情理之中。他似乎什么活动都参加过。尽管他在城里长大，但是等到一九四〇年，二十八岁参军时，埃里克无论骑马打枪还是野外露营，部队里那点儿事他样样精通。“他看起来确实英俊潇洒，”乔克回忆道，“头戴贝雷帽，腰系亮闪闪的棕色皮带，肩挎子弹带，脚蹬锃亮的马靴，扣子闪闪发光。澳新军团节举行盛大的阅兵典礼，我们都跑去看热闹。”回家吃饭的时候，埃里克会讲许多轻骑兵的故事。乔克记得，他们听得津津有味，因为埃里克从来不会让战争中严酷的事实破坏一个好故事。

战争爆发前，他买了第一辆摩托车。就像《柳林风声》[①]中的蛤蟆先生一样，扔掉旧的再买新的。几年前还当宝贝的自行车，被带斗子的摩托车取代。随之而来还有一大堆朋友。每到周末就把车拆开，然后再装上。到了一九二七年，摩托车被拉格比牌汽车代替。一帮业余“机械师”又聚集到一起。

---

①《柳林风声》：英国著名作家格雷·厄姆的经典作品。是一部关于友谊、家园的温情之作，是英国散文体作品的典范。这部妙趣横生的童话小说中，塑造了几个可爱的动物形象，“蛤蟆先生”便是其中之一。他追求时髦，喜欢显摆，常常成为大伙儿的笑柄。

他们查看引擎，拆开，装上，把机器擦得锃亮，甚至重新修补坐垫和别的车内装潢。然后爬到汽车里看他们活儿干得如何。战争爆发前，埃里克是城里舞厅的常客。舞会结束之后，他的朋友和他们的舞伴就挤进那辆汽车，到当时看还挺远的郊区伍德维尔。乔克告诉我们，那儿的饭馆有阿德莱德最好的炸鱼和土豆片。从乔克的讲述看，大萧条期间，家里的日子过得还算可以。

我上马坡伦加网站寻找还记得埃里克和温妮的人。没过多久，我就收到马坡伦加五十岁以上的人组成的一个组织为我收集的材料。对于一个陌生人，他们这样热情，不怕麻烦，真是难能可贵。老人们对埃里克和温妮都很熟悉。他们都说，伯恩家的人“很有创造力”。我现在还记得乔克说过的话。他说，埃里克确实心灵手巧，他一辈子都喜欢敲敲打打，一会儿拆个机器，一会儿装个什么玩意儿。因此他发明一些机械设备，包括给杏分类、脱水的机器一点儿也不奇怪。我自个儿笨手笨脚，摆弄不了机器那玩意儿，但是埃里克总是在发明什么东西。他家里似乎到处都是机械类的玩意儿，口袋里总是装着一团旧棉花，随时擦干净备用的零部件。大家还记得，他和温妮都喜欢运动。埃里克给一个足球队当教练，还建起他们那个区第一个健身房。温妮辅导女子篮球队。她干得那么好，做了那么多贡献，球队授予她终生会员的荣誉。温妮一九八三年去世。埃里克是个多面手，什么活儿都拿得起来。在轻骑兵“带妆彩排”后，他决定上前线去打仗。一九四〇年七月初，他进了阿德莱德的伍德沙德训练营。在轻骑兵的时候，他对伍德沙德已经有了一定的了解。

埃里克所在的那个营是第二十四旅的一部分，原来属第八师，一九四〇年十月，改编到第九师。这样一来，用不着担心被派到海外打仗去了，也就意味着埃里克不会成为日本战俘营里的囚犯，而那正是第八师许多骑兵战士的命运。伍德沙德训练营的条件很艰苦。志愿兵们睡在帐篷里。没有床，只有草垫子。阿德莱德山里七月份的早晨天气很冷。八月二十四日，他们那个营举行了一次阅兵仪式。我相信家里人一定欢天喜地，拥上街头去看他们的风采。仪式过后，在阿德莱德北大街皇家帕拉斯酒店最有名的舞厅举办舞会。他们那个营的“大事记”还记录了一九四〇年最后几个月发生的一些事情。十一月二十七号到十二月三号，埃里克请假离开部队。假期第一天，他就和温妮结婚。温妮比埃里克小五岁。他们俩是战争爆发前认识的。

一九四〇年十二月二十八号，埃里克那个营离开南澳大利亚，第二天在墨尔本登上“毛利塔尼亚”号。那一天，菲利普港湾挤满了小船。船上坐着支持他们的人。报纸上当然不会报道军队换防的消息。“毛利塔尼亚”号很快就加入到一支庞大的船队。这支船队还有玛丽皇后号。对于像埃里克这样的人，这些名字都充满神秘色彩。而作为来自马瑞特威尔的木材加工技师，根本不觉得会有死在远洋班轮上的可能。第一艘“毛利塔尼亚”号和命运不佳的路西塔尼亚号是姊妹舰，都属于冠达邮轮公司。这艘新的“毛利塔尼亚”号一九三八年从伦敦到纽约首航。它虽然比第一艘小一点，但是极其豪华。它的口号是：“在倍感亲密的空间享受世界上最大邮轮之奢华！”我仿佛看见“卷毛伯恩”觉得这种描述正合他的口味。他骨子里就是个机械师，“毛利塔尼亚”号的力量、工艺和速度都给他留下深刻的印象。战争期间，它打破了从弗里曼特尔[①]到德班[②]航行时间的纪录。

埃里克的“护航之旅”从弗里曼特尔到锡兰[③]。部队在科伦坡[④]上岸休息。那是埃里克第一次踏上神秘东方的土地。伯恩的档案中没有任何关于他的印象、感慨的记载。一月末，他们到达苏伊士湾的陶菲克港。敌人用水雷封锁了苏伊士运河，部队只得上岸，从陆地到巴勒斯坦。他们的目的地是位于加沙[⑤]北部澳大利亚武装部队的训练营。在那里，六个人住一顶帐篷。许多帐篷向四面八方延伸开来。埃里克紧随第一支澳大利亚武装部队踏上这块土地。有人戏称他们是“一天赚六先令的旅游者”。他们在开罗和中东的“战功”可不怎么样。不过埃里克对这些事情很少谈及。他在拿撒勒[⑥]拍的一张照片背面写道：

> 照片上这个姑娘非要和澳大利亚士兵照相。我敬而远之。因为我不喜欢也不信任这些人。不过事实证明她们没什么坏处。

巴勒斯坦没有给他们留下多好的印象。也许是许多人，或者大多数人都觉得那里肮脏、落后。从中东回来的澳大利亚士兵对

---

①弗里曼特尔：澳大利亚西海岸城市。

②德班：南非东部港市。

③锡兰：印度以南一岛国，现已更名为斯里兰卡。

④科伦坡：斯里兰卡首都。

⑤加沙：地中海岸港市。

⑥拿撒勒：巴勒斯坦地区北部古城，相传为耶稣的故乡。

阿拉伯文化或者伊斯兰教评价都不高。“卷毛伯恩”也不例外。

坐着火车穿过没有树木、黄沙漫漫的大漠，吃了更多上好的牛肉和饼干，一九四一年三月二十五日，埃里克来到利比亚托布鲁克港。他和他那个营将在敌人包围的托布鲁克度过随后的一百九十一天。一九四〇年四月，德国和意大利的军队把英国和澳大利亚的军队从利比亚的班加西[①]赶到埃及边境。澳大利亚军队和主力部队失去联系，退守托布鲁克。在那里，他们顽强地抵抗隆美尔指挥的非洲军团的进攻。托布鲁克位于北非顶端的海湾，炎热、干燥，一座没有树木的边防要塞。被包围的这一百九十一天里，托布鲁克成了敌人空袭和炮轰的目标。Lord Haw Haw[②]从柏林发表广播演说，把被包围的澳大利亚将士称为“托布鲁克的老鼠”。澳大利亚武装部队倒不反感这个称谓。被围困的八个月里，澳大利亚人作为侦察训练继续巡逻，有时候还偷袭敌人的哨兵。埃里克一定也执行过这些任务。趁着夜色，蹑手蹑脚，偷偷摸摸去摸岗哨，搞侦察。也许就是在托布鲁克，他不得不在弹坑里藏一整天，一直等到夜幕降临才能平平安安回到营房。埃里克所在的营在被敌人包围的那些日子里，供应短缺，布朗式轻机枪、步枪、迫击炮、手榴弹和汽车都不够用。他们的营房很快就经历了第一次沙漠风暴——喀新风[③]。热风遮天蔽日，把沙土吹到人们的眼睛和喉咙里，做什么都不可能。

①班加西：利比亚北部港口城市。

② Lord Haw haw：原名威廉·乔伊斯，人称“Lord Haw-haw”，第二次世界大战期间纳粹德国电台的英语广播明星，因效忠希特勒而臭名昭著。

③喀新风：亦称非洲热风，三月至五月吹的热南风，在埃及尤为严重。

罗盘失去作用，能见度几乎为零。

想象着埃里克在托布鲁克经历的那些磨难，我突然想起另外一个故事，或者更准确地说，是被我遗忘了的他对那场战争的评论。记得有一次，我对澳大利亚战士的爱国主义情怀大加赞美的时候，埃里克用他那种古怪的、疑惑的目光看着我。我们是在杏树下喝下午茶。埃里克一边喝茶，一边吃一块奶油糖。“我们的战友也不都是天使，”他说，“记得有一个家伙喜欢一个意大利战俘手上戴的戒指，就把那人的手指剁了下来。”他对那个家伙的行为当然不以为然，就那样淡淡地说。我哥哥最近还让我想起埃里克谈到那场战争时讲的一件事。他看到一位朋友活活烧死在坦克里。埃里克并不是想寻求同情，在这件事情上，他也不是想听到别人有什么回应，只是讲曾经发生的事情。

“卷毛伯恩”上战场的时候不吸烟。回国时成了烟民，还间接地毒害了我的舅妈温妮。这得“归功于”埃及国王法鲁克。温妮尽管长于女子球类运动，最终还是死于肺气肿，享年六十七岁。马坡伦加联谊会的成员们认为，是埃里克抽烟害了她。不过我觉得，他们家的杏脱水晾干时，她会吸入含有硫黄的气体，恐怕也是造成她病情加重的原因。不管怎么说，是埃及国王法鲁克给他们营每个士兵一包一百支装的香烟。这样指责或许对那位年轻的国王太严厉了点儿。香烟定期发给士兵。因为不打仗的时候，他们整天只能坐在那儿打牌消磨时间。吸烟是人的第二天性，可以排遣他们心中的寂寞无助。

我有一张卡片，是埃里克的儿子从艾利斯·斯普林斯[①]寄

①艾利斯·斯普林斯：澳大利亚中部的一个小镇。

来的。上面印着“伯利恒的钟”。这张卡片是“澳大利亚慰问基金会”设计和赠送的。卡片上面写的是：“澳大利亚驻中东皇家部队”。起初我以为就是一张卡片，可是仔细一看，里面还有埃里克写给温妮的信。时间是一九四二年十月二十日。这可真是难得的发现。在信里，埃里克解释说，本来除了卡片他还想送点儿什么给温妮，可是离城很远，这张卡片已经是他能找到的最好的礼物了。每个士兵只能得到三张这种“慰问基金会”赠送的卡片。一张送给温妮，一张送给妈妈，第三张送给我不认识的一对夫妇。尽管他还想送一张给“格拉森和吉尔”，但是这一次不能寄了。

埃里克不能细述他在哪儿驻防，只能说在国外。虽然卡片本身清楚地表明他在中东。他把那儿的生活尽量描绘得好一点儿，好让家里人放心。尽管天气已经凉快了一点儿，而且下过几场雨，但是时不时还会刮起一场沙尘暴。“仿佛不停地提醒大家，我们还在现在称之为家的沙漠。”埃里克继续写道：

事实上，我的日子过得还不错。我有一个很好的防空洞。五英尺深，六英尺长，五英尺宽。我还修了几个台阶，所以可以很方便地出出进进。防空洞的顶是铁皮做的，铁皮上面铺了沙袋。沙袋上面又盖了一层沙还星星点点地插了几株沙漠里的灌木。你瞧，我的新家不错吧。我还用铁皮烟盒做了一盏灯。烟盒上面钻了一个孔，用棉线做灯芯，里面灌上煤油，用火柴点燃，就可以读书，或者做夜晚我想做的事情。当然不能露出一点亮光。因为德国人的飞机习惯于夜间低空飞行，一丝亮光他们都看得清清楚楚。

温妮也许能在心里描绘出埃里克尽最大努力改造生存环境的样子。他到处搜寻东西，想把防空洞弄得舒服点。那是一封充满柔情的信。信最后虽然写了一串X，但是也无法表达出心底流淌的热情。他们都知道寄给家人的信要经过检查，自然不能随随便便把只有亲人之间才能说的甜言蜜语暴露给别人看。当然，埃里克也不大像那种善于表达激情的人。他更擅长描绘周围的人和事，包括他那盏自制的灯，风趣而幽默。

弗兰克·柯伦是“澳大利亚慰问基金会”的主要人物。他的爱国热情当然毋庸置疑，但是战争期间尽可能多地创作畅销书的决心也不容忽视。亲切温暖的背后站着一个能掐会算的“会计”。他知道家长都惦记在外面打仗的孩子，都希望知道他们作战的那个地方是什么样子。柯伦以他自己的方式，变成基金会理事，属于荣誉顾问之列。肯尼斯·斯莱赛是澳大利亚战地记者和诗人，对柯伦大不以为然。他一九四二年三月和柯伦吃过一顿午饭。事后，做了如下的评论：“柯伦还是过着花天酒地的生活。比方说，为写一本旅游手册收集材料，他到处免费旅行……用欺骗的手段取道土耳其到加利波利。根本不拿‘慰问基金会’的工作当回事儿……”也许同行是冤家，文学圈儿很少有人花时间去看柯伦即兴创作的诗歌，也不屑于他不知疲倦的自我推销。

柯伦的《从托布鲁克到埃及：和尼罗河的部队在一起》毫无疑问总结了澳大利亚人对中东普遍的看法。谈到一位穆斯林乞丐，他这样说：“她怀里抱着一个嗷嗷待哺的婴儿。宗教信仰禁止她在异教徒面前抛头露面，但是羞怯并不能阻止她露出乳房喂孩子吃奶，骨子里的傲气也无法阻挡她向人们乞讨。”柯伦——第一次世界大战的老兵——来到开罗之后，说那儿仍然是奸商、收税人和妓女的天堂。写开罗的那章，他浓墨重彩，都用于赞美指挥中东地区澳大利亚武装部队的将军托马斯·布莱梅爵士。在柯伦的笔下，狡诈的阿拉伯人和高尚的布莱梅形成鲜明的对比。他因此而得出结论：从人种学的角度看，我们澳大利亚人要比中东地区的人优秀。关于他的旅行，柯伦写了那么多，但确实让人觉得他并没有为“澳大利亚慰问基金会”做什么工作。再深入读下去，你会觉得他是把托布鲁克之行当成度假。

一九四二年八月，埃里克被提升为二级准尉。这是无委任令的、级别最高的军官，是从有一千个士兵的加强营里海选出来的六个人中的一个。他的过人之处也许不是每个人都能看到的。英国摄影师和作家赛西尔·比顿当年在北非为军务部工作。他的活儿就是拍摄和战争有关的任何事情，包括那些最能体现盟军军人坚强意志的陆军和空军战士。在《近东》①一书中，他用优美、诙谐的语言，讲述了他在中东地区的经历。比顿记录了他会见澳大利亚政治家和外交官理查德·凯西的情景。凯西一九四二年应丘吉尔的请求驻守开罗。比顿应召去会见凯西。比顿写道：“他走进房间，用犀利的目光看着我，仿佛两眼之间有一把剑。”他落座之后，便开门见山，对比顿说，想找几

①近东：政治地理术语，指距离西欧较近的国家和地区，过去主要指欧洲的巴尔干国家、亚洲的地中海沿岸国家和东地中海岛国塞浦路斯。目前在国际上“近东”一词已比较少用。

位能够制作出好照片的士兵。他举起一张虎背熊腰、十分壮实的家伙的照片，解释说，他想要的就是这种类型的人。凯西对比顿说："但是我们经常看到的情况是，一个满脸雀斑、长着疹子、精瘦勇敢的小个子出现在报纸上。这样的人给读者留下的印象不会太好。"这两个人便开始谈论应该有一个专门审查形象的检察官，把那些瘦小家伙的照片剔除掉。这样一来，检察官或许就会把"卷毛伯恩"去掉。他或许没有疹子，但正好是那种可能上报纸的"精瘦勇敢的小个子"。

"卷毛"就是个普普通通的澳大利亚小伙子，普普通通的士兵，勇敢，乐观，没有被周围太多的残杀和疯狂影响，开着玩笑走过战火纷飞的岁月。关于他有许多事情可以佐证这种印象。他似乎也愿意让人们这样看待他。然而仅仅这样看待他，也有失公允。他之所以脱颖而出，成为二级准尉，因为他有技术，善于思考，受过严格的训练。埃里克对于这场战争爆发的原因以及这场战争引发的哲学的和地理政治学的问题持有什么样的看法不得而知。但是毫无疑问，他人很机灵，善于观察，勤于总结。"卷毛伯恩"尽管其貌不扬，但他总在思考。或许由于先天不足，自认为处于劣势，他很早就明白，生活就像运动一样，需要更多地动脑子而不是靠体力。

澳大利亚政治和军事领导者越来越认识到并且下决心从托布鲁克撤军。克劳德·奥金莱克[1]将军似乎不明白澳大利亚是一个主权国家，完全有权利调动部署自己的军队。这一点很让澳大利亚人沮丧。后来丘吉尔一肚子不情愿地表示同意撤军。

---

①克劳德·奥金莱克：第二次世界大战中盟军驻印总司令。

一九四一年十月十七日夜，埃里克随着他那个营一起非常幸运地悄悄撤离托布鲁克港。有那么多人——十一位军官、二百零一位士兵，长眠于远离祖国的地方，埋葬在拜尔迪耶[①]公路旁边的墓地。

之后八个月，埃里克所在的那个营经过一段时间的休整，又开始训练。这期间，埃里克学习过反坦克课程。七月，他们在阿拉曼——开罗西二百公里的一个村庄，作为第一支澳大利亚武装部队参加与非洲军团的战事。北非战役对于整个战局都非常重要。如果轴心国的军队控制了苏伊士运河，盟军的供给线就得取道南非。那是一条更缓慢、更麻烦，耗资更多的线路。澳大利亚人的任务是从地中海袭击隆美尔的非洲军团。激烈的战斗似乎让隆美尔相信地中海是盟军进攻的主战场。虽然事实上并非如此，但这一场激战也是对敌人非常有力的牵制。经过四个月的艰苦战斗，付出三百六十五人的重大牺牲，2/43 营结束了他们在阿拉曼战役的战斗。埃里克的“中东之战”告一段落。

一九四三年一月二十四日，他登上玛丽女王号，一个月之后，在悉尼皮尔蒙特湾上岸。又过了一个月，他回到阿德莱德。一九四三年三月份是他休假的日子，他应该见到吉尔、格拉森和他们的两个孩子，当然还有温妮。三月底，2/43 营开赴阿瑟顿高地训练，之后进驻新几内亚。一九四三年五月和六月，埃里克在澳大利亚军团工作，后来到伯尼基拉轻武器学校当教官。一九四三年八月中旬，他又来到莫尔兹比港[②]。他们那个营在

①拜尔迪耶：利比亚东北部港市。

②莫尔兹比港：巴布亚新几内亚首都。

莱城[①]附近驻扎了一段时间之后，他又被调回伯尼基拉。十一月初，他所在的部队在新几内亚参加了保卫芬什港的战斗。那是新几内亚战役中的一场硬仗。他们在地形不利的情况下和一支十分顽强的敌军展开了殊死搏斗。

在新几内亚的丛林里打仗和在北非的沙漠中作战是完全不同的两种体验。赛西尔·比顿采访在中东打过仗的士兵时，他们告诉他："那是残酷的、盲目的、耗费惊人的战争舞台，他们的生活物资被削减得连最基本的需求都难以满足。大多数人身体的适应性比以往任何时候都强，那里的生活完全是原始状态……在沙漠里，人们似乎心满意足，都在享受沙漠之乐。"疾病对士兵们的威胁比事故少得多。许多事故是因为人们在油桶附近抽烟引起的。在新几内亚，疟疾、登革热、痢疾发病率非常高。热带地区的大雨也给人们造成很大的威胁。士兵们身上总是湿漉漉的，周围一片泥泞。如果乔恩·克利里（《勇气》的作者）和汤姆·亨格福特（《山岭和河流》的作者）的战争小说能给人一点启迪的话，经历过新几内亚战争的人更需要有人给予心理上的慰藉。士兵们经常被分割成小股部队，随时都有可能碰到敌人。他们可能就在下一道山梁或者藏在离小路只有几米远的森林里。狙击手的子弹随时可能向你飞来。

他们的"营史"记录了一九四四年十一月末在桑河附近巴布小道和敌人的一次遭遇战。埃里克带领的一个反坦克排碰到比他们人数多好多的日本人。他们打退了从正面扑过来的敌人，又打退了在很强的火力掩护下从侧翼包围过来的敌人。埃里克

①莱城：巴布亚新几内亚东部城市。

勇敢的士兵们守卫一个存放弹药的坑道。一颗炸弹落到他们中间。一个士兵用脚踩住那枚炸弹，减小了它的杀伤力，自己却受了重伤。埃里克带着战友和那位浑身是血的士兵，转移到一个比较安全的地方。他用无线电报话机向营部报告了他们的位置。日本人离他们非常近，近得能听得见他们的说话声。军士长伯恩（《营史》里这样称呼埃里克）对周围的地形做出正确判断，没等援军到来，又一次向敌人发起进攻，夺回阵地。他不想让敌人赢得这场遭遇战。这时候，埃里克已经是 2/43 营一位很有经验的下级指挥官。一九四〇年，他们那个营乘坐玛丽女王号去中东的一千名士兵到一九四五年三月，只剩下一百四十人。

一九四五年初，麦克阿瑟[①]将军——盟军在西南太平洋的最高统帅命令从日本人手里夺回婆罗洲。婆罗洲是日本人袭击珍珠港后横扫东南亚时占领的。婆罗洲之战是收复前荷兰和英国殖民地的第一步。一九四五年六月，第二十四中队在北婆罗洲纳闽岛[②]水陆两栖登陆。遇到敌人顽强的抵抗，激战进行了好几个星期。该中队那时被派遣到婆罗洲，埃里克参加了博福特之战。第九师的“历史学家”这样描绘那场战斗：“冒着热带地区的瓢泼大雨，他们在齐膝深的泥水中和敌人拼刺刀。”那是他们那个营打过的最残酷的一仗。

二〇〇八年末，六个澳大利亚老兵在比尔·科里——他还记得“卷毛伯恩”——的带领下，重回纳闽岛，纪念牺牲在这

①麦克阿瑟：美国五星上将。
②纳闽岛：在马来西亚沙巴州南。

儿的澳大利亚战士。牺牲在纳闽岛的澳大利亚人有一千多。大部分是第八师的战俘。比尔·科里回忆说，当年，当地人热情欢迎澳大利亚士兵。2/43 营在博福特打了胜仗之后，为当地孩子们举行了舞会。问及战争体验，科里回答道："我已经没有什么感觉了。过去的事情已经很遥远。我经历的那些事情从来没有影响我的生活。大多数事情我都能看到光明的一面。"埃里克也这样看待生活。

第十三章 教师——稳定的职业

我一直认为父亲之所以进入南澳大利亚教育部门，是因为他最喜欢的银行业在经济大萧条中受到沉重的打击。但是吉尔的教师履历表显示，他一九二七年到师范学院念书，比一九二九年十月华尔街的金融危机早两年。在经济大萧条的风暴中，不只是我的父母认为教师这个职业比较稳定，许多人也都觉得“教书育人”是不错的选择。

有关单位对吉尔伯特·沃克作为一个教师的表现会定期考评。十八岁那年对他第一次考评的评语是：“不知疲倦，热情，有能力，工作效率高，严格要求自己。”这是良好的开端。评估表上留作评语的那一栏很小，也只能写下几个关键词：教育部对教师要求的那些套话。三十年代，表格上似乎有了点新内容——“绅士风度”，“有教养”，“体贴周到”。没有不好的评语。父亲对督察员的访问总是认真对待，表现也很好。他身高五英尺十英寸。因为经常打网球和板球，身体结实，个子修长。三十年代，他穿的都是沃克父子公司卖的手工制作的皮鞋，总是擦得锃亮。督察员自然注意到这些情况。裁缝做的套装，对于沃克家的男人是必备的。奥斯瓦尔德有一张身穿三件套、系领带捉螃蟹的很漂亮的照片。由此可见他们平常也很注意仪表。

一九二九年，父亲到怀亚拉一所学校开始教师生涯的时候，就会玩照相机。那时候，那个学校很少有人玩得起那稀罕玩意儿，他大概是唯一拥有照相机的人。吉尔和摄影一块儿长大，因为拍照片是奥斯瓦尔德的嗜好。他拍了怀亚拉的许多风景照——港湾里的船、新建的天主教堂、各种公共建筑物，还有和他教师生活有关系的生活照。其中有两张原住民儿童的照片。

◎原住民孩子们

他们规规矩矩地站在那儿，似乎下决心给人们留个好印象。姐姐对我说，那些孩子从来也没有见过自己的照片。父亲答应如果他们能把课本保持得干干净净、整整齐齐，就给他们每个人洗一张。许多年过去了，照片上的孩子还栩栩如生，但是关于他们的故事却模糊不清。这些孩子是谁？他们对老师有什么看法？老师又怎么看待他们？

我母亲最早的评语可以追溯到一九三一年一月。学校认为她“聪明，热心，很有前途”。督察员对课堂纪律很重视。他们对格拉森的评价是：“很有权威”，而吉尔只是“比较严格”。一九三六年，格拉森二十五岁，她一定知道有关方面都认为她是个很有前途的教师。然而结婚几天之后，她就于当年十二月三十一号被迫辞职。一九七二年之前，这是教育部门的要求。格拉森给我的印象是，不能成为职业妇女之后，她也许很生气，一辈子不得不跟着吉尔转，为家务事所累。她不喜欢开会，也不喜欢案头工作。我们几个孩子年纪大点儿之后，她又重操旧业。不过按照那时候的规定，已婚妇女只能临时代课。当时男女同工不同酬的现象非常严重，但是格拉森并没有因此而退缩。一九三六年，她和吉尔是同一个级别的老师，但是吉尔的年收入是二百六十三镑，她却只有一百八十三镑。

我一直觉得我们在乡下待的时间很长。那时候我们似乎总在搬家，打包行李，拆开行李。每到一个新地方都会认识不同的人，还会出现那么多不确定的因素。巴罗萨山谷边缘波浪般起伏的田野、约克半岛尘土飞扬的阿德罗森港，或者维多利亚边界附近的甘比尔山真有天壤之别。我从来都不喜欢四处搬迁，但是难以逃脱这种颠沛流离的生活。一九四六年十月，沃克家搬到卡德尔。距离我第一个生日还有一个月。直到一九五七年下半年我们才回到阿德莱德。虽然加起来在那里只待了十一年，但是记忆之中那仿佛是很长一段时间。

我上网查“谷歌”，想看看我们离开卡德尔这么多年，那儿有什么变化。那地方倒是不会有“人满为患”的危险。满打满算人口还不到一百人。网站上说，如果把“训练中心”（其实就是一座监狱）的人包括进去，卡德尔的人口翻了一番多。这些信息吊起了我的胃口。我查了一下那里食宿是否方便。第一个回答是“不方便”。后来我发现旧抽水站现在成了一个博物馆。有一座可以租用的农舍、一个可以宿营的场地、一座橄榄种植园，当然还有旅游者可以吃的核果①。

二〇〇九年我重回卡德尔，发现那里还是有很大变化。我们坐渡船过墨累河。小时候，曾经好多次走过这条路。通往渡船码头的汽车道很陡，现在自然只是一条可以练练车技的路，四十年代的时候那条路很危险。去学校的路上，我们经过一片片已经死了或者正在枯死的橘子树。有的已经挖出来，堆在一起准备当柴烧。在一个小铺子里，碰到一个和我年纪差不多的女人，她说这个小镇正在死去。她的话让我想起小时候我们经常在灌溉用的水渠里玩的情景。“从前，我们这儿还有虎蛇，”她说，“我们也有过好时候。”学校变化不大，不过只有三十个学生，而且人数还在下降。原来的校舍还在，尽管不再是我记忆中那个阳光明媚的家园。现在看起来了无生气。过去路边枝繁叶茂的杏树园长满了杂草。放眼望去，最活跃、最快乐的

①核果：核果类果树是一类种植较为广泛的果树，如桃、李、杏、油桃等。

就是叽叽喳喳的小鸟。好像它们接管了这个地方。卡德尔的发展一直依靠墨累河。现在墨累河干涸，它也随之变得半死不活。说来好笑，之所以看起来还有点活力，是因为那儿有座监狱。一片萧瑟之中，我们看见重新修复了的美丽的山达尔米罗庄园屹立在一座小山上，俯瞰小城。

卡德尔是因弗朗西斯·卡德尔船长而命名的。卡德尔船长是一位出生在苏格兰的海员。年轻时候，他加入东印度公司，在中国第一次鸦片战争中，为大英帝国效了犬马之劳。后来他有了自己的船：示巴女王号和克娄巴特拉号，唤起人们对神秘的东方的好奇。当南澳大利亚政府开出优厚的条件向明轮船开放墨累河的时候，卡德尔捷足先登。从十九世纪六十年代起，卡德尔的名字在墨累河流域尽人皆知。资金困难迫使他匆匆忙忙撤离到新西兰，后来又到了太平洋岛屿和北昆士兰州。他开始干贩卖黑奴的卑鄙勾当，把太平洋岛的人贩卖到昆士兰甘蔗园里干活儿。这位船长总是干些名声不好的事情。后来他在荷属东印度被一位心怀不满的船员干掉，未得善终。

卡德尔和埃里克、温妮种过果树的马坡伦加一样，也是第一次世界大战后安置退伍军人的地方。他们在这里建立了一个抽水站，还挖掘了灌溉用的水渠。和我们经常看到的情况一样，由于居住分散，缺乏种地的经验，再加上到市场交通不便，许多在这里定居下来的人生活都很艰难。我们刚来这儿的时候，卡德尔只有三百五十三口人。有一所只有两个老师、六十一个学生的学校。教室的屋顶都是镀了锌的铁皮。我还记得是一所木头造的校舍，四周环绕着游廊。厨房里有一个烧木头的炉子，冬天用它能使屋子里暖融融的，很舒服。夏天用的是另外一个

◎头戴草帽的作者

只做饭的火炉。格拉森热得连气也喘不过来，脸红得像澳洲鹤，使劲扇着扇子。直到一九四九年初才有了电。傍晚还很热。我们全家人就到河边野餐、游泳。那时候的墨累河碧波粼粼。

吉尔作为代理校长总得做点儿什么证明自己的能力。他的前任弗雷德·戴维斯在教育界颇有名气。他个子很高，乐呵呵的，很有亲和力。吉尔钦佩弗雷德，知道自己永远赶不上他的奔放、热情。对于督察员的评估报告，他倒不以为然。报告说他“精力充沛，热情，有进取心，志向远大”。督察员看到的是一位彬彬有礼、衣着讲究、忠于家庭的人。他记忆力极好，教过的孩子都能叫上名字，对他们的成长非常关心。

◎作者小时候打扮成阿里巴巴

那个时期拍摄的照片显示我从小就是个淘气包。我一定是看到那些比我大的孩子们向国旗敬礼，排着整齐的队伍练习步伐——左右，左右，便头戴一顶破草帽，傻乎乎地站在那儿看。或者假装自己是军人，笨手笨脚，从小就看出不是当兵的料。从另外一张照片看，我头上裹着头巾，身穿肥大的衣服，说明我从小就对卡德尔以东的东西感兴趣。我还隐隐约约记得学校排演过《阿里巴巴和四十大盗》。选这出戏可没道理，因为他们很难找到足够的孩子去扮演“四十大盗”。

“校史”里有一张一九四九年州总督威洛比爵士和诺里夫人访问学校时拍的照片。威洛比·诺里，这个令人难忘的英国名字深深地印在我的脑海之中。我们找到一张记录那个时刻的非常清晰的照片。吉尔身穿礼服，显得很精神。格拉森也穿得很漂亮，戴着帽子和手套。那个年代，妇女见达官贵人的时候要戴帽子，行屈膝礼。吉尔一定十分认真地准备欢迎词，格拉森一次又一次地练习屈膝礼，生怕出什么差错。正式场合，最重要的是按照正确的顺序介绍来宾。第二次世界大战期间，威洛比爵士虽然在北非打过仗，但是此时此刻和他谈那场战争或者“卷毛伯恩”都不合时宜。天气永远是个安全的话题。威洛比爵士也许注意到他小时候就读的伊顿[1]公学（一四四〇年建立）和卡德尔小学的区别。卡德尔连一座小教堂也没有。

父母忙得不可开交的时候，经常把我送到一个老太太家。老太太一个人住在河边一座老房子里。大概自从总督那次来访，我就再也没有被送去过。那幢房子黑魆魆的，四堵墙特别是走廊，爬着很大的猎人蛛[2]。老太太喜欢这些蜘蛛，教我也要喜欢它们。记得她总是蹲在墙脚，告诉我那玩意儿没有什么可怕的。我问她为什么养那么多蜘蛛，她说为了让它们吃苍蝇。我凝视着光线昏暗的走廊，想看到蜘蛛如何追捕苍蝇。

---

①伊顿：在伦敦附近的白金汉郡，泰晤士河边的一个市镇。

②猎人蛛：巨蟹蛛科，也叫高脚蜘蛛。

墨累河边长着茂密的红桉树，老太太经常领我到河岸边的沙滩上玩。那是我最早的记忆。参天大树在我头顶婆娑起舞，地上铺着厚厚的一层枯枝败叶和树皮。青蛙、蜘蛛、亮闪闪的甲虫都藏在下面。从树干上扯树皮的时候，我的心怦怦怦地跳，蜘蛛要么飞快地逃窜找藏身之地，要么缩作一团装死。小蜥蜴也匆匆溜走，为自己被人发现而惊讶。白黄色的树干上，留下一个个锯齿状的刻痕，仿佛一种神秘的、早已失传的无法辨别的文字。大地散发着泥土的芬芳。在这一片昏暗中，突然会发现一个橘黄色的蘑菇或者某种鲜亮的伞菌。色彩那么美丽，形状那么优雅，仿佛来自另外一个更加柔美的世界。如果幸运，我会找到一块什么动物煞白的头盖骨，丰富我收藏的那些骨头。妈妈曾经告诉我，不能把那些东西放到卧室里。她说，这种东西只能放在后面的游廊。这话很让我烦恼了一阵子。

听起来好像不大可信，我父亲成了阿德莱德《广告报》驻卡德尔的特约记者。卡德尔不会有多少新闻。有一次，我看到我们家前院的沙土地里有一个我坚持说是足球的东西。全家人都跑过去看个究竟。结果发现我的“足球”原来是个浑身长刺的食蚁兽或针鼹鼠。吉尔纳闷，它喜不喜欢吃蚂蚁，就把它放到一堆蚂蚁旁边。蚂蚁十分愤怒，纷纷爬到它的身上咬它。我们不得不去“营救”那个可怜的家伙。这个故事连同我研究我的“足球”的照片都发表在《广告报》的首页。我敢断定确有其事。可是好长时间找不到原来的照片，也找不到发表这张照片的那期刊物。后来，几经寻找终于让它得见天日。原来不在第一页，而是在一九五〇年九月份那期刊物的第六版。

“校史”还告诉我，我们家来这儿不久，罗尼·弗罗斯特上学的路上被人杀害。重访学校的时候，他们让我看一个纪念他的小金属盘。那个盘子很早以前就涂了一层油漆，直到最近才又整修一新，让它重见天日。死亡对于儿童不是什么“悦耳”的话题，疾病也一样。四十年代末期，人们对小儿麻痹症都非常关注。许多孩子因为生了这种病而残废。卡德尔尽管人口很少、居住分散，但是大家都认为这里特别容易感染小儿麻痹症。吉尔和格拉森有三个孩子，不禁为此紧张不安。这所学校一九四八年落成，但是因为这种疾病暴发，没有人来上学。第二年，百日咳流行。一九五〇年，小儿麻痹症又逼近学校好几个星期。谁都不知道为什么这种可怕的疾病会在这一带流行。

另外一团更加浓重的乌云笼罩了我们家。搬到卡德尔不久，吉尔就匆匆忙忙回到巴拉。巴拉酒店的人对我说，一九四七年时，那条路非常难走，走一趟简直就像是做一场噩梦。现在，平展展的格莱德高速公路穿过宛如台球桌面的平原，只不过没有怡人的绿色罢了。吉尔之所以急如星火回巴拉，是因为家里出了大事。祖母的脑袋受了重伤，颅骨骨折，大出血。许多年后，姐姐给祖母剪头，发现头顶有个坑。她问奶奶怎么回事，老太太支支吾吾什么也没说。这件事在我们家从来也没有公开说过。现在我们知道，老祖母头上的伤是锤子打的，而打她的人是我祖父。祖父年轻时候坐火车脑袋伸出车窗，结果在信号塔上撞了个头破血流。人们把他送进医院，为了保护伤口，在头颅骨嵌入一块金属板。奥斯瓦尔德打梅的那天，似乎金属板挪动了位置，他对自己都干了些什么一无所知。一位年纪很大的亲戚告诉我，梅从来没有抱怨过奥斯瓦尔德。那真是艰难的岁月，特别是刚刚证实劳里已经在安汶岛被日本人砍头，老两口越发痛不欲生。梅和奥斯瓦尔德的世界完全崩溃了。

吉尔带着已经心神错乱的父亲到阿德莱德的时候，梅已经被送进医院。后来发生了什么，我们谁也不知道。我费尽周折也没有找到当年的病历。奥斯瓦尔德似乎被送到精神病院做过一段治疗。对于一个受人尊敬的家庭，这件骇人听闻的事情带来的耻辱和痛苦无法想象。进过疯人院似乎就会声名狼藉，吉尔从来没有提起过发生了什么事情。他把这个秘密一直带到坟墓。琼·凯德曼看到过奥斯瓦尔德从医院走出来的样子，说他弯腰曲背，缩作一团。她深深地弯下腰，学爷爷的样子让我看。我不知道他是否接受过电休克疗法。一九四七年十月，奥斯瓦尔德去世，享年六十六岁。他一定为自己失去意识后的暴力行为羞愧、痛苦。我们这些小孩儿也意识到家里出了大事。这件事情从头到尾极大地震撼了吉尔。我们家本来就不愿意和别人说家里的事情，现在变得越发谨言缄口。小地方的人喜欢飞短流长，现在纷纷传言，说校长的父亲是个有暴力倾向的疯子。

在卡德尔的几年，我的父母都不顺心。后来他们到阿德莱德郊区诺斯菲尔德小学教书的时候才松了一口气。在格拉森看来，这儿离文明更近了一点。不如人意的是，学校和亚塔拉监狱之间只隔着一座空旷的小牧场。如果有坏蛋从监狱里逃出来，第一眼看到的就是我们这幢房子。那儿还有一座传染病院和一座精神病院。都是这个区从城里搬出来时新建的。奥斯瓦尔德当年住的就是这个医院吗？还是阿德莱德绿树葱茏的东郊那座园畔精神病院？到一九五一年，阿德莱德北郊大踏步地向诺斯菲尔德搬迁。其中不乏监狱、精神病院和疾控中心。沿着大路往前，有一个基普斯·克罗斯旅社，半圆形活动板房里住的人主要是从英国来的移民。

学校里的房子很老。按照督察员的说法，“四面八方都用柱子支撑着”。不过绿树成荫，还有一个可供孩子们玩的花园。喜鹊在松树枝头飞来飞去。我还记得那些喜鹊。家长打着伞，护送心惊胆战的孩子们走过那一片空地，直到学校安全的地方。最近我去诺斯菲尔德，非常高兴地看到，小时候我爬过的树还在，但是学校和教室都没有了。那个地方一片荒凉，就连十九世纪五十年代建造的亚塔拉监狱也变了样。小时候，我觉得那是一座挺漂亮的古老的石头房子，现在却围着铁丝网，看起来阴森可怖，十分丑陋。能想起来的东西已经所剩无几，唯一让我感到安慰的是看到一九五一年到一九五二年学校的报告。这些报告让我想起吉尔整修了那座花园，孩子们在那儿种花草和蔬菜。他还在我们家后院开辟出一个很大的菜园。这也许是对父亲无言的纪念。他非常高兴地发现，我们旁边那座小牧场里有很多牛粪，对于一个要种菜的人这可是无法抗拒的诱惑。我们推着独轮车去捡牛粪。格拉森对这活儿没多大兴趣。

学校面临的最大挑战是学生人数的快速增长。移民潮水般向附近的基普斯·克罗斯旅社涌来。学校人满为患，可是在讨论学校管理的时候，督察员却盛赞这里“充满家庭气氛”。小学生课堂上当然是“沉默的工作者”，可是一到运动场就“活力四射”，特别是有一只喜鹊上下翻飞，和他们追逐嬉戏，相互之间不但友好，还配合默契。“这些新来的小澳大利亚人，”督察员写道，“对周围的环境适应得很好。”督察员认为，“学校在让这些新来的澳大利亚人‘澳大利亚化’方面做了很好的工作。”校长采取了一些有效的措施，比如发动孩子们集邮，

◎吉尔和格拉森，一九五五年

参加“阿格诺俱乐部”。吉尔和格拉森都热衷于这个俱乐部的工作。俱乐部是澳大利亚广播电台主办的，以希腊神话中伊阿宋[①]寻找金羊毛的故事为基础，开展一系列活动。电台有一小时的“阿格诺时间”，讲故事、猜谜语、访谈。每个孩子都会收到一个名字、一个号码，然后写小故事、小诗或者画一幅画寄给电台。优秀者获得蓝色证书，然后一步步竞争，向金奖“金羊毛”进军。我们沃克家的孩子们都是“阿格诺俱乐部”的成员。我的哥哥劈波斩浪，一路征战，获得“金羊毛”奖。我是“塞斯特斯 26”——只是一个普普通通的“划桨能手”，没能到第一个重要的目标——“龙牙”。

到一九五一年，学校人数从不到一百人上升到一百五十人，而且还在增加。吉尔分的班级已经无法适应诺斯菲尔德的发展。

①伊阿宋：古希腊神话人物。希腊神话中夺取金羊毛的主要英雄。伊阿宋是埃宋的儿子，克瑞透斯的孙子。是希腊神话中的忒萨利亚王子。叔父珀利阿斯篡夺王位后，令伊阿宋去科尔喀斯觅取金羊毛。伊阿宋得赫拉之助，与赫拉克勒斯、珀尔修斯等英雄，乘坐阿耳戈快艇，历经艰险取得金羊毛。

督察员指出，移民大量拥入造成学生人数激增，“难以消化的问题”。他还赞扬校长“以强有力的手段，全面掌控了”一所管理问题非常突出的学校。“从联合王国各地来的移民的孩子们、学习成绩参差不齐的孩子们持续不断地拥入……他们之中的许多人甚至不知道纪律为何物，”督察员写道，“这便造成了许多不容忽视的问题。”我想，大概就是这个时候，在这样一种压力之下，英国在吉尔和格拉森眼里的光芒有所减退。要知道“老家”在沃克家和麦克拉伦家历来享有崇高的地位，在伯恩家稍差一点。虽然如此，督察员对他看到的情况依然感到欣慰。他说：“这些移民影响了当地人，当地人也在‘同化’他们。双方都受益。”

因为诺斯菲尔德都是男老师，督察员担心幼儿们缺失了“女性的影响”。对于特别小的孩子，这一点尤为重要。我对此深有体会。我一九五一年开始上幼儿班，学校新学年第一次集合的时候，我站在幼儿班那一行最前面。这个位置是要负责的。学校乐队刚刚开始演奏，我抬腿就向教室走去，背后跟着那些听话的小朋友，惹得大孩子们都笑了起来。我本来应该等乐队演奏结束之后再带领大伙儿回教室。我们开始学的是《珍妮特和约翰》①。这套书一九四九年在联合王国出版，是英语国家通用的小学课本。幼儿班的小朋友被安排在教室后面。那时候学校没有那么多教室，所以是复式教学，大一点的孩子们坐在前面。记得我们和年纪大一点的女孩子们一起朗读，很受她们

①《珍妮特和约翰》（Janet and John）：是英国及英语国家当教材用的儿童读物丛书，适合四到七岁的儿童阅读。

的影响。我念课文的时候，很想引起那些可爱的女孩子的注意，而且颇有点受宠若惊的感觉。她们比我们大，比我们聪明，比男孩子更吸引人。

我喜欢《珍妮特和约翰》这套读物。学会阅读是一件很兴奋的事情。当然，如果有人问我，我会指出，这套书里承载着许多关于性别的知识。这套书经过专家学者的认真审查，不但教会我们如何阅读，还教会我们男人和女人的区别。书里的主人公约翰积极向上，有责任心。珍妮特却比较被动，喜欢做家务，喜欢养个小动物什么的。书里的插图为故事增加了色彩。珍妮特总是胸前紧紧抱着一样东西：一只猫或者一个玩具娃娃。约翰永远不会抱个玩具娃娃，见了猫就会拽着它的两个前爪扔到一边。妈妈见了儿女总是又抱又亲，做什么事都怯怯的，装出一副比自己的实际年龄还小的样子；爸爸却显得心胸开阔，信心十足，两只脚稳稳当当地站在地上，摆出一副权威的架势。珍妮特和妈妈都是非常好的人，喜欢栽花种草。爸爸抡镐挥锹，每一个动作都那么果断。我觉得这些都是好品质。幼儿班的孩子们都知道，这些故事都是简单地告诉我们关于性别和家庭的基本知识。等我们回了家，真正的、更复杂的家便出现在眼前。这个家有时候支持了书本上描写的东西，有时候和书本上那个家却不大一样。约翰的妈妈比我的母亲更喜欢拥抱儿女，而他的爸爸抡镐挥锹的时候，比我父亲更有男子汉气派。我们虽然都还是幼儿，但是我们知道，生活和课本之间有很大的距离。

记得有一天我坐在一棵松树下面，看蚂蚁忙忙碌碌东奔西跑。有几只蚂蚁团结起来，想把一只长了翅膀的昆虫往窝里拖。旁边还有一个小窟窿，我纳闷蚂蚁为什么不再用这个洞，就开始像霍华德·卡特[1]几十年前在埃及图坦卡蒙[2]陵墓挖掘那样挖了起来。挖了一英寸深之后，小洞分成左右两个通道。一个硬得难以穿透的东西挡在那里。原来是一枚小小的硬币，上面有奇怪的文字。我已经不记得是我自个儿认出那是中文，还是别人告诉我那是中文。我想象一个疲惫不堪的中国旅行者坐在这棵大松树的绿荫下休息。他也许正在打盹，突然被一阵叫喊声惊醒。也许就在他匆匆忙忙继续上路的时候，这枚硬币从他口袋里滚落出来。这枚硬币我一直保存了好几年，后来不翼而飞。

一九五三年初，一辆厢式货车倒退着开到诺斯菲尔德我们家门前的汽车道。沃克家又要搬家了。我们新的目的地是菲林，那里的人口总数是八百五十。这个地方是以亚瑟·菲林命名的。亚瑟·菲林是测量总监格莱德的前任。汽车要走的时候，突然向一边倾斜过来。那一霎格拉森大概以为她是堂·阿瑟尔多——那个肌肉发达的男人呢！她居然张开双臂，想顶住要侧翻的汽车。原来车上的东西压断了新安的管子，如果车真的翻了，肯定会把她砸在下面。我还记得格拉森和死神擦肩而过时人们的惊慌。等那可怕的一刻过去之后，大伙儿都拿她开玩笑，笑话她，以为自己是谁呀，以为自己壮得像座铁塔吗？还开玩笑说，这下子报纸头版头条少了个大字标题——“一位三个孩子的母亲在一次奇怪的车祸中丧生”。

我重访菲林的时候，发现这里什么都变了。唯一没有太大

①霍华德·卡特（1874—1939）：出生于英国伦敦肯辛顿，英国考古学家和埃及学的先驱。埃及帝王谷图坦卡蒙王 KV62 号陵墓及覆戴着“黄金面具”的图坦卡蒙王木乃伊发现者。

②图坦卡蒙：埃及法老名。

变化的是离学校不远的那座路德教会的教堂。我凝视着那座荒凉但依然壮观的建筑物，心里迷惑不解。我怎么能忘记它呢？原来的学校现在变得面目全非，校舍奇形怪状，色彩明快。一位很热心的老师告诉我，这所重新设计的学校曾经得过建筑艺术奖，尽管早就没有人再为它喝彩了。这样的建筑无论对老师还是对孩子都没有好处，是对人们审美情趣的误导。学校这些新房子不会给人留下多少记忆。我向那幢旧房子望去。在我的记忆中，那是一幢非常漂亮的房子，可是现在已经东倒西歪。这所学校内部一定不和，学校和宿管有矛盾。而我们那个时代，大家的关系非常融洽。郊区的新房子越来越多。环顾四周，一座座牧场，凝望着辽远的天空，仿佛知道下一块被开发的土地就是它们。一块广告牌上写着，菲林是《迈克劳德的女儿》的故乡。那是我从来没有看过的一个电视剧。

我又打开《南澳大利亚百科全书》。关于菲林的词条显示，和附近的巴罗莎谷一样，这里主要是德国人的聚居地。那座给人留下深刻印象的路德教会的教堂始建于十九世纪七十年代。《百科全书》记述了城里有名的德国人。值得一提的有：海因里希，海尼克，汉高，安德斯，克雷尼格，尼尔德诺。“教师登记册”显示，我们一九五三年一月来到菲林。吉尔的前任从一九三七年一月就来这儿工作。他以为他是谁呀？托马斯·布雷福特爵士？我还从来没有听说过一个人可以在同一个学校当那么多年校长。

督察员的报告说，上级曾经允许停办这所学校，但是新任命的校长使学校有了很大的改进。“人们的第一印象是学校采取了一些新的举措。使得学生们爱学习了。”这份功劳当然应该大家分享，但督察员认为“校长的周到促成了这一切”。他对吉尔的评价是“真诚热情，精力充沛，持之以恒，有进取心”。他把他在诺斯菲尔德积累的那些经验和方法带到菲林——启发孩子们集邮，参加“阿格诺俱乐部”，开辟花园，栽花种草。

菲林小学“福利俱乐部”的“备忘录”也得见天日。这些材料虽然不可能改变世界历史，但是我们也可以从中了解一点格拉森当年在学校工作的情况。一九五三年，她参加了学校为她举行的欢迎会。和大多数会议一样，欢迎会在“家庭艺术教室”举行。格拉森在她参加的第二次会议上被提名为“福利俱乐部”主席。她发言说，“可以暂时帮帮忙。”我可以想象到妈妈不耐烦的样子。其实她要干的活儿也不复杂，无非是安排一下俱乐部会议上人们的发言，在会上对什么人公开致谢，组织户外旅行，搞一点筹款活动。一个学校的福利委员会就这点儿事儿。一九五四年四月，参加会议的俱乐部成员被告知，格拉森很快就要离开学校。秘书洛娜·斯彻尔特和另外一个叫德国名字的老师在会上说：“非常遗憾，沃克太太要离我们而去。感谢她一年来为我们大家所做的一切……”如果我问她在俱乐部都做了些什么事情，她也许会哼着鼻子说，也就是应应景，准备准备下午茶。

终于不再读幼儿读物之后，我最喜欢的书是一本上面有漂亮签名的《牛津英国文学》。这本书是菲林小学的学生家长和朋友送给吉尔的。在菲林很难买到这样的书。可见在大伙儿心目中，校长是个了不起的文人。后来吉尔问我要不要这本书。我说当然要。他面带微笑说：“好，这本书对你用处更大！”他是想以这样一种温和的方式提醒我，这本书是他的。我们后来送他《吉尼斯纪录大全》和一本《数字回文选》。他对这种书更感兴趣。

在菲林度过的日子还是很值得怀念的。我们离阿德莱德不太远，巴罗萨山谷有那么多风景宜人的地方可以去旅行。开着汽车沿着狭窄的小路在山间盘桓，小路两面都是没有围栏的葡萄园，枝头挂满紫色的葡萄。我们去过那儿好几次，还参观了赛普尔特家族的地下室。那些地下室仿佛把我们带回到遥远的欧洲，看到对于我们来说已经很陌生的生活。

我们去的下一个镇子叫阿德罗森。父母发现学校提供的宿舍和校园一墙之隔。这可不是什么好事儿。这种安排的坏处很快就在我身上显露出来。那年我八岁，什么都想知道。有一天把一把刀子插到烤箱里，想看看会发生什么事情，结果烤箱冒着刺鼻的烟，发出很大的吱吱吱的响声，电压陡然增大，整个学校包括教室的保险丝都烧了。就像朱利叶斯·萨姆纳·米勒那样，大人们当然会问："你是怎么搞的？"好多年之后，用那把倒霉的刀子的时候，我还会想起那件事情。我有一把刀，刀刃上有两个对称的槽，往面包上抹黄油的时候，可以画出电车轨道和一条条公路。我还能创造出建筑工地和道路纵横交错的城市。我经常在放刀叉的餐具抽屉里找我的那把刀。

苏格兰的阿德罗森和南澳大利亚的阿德罗森除了都位于海岸，再没有多少相似之处。这次搬迁使我们离阿德莱德更远。虽然小麦还是这一地区主要的农作物，但这里更干旱，土地也更平。必和必拓公司刚刚在阿德罗森附近开了个白云石矿。白云石是用来做炼钢高炉炉衬的原材料。因为来往船只越来越多，他们新建了码头。不过在我的记忆中，水面上漂泊的主要是双桅纵帆船。那时候这种船还用来运送小麦，往来于圣文森特海湾和阿德莱德港之间。帆船时代还没有结束。离阿德莱德更远了，格拉森的心情不怎么好。不过有一个好处，离亲戚朋友近了一点。格拉森的弟弟乔克在附近的梅特兰镇开了一家药房。他和妻子生了七个孩子。记得他们家房子很大，曲里拐弯，很不规则，一天到晚闹闹哄哄。和他们相比，我们家可以说安安静静，有条有理。沃克家的孩子们坐车的时候，都能在后排座老老实实坐着。我对格拉森的父亲，也就是我的外祖父的记忆就是从这个时期开始的。他嘻嘻哈哈，爱开玩笑。“不一样的东西，”他一本正经地说，“就是说，不是同一个东西。”

我发现阿德罗森和菲林比更让人难以适应。我喜欢跑到海边，在码头上消磨许多时间，用临时编成的网抓蓝蟹。周末，我吃完早饭就离开家，直到吃晚饭的时候才回来。我有很多时间出去闲逛，家里人也不管。但是那儿的人喜欢挖苦，甚至欺负校长的孩子。就是在阿德罗森，我父亲得了个“鱼脸”的雅号。一九五四年十一月快到的时候，我们砍了一堆比我父亲还高的木柴，准备庆贺盖伊·福克斯之夜[①]。我们打算生起明亮的篝火，燃放鞭炮、火箭弹烟花、旋转烟花和别的叫不出名堂的玩意儿。可是有人先下了手，把我们家准备的木头烧了个精光。警察调查的结果是，这事是一个学生干的。这个学生曾经扬言要用一支锯了柄的猎枪打死我父亲。我们家的人听到这个消息后都很难过，家里的气氛非常不好。这事发生之后，父母亲把实情告

①盖伊·福克斯之夜：也叫篝火节之夜，是英国的传统节日，时间为每年的十一月五日。

诉了我们，让我们不必担心。被人开枪射杀在我看来当然是一件可怕的事情。我想象着那个想暗杀父亲的家伙藏在夜色笼罩的海滩，伺机袭击。我仔细查看阿德罗森高级小学一本小册子的时候，那个学生的名字赫然出现在一个教室的照片下面。

有一个周末，一位四处流浪的街头手风琴手带着一只猴子出现在阿德罗森。猴子拴在他那辆装饰华丽的车上。他们是来自另外一个时区的充满异国风情的游客。我全然不知当地一帮小男孩儿一直在逗弄那只可怜的猴子，径直凑了过去。结果没等拉手风琴的人警告我往后退，发怒的猴子就咬住我的胳膊，满嘴獠牙咬下去的时候，还伸出爪子抓开一道挺深的口子。那群小男孩儿站在不远的地方高兴得哈哈大笑。拉手风琴的人一定觉得猴子给他闯了祸，想赶快溜走，就让我赶快回家。我还记得虽然胳膊和衣服上沾满血迹，但更让我着急的是，回家后如何向爸爸妈妈交代？在南澳大利亚，被猴子袭击可不是寻常事。他们花了好长时间才咂摸出这个“插曲”好玩的那方面。我胳膊上至今还有一道浅浅的伤疤，记录着那个难忘的时刻。我毕竟是个幸运的男孩。可以把这个非常有趣的故事讲给别人听。记得乔克听了我在阿德罗森大街上和一只猴子“生死搏斗”的故事后，哈哈大笑。我和它扭打在一起，奋力拼搏，具有史诗般的壮美。“这孩子是个英雄！”乔克大声说，还带着我绕着我们家那幢房子转了一圈儿。

后来我们家又搬到甘比尔山。这一次离阿德莱德更远了。众所周知，这是我们这个州最寒冷、最潮湿的一个角落。想到这些，我们心都打着寒战。重任落在父亲的肩上。他要在那儿开办一所有四百个学生、八个教职员工的学校。甘比尔山的人口有一万多。现在这个地区又建了一座很大的木材加工厂和一个发电厂，随迁来的子女也需要上学。父亲被任命为校长，而且增加了薪水。吉尔一九五三年年薪一千零九十五镑，到甘比尔山之后，增加到一千六百镑。家庭收入较前有了很大的增加。而且能离开阿德罗森的校舍吉尔和格拉森也很高兴。

校长和他的家人在他们走过的地方都被视为异类。吉尔念过大学，有学位，在人们眼里是知识分子。除此而外，他不会干体力活儿，没有机会和男人们聚到一起——比方说打开汽车发动机罩——修理什么东西。和银行经理一样，教师在一个小镇子里不待上十年八年，很难被人们接纳，更不会把你当成当地人。我们在菲林待了十八个月，在阿德罗森待了两年。一校之长刚来就得考虑哪天又得走，实在不是什么好事。就在校长成为人们关注的焦点时，他的妻子和儿女——这两样都有可谓幸事——也被人们密切关注着。

回想起上世纪五十年代，那真是经济增长的十年。战后，移民不断拥入，郊区不断扩大。澳大利亚高高地骑在羊背之上。孟席斯政府使国民免于他人之害，处于安全之中。而汤姆·普莱福德作为最具理性的州总理之一，一直坚持着这些政策。自己买房成了战后澳大利亚的圣杯①。而房子本身——它的设计、格局、家具、摆设，却充分体现了女主人的品位和这个家庭的社会地位。

尽管我们都说上世纪五十年代的澳大利亚繁荣发展，稳步前进，甘比尔山却物资短缺，尤其是房子。吉尔和格拉森·沃

①圣杯：传说中耶稣最后晚餐所用之杯。比喻长期以来梦寐以求的东西。

克来到甘比尔山之后发现，事情并不像他们想的那么好。父母亲来之前，人家告诉他们，我们家将住在学校对面新盖的一幢房子里。可是一九五六年一月我们搬过去的时候，房子还处于毛坯阶段。里面没有装修，地板没铺，窗户没安，电灯也没装。厨房里的设备简陋，只有一个烧木头的炉子和一个小煤气炉。房子周围长满杂草。和阿德罗森的校舍比，那儿简直就是宫殿。我的父母后来发现，有一对年纪比他们小一半的小两口——瓦德夫妇分配的房子比我们家那幢好得多。那幢房子坐落在茂森大街，离学校不远不近，非常宁静。房子当然比不上宫殿，但设备齐全，还有一个挺好的花园。看起来，带着三个孩子的校长夫妇分的房子还不如一对年轻夫妇的好。

新校长，一位与世无争的绅士身后，站着似乎有点反复无常的格拉森·莫德·华莱士·伯恩·沃克。她对教育部那些条条框框从来都嗤之以鼻，对许多年前不让她参加全国健美体操比赛一直耿耿于怀。格拉森爱生气，没有多少传统观念，不太会和人交往。教职员工办公室里，人们悄悄地说，沃克太太幕后施加影响，操纵学校的事务。他们说“妈妈拿爸爸当枪使”。教员休息室是个飞短流长的地方。除此而外，性别歧视根深蒂固。男人和女人的差别不比《珍妮特和约翰》那本书里父母亲的差别小。温和的男人被贬斥为“惧内”，直率的女人被指责为专横跋扈。她穿长裤。上世纪五十年代，澳大利亚尽管表面上也讲男女平等，实际上，条条框框、世俗观念仍然严重。什么是社会能接受的，什么是社会不能接受的，无时无刻不困扰着人们。

恼人的住房问题最后得到解决。不是因为吉尔和格拉森搞了什么名堂，而是因为瓦德夫妇宽宏大量，撤销了他们的住房申请。如果我的父母在这个问题上表现欠妥，督察员会在他们的评估报告上写些什么呢？吉尔的评语非常好："成绩突出，工作有条不紊，能鼓励同事，具有合作精神。"格拉森呢？"精力充沛，兴趣广泛，积极进取，具有合作精神。"如果说他们懂得晋升的艺术，能让督察员高兴，那么他们取得了成功。

看到学校工作顺利，督察员也许放下心来。当地的报纸《边境瞭望》报道说，为了这个学期学校就能投入使用，建筑工人正在抓紧装修教室。新学校还是一座未完工的建筑，坐落在泥泞的牧场上。图书馆里没有书，没有体育运动设备，没有铺过柏油的小广场。教育部可以资助点图书和体育器械，但是大部分开销还得从家长那儿筹集。吉尔热衷于每星期五晚上举办一些活动，目的是筹集经费。我还记得 G.J. 沃克去当地高速公路举行的"拆楼老兄"游戏场地卖热狗的情况。《边境瞭望》还报道说，他们举办的"捡土豆比赛"筹集了五十四镑，但在我的记忆里已经没有印象。格拉森还帮助许多男孩子经营蛋糕店。到八月，他们开始执行一项雄心勃勃的计划——种植各种树木和灌木，让学校在一年里能有六个月的时间色彩缤纷。

我记得最清楚的老师是布雷恩·瓦德。他让同学们自选题目写作文。我绞尽脑汁，只写了五六行，一直担心老师会做出怎样的评价。他认真阅读后说，我开头开得不错。他喜欢我用的那些词儿，问我为什么要选择那些词汇。我发现，我们是在谈论写文章的技巧。这是我第一次和大人探讨写作。后来我们又写了一篇作文，题目是"辛普森和他的驴"。我觉得这次写得比以前强，因为我听了瓦德先生给我讲单词的音韵学，讲为什么有的句子听起来流畅，为什么有的句子听起来不流畅。我是这样结束我的作文的：“就这样，辛普森死了，而他的驴得了‘杰出行为勋章’。”我把“杰出行为勋章”奖给驴，而不是辛普森。半个世纪过去了，我仍然觉得那几句话写得不错。

父亲去世后，我从他零零散散的遗物中发现甘比尔山展览协会奖给他的一个奖状。吉尔一九五六年参展的菜花获得一等奖。看到这个证书，我浮想联翩。想到茂森大街，想到巴拉，还有奥斯瓦尔德的洋葱头。我们在甘比尔山的家离蓝湖火山口不远。那该是怎样的一次喷发呀！连格拉森也无法想象。火山口很大，蓝湖深不见底。谁也不知道为什么湖水那么蓝。我们家周围的土壤非常肥沃，吉尔开辟了好几个花坛。我种的银甜菜很多，吃不完就卖给当地蔬菜水果店。就像所有好孩子那样，我把赚的钱存到一个塑料储蓄罐里。银行和邮局都鼓励节俭，经常发放这种罐子。艾伦叔叔把我应该得的钱都给了我。吉尔最后一个正经八百的菜园就在甘比尔山。那时候，超级市场开始出现。记得吉尔说过，有了超市方便多了，想买什么都可以，东西也不贵。他还继续栽花种草，但是我们离开甘比尔山到阿德莱德的时候，桥街的传统已经不再那么根深蒂固了。

我还找到电台鲍勃·戴尔的“挑一个盒子”栏目组写给我父亲的一封信。鲍勃是一位美国脱口秀节目主持人。他的妻子多莉坐在他旁边摆出一副妩媚的样子。这个节目从一九四八年起就开始播，一直是我们家的“最爱”。“挑一个盒子”激发了父亲智力竞赛的热情。节目播出的时候，我和他站在卖炸鱼和薯片的小铺子前面。当鲍勃·戴尔装模作样宣布 G.J. 沃克先生为栏目组出的题目时，我们都非常激动，也格外紧张！一九五七年十月四日，俄罗斯发送了他们的地球卫星，Sputnik[①]。吉尔由此想出一个问题。竞猜者要说出地球卫星——或者物体——的名字。毫无疑问，是Sputnik。错！Sputnik是第一颗人造地球卫星。正确的答案是月亮。鲍勃宣布沃克先生将获得一台崭新的派依牌收音机，卖炸鱼和薯片的小铺子里顿时欢声雷动。那封信我们保存下来了，但是那台时髦的收音机早就没了踪影。

父亲带我去看划过夜空的Sputnik。那个小点儿产生了很重要的影响。人们因此而认识到，在数学和科学领域，苏联比西方领先一大步。教育又被纳入冷战的议程。我不记得那时候讨论过这些事情，尽管我知道，苏联不好，我们好。就在学校按计划开学的紧要关头，匈牙利示威游行的群众被苏联军队镇压，冷战愈冷。学校顺利开学之后，一九五六年，我的父母亲决定去看墨尔本奥运会。我们住在救世军经营的人民宫。人民宫地处市中心，价格便宜，没有酒。父母允许我自己去吃早饭。我喜欢这样做，女服务员也喜欢。我俨然一位小绅士，坐在餐桌边，面前放着菜谱，自个儿想吃什么就点什么，可选择的东西很多。

父母的打算是到周围转一转买票。少花钱多办事是第一原则。有澳大利亚人参加的比赛我们都没看。也许因为票已经卖完，也许因为太贵。结果只买到水球半决赛的入场券。以前我们从来没有看过水球比赛，不懂得比赛规则，甚至不知道参加

---

① Sputnik：一九五七年苏联发射的第一颗人造地球卫星。Sputnik的意思是“旅行的伴侣”。

比赛的是谁。就这样，素来小心谨慎的沃克一家人走进匈牙利对苏联的决赛赛场。我不知道，吉尔和格拉森会不会想到这项运动日后会发展成为激烈竞争的体育比赛。我们看到观众席上人声嘈杂，就把它归因于有很多外国人。这种场合，他们喜欢热闹，我们当然也感受到了奥运会的气氛。然后比赛就开始了。

那年我十一岁，立刻就被激烈的比赛场面惊呆了。水球被认为是当代体育最野蛮的运动之一。两个队为了争球，相互厮打，水好像开了锅。有一个匈牙利球员被打出了血。观众席上乱作一团，朝苏联球员吐口水，谩骂。他们认为那是故意伤害，一场骚乱迫在眉睫。沃克一家还没意识到一股仇恨的涡流正在他们身边旋卷，就被冲到“海滩”上。我们吓得赶快离开“事发地”。幸亏许多警察跑过来保护乱作一团的人群，才没有发生意外。我的父母也许试图向他们解释水池子里发生了什么事情，但我已经没有记忆。“挑一个盒子”那种近乎天真的快乐、苏联作为超级大国的飞扬跋扈以及冷战造成的仇恨这一残酷现实之间的鸿沟太宽而无法跨越。

在甘比尔山工作生活了两年之后，我们回到阿德莱德。乡下生活到此结束。上世纪五十年代我父亲的升迁有赖于战后人口增长。一九四六年父母去卡德尔的时候，阿德莱德市区的人口大约三十八万。等他们回来的时候，已经增加到五十八万。和许多新来的人一样，我们在阿德莱德北部郊区安顿下来，离诺斯菲尔德小学不远。后来我到基普斯·克罗斯移民招待所对面的高级小学上学。我知道，父母更愿意到东郊生活。那里环境优美，空气清新。尽管 G.J. 沃克被提升，但家里的经济状况还不允许我们搬到那儿生活。那是后话。

第十四章　坚固的『先锋牌』

家里要买新车了，我们都很兴奋。战争年代物资严重短缺，许多东西到四十年代末依然供不应求。无论买什么——包括汽车——都得登记排队。一九四九年，孟席斯先生在联邦大选中获胜的原因之一就是人们对工党政府长期实施的紧缩政策没了耐性。吉尔已经登记想买辆新车，我们听说漫长的等待很快就会过去。一九四八年，第一批霍顿牌汽车投入市场。这是澳大利亚自己生产的汽车，在向成为独立国家稳步前进的道路上，这是一个令人骄傲的时刻。然而，批评“霍顿”的人也不在少数，包括那些怀疑澳大利亚是否有生产“高精尖产品”能力的人。他们指出澳大利亚人马马虎虎、“差不多就行了”的老毛病。造个捕兔器或者割草机之类的小玩意儿也就罢了，还想生产什么汽车！有些人甚至认为“霍顿”一点儿都不结实，很容易翻车，一碰一个坑。考虑到家里还有三个小孩儿，吉尔和格拉森也许想要一辆更结实的车。毫无疑问，吉尔对这些情况也做过调查了解，已经决定我们购买的新车应该是一辆先锋牌轿车。

先锋牌轿车像皇室某些成员一样，用一句“标准汽车公司”的口号形容，是“英国制造”。仅凭这几个字，它就比“霍顿”更胜一筹。就连“先锋”的大名也有一种坚定的、斗牛犬的品格，从而确保其成为现代性和坚固性完美的结合。父母带着孩子坐在这样一辆汽车里，一定很放心。英国早已显示出一个制造业大国的实力，把它称之为“世界工厂”绝非溢美之词。世界上最好的钢材就产自于英格兰的谢菲尔德市。星期日，不用英国钢材制作的刀而是用别的什么玩意儿切烤肉，简直不可思议。那项宏伟的工程——悉尼港大桥——使用的几乎都是英格兰生产的钢材。说到汽车制造业，英国的劳斯莱斯轿车宛如美丽的传说，其完备堪称汽车制造业的典范。就像威廉·莎士比亚对英语语言学产生了巨大影响一样，劳斯莱斯对汽车制造业的发展也功不可没。和劳斯莱斯相差无几的，还有轻盈的“捷豹”和尊贵的“宾利”。尽管先锋牌汽车无法与它们比肩而立，但它也是名副其实的英国货。借用另一条“标准汽车公司”的口号，“先锋”“为全世界打造最好的轿车”。

“六个人都能坐得下！”报纸广告上赫然写着这样的大字，“先锋牌轿车的用户已经证明了这一点！”还将有先锋牌轿车的用户，“坐进同等产品中最宽敞的汽车！”似乎不用惊叹号就无法描绘先锋牌轿车。即使六个大汉坐在里面，先锋牌也开得动。在一九五〇年，解说词写得有点耸人听闻。玄机藏在发动机罩子下面。“充满活力的发动机高达六十八马力。过高山如履平地。”

记得，我和菲林小学的同学争论“先锋”与“霍顿”各自

◎上世纪五十年代作者的姐姐和祖母站在先锋牌轿车前面的合影

的优点时，只有七岁。他说“霍顿”比“先锋”好时，我非常惊讶。我知道他说得不对，希望我一旦把事实摆在眼前，他能承认自己的错误。他坚持错误观点时，我就认为他很傻。也许我以前从来没有想过，澳大利亚生产的东西和英国的一样好，甚至更好。这时候，我应该听过多萝西娅·麦凯勒[①]的诗，宣布她热爱这个被“太阳烤灼的国家”。我选择“先锋”是不是意味着我不热爱自己的国家?

美妙的一天终于来到。吉尔很早就神神秘秘地离开家。他在策划什么事情。过了一会儿，门前那条汽车道上就响起沙砾被碾轧的沙沙声和汽车喇叭的嘟嘟声，宣布“先锋”驾到！这

①多萝西娅·麦凯勒（1885—1968）：澳大利亚著名女诗人，于一九〇七年创作了一首脍炙人口的诗歌《我的祖国》。诗歌热情赞扬南半球这片广袤神奇的土地，成为十九世纪末二十世纪初澳大利亚民族主义运动时期激荡人心的爱国主义诗篇，至今仍广为传诵。

辆汽车是黑颜色的，崭新，锃亮。周身散发着豪华轿车那种特别的味道。人们都盛赞我们的“先锋”，尤其因为它是“我们的”。在理财方面，吉尔和格拉森属于那种“不向别人借钱，也不借给别人钱”的人。他们用积攒下来的钱，付全款买了这辆车。钱都是从以吉尔和格拉森的名义开户的支票里支付的，尽管大部分支票写的都是吉尔的名字。这辆车花了不到九百镑，差不多是吉尔一年的薪水。我当然知道我们拥有了这辆汽车，但是当这样一辆漂亮的、崭新的汽车实实在在停在家门口时，那种感觉令人难忘。它仿佛昭示世人，我们是一个幸福、成功的家。

那时候，新车就像学徒工，以“成人的速度”上路之前，必须先试车。吉尔问我们愿不愿意坐着它开始第一次旅行？我们当然愿意。于是，他在诺斯菲尔德退出汽车道，驶上大转盘路。左边是亚塔拉监狱，远处是农场，看得见在那儿干活儿的犯人。新汽车的挡有点儿紧，开起来也没那么简单。行驶到大路上之后，吉尔问大家，愿不愿意把车开到五十迈？一小时五十英里！好像我们要创纪录了。我们都从后排座伸长脖子看仪表盘上的指针一点点向上爬。这个速度似乎真有危险。其实“开到五十迈”是试车的内容之一。对于吉尔，也就是确定一个标准，以后就一直按这个速度开。五十迈是正常行驶的速度，六十迈就是超速行驶。如果路好走，别的条件也没问题，一小时超过五十英里也还可以接受。但是再多，就是鲁莽驾驶了。

一九五一年，这辆崭新的“先锋”的到来毫无疑问把格拉森永远定格为“乘客”。我隐隐约约还记得她开过吉尔早些时候那辆“沃克斯豪尔”（车牌号 SA9501）。卡德尔外面有一段土路很安全，格拉森到那儿学车。我纳闷儿，是不是只学过那一次？我们都在车上。三个孩子坐在后排座，吉尔坐在副驾驶的位置上当教练。记得整个学习的过程不太令人满意。平常坐汽车我总是在格拉森后面，她个子小，我的视野开阔。现在换成吉尔，像一座山，挡在眼前。那堂驾驶课不怎么成功。我们三个孩子坐在后面，格拉森不可能专心致志地学车。回首往事，她或许注定要失败。吉尔喜欢开车。毫无疑问，他认为他就该坐在方向盘后面。虽然他不是大男子主义者，也不会总像别人那样，“女司机”长“女司机”短，挂在嘴边儿，讽刺挖苦。那时候，这可是男人最爱说的话题之一。他们认为，上帝创造“女司机”就是为了给人们制造点笑柄，凸显女人妄图篡改社会组织基本原则的愚蠢和荒唐。格拉森后来对我的妻子说，她后悔不会开车。她说，是吉尔拖了她的后腿。吉尔坚持认为她没有必要学车，他自个儿乐不得开呢！对于吉尔，垄断开车是一种骑士精神。他可完全是为格拉森的福祉考虑呢！

我现在认为，这种鲜明的角色划分，造就了我自己关于人应该各司其职的思想。我知道，格拉森之所以不开车，是因为她无论从精神上，还是从体力上，都不适合担当这样一个角色。这也就形成了我对她的这样一种看法，她是一个被情绪而不是被理性判断控制的人。如果她神经兮兮，变幻无常，容易冲昏头脑，别让她开车是件好事儿。坐在方向盘后面，无疑需要保持冷静的头脑。所以，格拉森和我们几个孩子一样，作为乘客，置于吉尔的羽翼之下，只让他坐在驾驶员的位置上就成了天经地义的事情了。谁开车，谁不开车这样的惯例不断强化了我们对由谁来做重大决定、谁的判断可以确保我们一路平安的理解和认识。

维护自己开车权利的男人们一般都懂得汽车发动机罩子下面会发生些什么事情，吉尔却不属于此列。他开车属于“王权神授”，而不是因为他对“湿式汽缸套[①]”的优点有多少了解。他会换轮胎，检查散热器、计油表。虽然这点儿技术使他稳居格拉森之上，但无法使他进入那些动手能力很强的男人们的行列之中。我继承了父亲的优良传统，把开汽车的权利和责任牢牢抓在手里，但对汽车机械方面的知识几乎等于零。

上世纪五十年代，和汽车有关的消息都是大新闻。一九五三年，整整三个星期全国上下都被第一次“瑞戴克斯汽车性能测试”所吸引。行程六千五百英里，大都是崎岖不平的道路。汽车车身上贴着广告、标语，在澳大利亚东海岸颠簸前进。行进过程中，遇有罚款，就将点数累积起来。我那时七岁，看得目瞪口呆。有几辆先锋牌汽车也参加了测试。沃克一家的名声似乎就取决于这几辆汽车的表现。汽车快到南澳大利亚的时候，我们赶紧研究路线，到离菲林不远的地方看车从身边飞驰而过。车队驶来的时候，我们看见神勇的“先锋”就在其中，车身撞得坑坑洼洼，落满灰尘，但是仍然奋勇向前。那是汽车力量爆发的景象。吉尔想知道，它们到底能跑多快，就让我们一起上车，准备跟在最后一辆车后面。沃克家也加入到“瑞戴克斯汽车性能测试”的行列中了！我们以每小时六十迈的速度跑了一段路之后，吉尔才罢休。他估计，瑞戴克斯牌汽车可以至少跑到每小时七十英里。这在当年简直不可思议。后来，法国标致获得第一名。

---

①湿式汽缸套：缸套外壁直接与冷却水接触，所以称为湿式缸套。

那时候，开汽车在一般人看来还是一件充满挑战的、让人感到紧张的事情。现在开着汽车过阿德莱德山已经不是一件多么难的事情，可是那时候就不一样了。翻过绵延逶迤的山岭要走许多盘山路，要拐许多个急转弯，其危险程度和臭名昭著的“魔鬼弯道”相比，一点儿都不差。“先锋”里坐的人都知道，“魔鬼弯道”对汽车驾驶员是严峻的挑战，吉尔一点儿都不能分神。谁也不敢说话，大伙儿都知道，我们的命都在他手心里攥着。拐过一个急转弯，刚想松口气，前面又出现一连串更加凶险的弯道。到达“山鹰”之前，谁都把心提到了嗓子眼儿里。路两边经常看到车停在那儿，水箱里的水开了锅。如果到了“山鹰旅馆”——我们以前从来没有去过那儿——水箱里的水还没开，那可是值得庆贺的事情。

汽车水箱应该归到热水器和高压锅之列，同属危险品。看到温度表上的指针超过红色安全线，或者水箱冒出团团水蒸气可不是什么好兆头。吉尔把车开到路边，小心翼翼打开引擎罩，嘱咐我们都往后退。这可是个危险活儿。等到水箱里的水不再翻腾、飞溅，吉尔左胳膊上搭一条毛巾，右手再拿一条保护自己，像斗牛士一样，神情紧张、动作敏捷，迅速接近水箱盖子。然后我们的吉尔伯托[①]左腿弓右腿蹬，脑袋朝后仰着，一边摆弄水箱，一边做好准备，一旦那家伙怒火中烧，蒸汽发出第一声危险的哼哼，就跳回到安全之地。当我们真正需要他的时候，欧内斯特·海明威[②]上哪儿去了？注视着热气腾腾的“先锋”，

①吉尔伯托：吉尔的昵称。

②欧内斯特·海明威（1899—1961）：美国记者、作家以及二十世纪最著名的小说家之一，诺贝尔文学奖获得者。他的作品塑造了一系列“硬汉”，故作者以此调侃吉尔。

需要的是勇气、镇静和灵巧，一点儿也不比海明威笔下的斗牛士差。

年龄渐长，大人们经常给我讲车祸和因车祸而造成的伤亡。那些故事比任何东西，甚至战争年代血淋淋的传闻轶事都更让我难以忘怀。格拉森结婚时的一位伴娘和她的丈夫在五十年代的一次车祸中丧生。他们想超一辆半挂车，结果命归黄泉。打那以后，一遇到半挂车，我们在车里就会骤然间紧张起来。如果那车要和我们擦肩而过，格拉森的手就会不自觉地抓住手套箱，似乎这样就可以稳住汽车。吉尔却不声不响地催促"先锋"向前，向前！有时候，为了决定是否超车，一家人煞费苦心，焦急不安地左看右看，前看后看，生怕出什么危险。这种一成不变的"哑剧"无数次上演。到了需要提醒的路段，就会有白油漆书写的X出现在路边的指示牌上，标明这里是事故多发区。我们走的那几条路上，死神似乎无处不在。用不着到遥远的战场上去寻找他，他就会自己找上门。他找到我的一位尚处花季的朋友。星期六晚上，他跳完舞步行回家的时候，被车撞死。他死前十分钟还和我在一起，一声再见，竟成永诀。

由于某种无法解释的原因，我成了"法定盲人"之后，被告知不能再开车。我一直都很喜欢开车，有时候把开车当作排遣心中苦闷的办法。在人生的漫漫长途，有时候碰到不如意的事情，我就开着汽车到远处旅行。上大学的时候，我曾经多次开车从堪培拉回阿德莱德，在茫茫夜色中穿越干草平原。一望无际的平原上，除了巴尔拉纳德附近看到一棵树之外，再没有什么东西进入我的视野。那棵树便成了荒野之旅的亮点。累了，我就把车停在路边，躺在地上睡觉。有一次，我正睡觉，一条小狗跑来舔我的脸。那地方前不着村后不着店，我怎么也想不明白，它是从哪儿来的？我就跟它聊征兵制度、越南战争，聊堪培拉的生活。过了一会儿，我对这位和蔼可亲的小狗说，虽然我很喜欢有他陪伴，可是现在该上路了。我开车离开的时候，它眼巴巴地看着我。好多年，我时常想起它，不知道它后来怎么样了。它会不会是从另外那个世界来到我身边的？它也许就是那个从约瑟夫·弗菲[1]的小说《如此人生》中蹦蹦跳跳跑来的。弗菲笔下那些赶牛人在干草平原走了好长时间，和站在旁边看热闹的狗争论那时候比较热门儿的哲学。

我们的“先锋”理所当然是著名的“甲壳虫”或者“无尾”型。从技术上讲，是众所周知的“标准汽车公司”生产的第一代“先锋”。这辆车一直用到一九六四年。它载着我们从一个州到另外一个州，漫漫长途留下许多美好的记忆。离开卡德尔之后，父母在别的城镇工作的时候，用的也是它。我也是用这辆车学会了开车。如果说结实是吉尔买车的标准，“先锋”没有让他失望。那是一辆很厚重、看起来坚不可摧的汽车。它在二十五分钟之内可以从零加速到每小时五十英里。可是一旦上了五十英里再让它停下来就不那么容易了。我们家的“先锋”就是这个毛病，费了那么大的力气好容易加速了，让它停下来又不乐意。所以后来发现它的发动机和弗格森牌拖拉机的发动机一样之后，我们一点儿也不惊讶。在战争年代，可以把它改装成为坦克，这倒是很大的安慰。虽然拥有一辆“先锋”最初

①约瑟夫·弗菲（1843—1912）：澳大利亚著名作家。《如此人生》（Such is Life）是他的代表作之一。

的兴奋和激动始终没有完全消散，随着岁月的流逝，它却不再熠熠生辉，不再跻身“时髦”之列，也没能让自己优雅地变老。渐渐衰落的日子里，它总是郁郁寡欢，喜怒无常，甚至极度消沉。寒冷的早晨，吉尔不得不用手摇曲柄发动那个“该死的家伙”。按照他的标准，这已经属于脏话。“先锋”变得宛如战后某些英国移民，在报纸上曾经仪态万方，可现在风光不再。

先锋牌轿车是战后“标准汽车公司”生产的第一款轿车，当时采用了最先进的设计。它虽然是彻头彻尾的“英国货”，但也借鉴了上世纪三四十年代美国汽车的设计。“先锋”曲线优美的车身和“普利茅斯”、“林肯”颇为相似。颇有阿尔·卡彭[①]、艾略特·尼斯[②]以及芝加哥黑手党勇猛无畏的遗风。汽车上的格栅包括狮鹫[③]徽章都是铬合金做的。美国人喜欢用铬合金装饰汽车。我们像张开翅膀的狮鹫一样一路向前。正如著名游记作家约翰·曼德维尔爵士[④]写的那样：“一只狮鹫能驮着一匹大马……或者两头套在一起犁地的牛，飞回它的巢穴。”狮鹫是力量的象征。它狮身鹰首，鹰的翅膀。它也是战后英国和美国团结的象征。英国是家人，美国是朋友。

父母都是教师，都有假期，圣诞节就可以开着新车做“州际旅行”。就是在这些旅行中，我对被太阳烧烤的祖国和辽阔

①阿尔·卡彭：黑帮教父——芝加哥王，1925—1931年掌权，卡彭时代的黑手党徒风衣下藏着冲锋枪，火并时用手榴弹开路，强硬残忍的作风令其他黑帮胆寒。

②艾略特·尼斯（1903—1957）：美国伊利诺伊州芝加哥著名的禁酒探员，绰号“铁面无私”。

③狮鹫：希腊神话中一种鹰头狮身有翅的怪兽。

④约翰·曼德维尔（1670—1733）：英国作家，以《曼德维尔游记》一书闻名于世。

的平原有了一点儿了解。我们主要去人口相对比较密集的维多利亚州，当然也去过新南威尔士州某些地方。北边最远到过布里斯班。一九六三年，父母第一次出国旅行的时候，每天都记日记，记下他们的行程、目的地和一路的印象。在澳大利亚旅行时没有记过日记，一定是因为没有什么异国风情可记。我现在意识到，就在父母亲周游世界的时候，我也在探索南澳大利亚之外那个世界。三十年代，不知道什么原因，吉尔坐火车到过一趟珀斯。一九三七年一月，这一对年轻夫妇在蓝山度蜜月时，去过珍罗兰山洞。那也许是格拉森的第一次“州际旅行”。五十年代是普通老百姓可以开着私家车舒舒服服地在州与州之间来往穿梭的第一个十年。

像我的视力一样，我对那些旅行的记忆已经模糊不清。记忆力和视力这两样东西比我以前想象的更为相似。说到记忆力，经常是忘记的东西比留在记忆里的东西更让人恼火。我的眼科专家有一次描绘我的视网膜像被虫蛀了一样。那是一次让人无法满意的会见。病情稳定了一段时间之后，又一次恶化。二〇〇四年十一月，情况最为严重。我觉得突变是星期六下午两三个小时内发生的。那天我们高高兴兴到当地一家咖啡馆喝咖啡，回家的时候却十分沮丧。几天以后，我去看眼科专家的时候，心头仍然笼罩着一片阴霾。检查结果让他大失所望。视网膜受到更大的损害，看到的东西越发扭曲变形，看一行字越发难了。眼前一张张脸变得模糊不清。现在，想回忆五十年代的旅行时，我发现记忆可以发生那么大的错误和偏差。小时候，坐在“先锋”的后排座，看到的东西那么多，记在脑子里的却那么少。眼睛瞎了，记忆被虫蛀了。

现在已经成了例行公事的旅行，那时候既是挑战又令人激动。我们对跨越边境的州际旅行从来没有感到厌烦。到了边境，总会停下车，观瞻一番，记住那个不该忘记的时刻。小时候，我觉得从边境线上走过来走过去很好玩儿。我站在边境线上，一只脚踩一个州，高兴得要命。一旦把南澳大利亚甩在身后，我们就开始寻找周围的景物和家乡有什么不同。深入到那陌生的领地之后，几乎看不到南澳大利亚的车牌。置身于维多利亚人中，更觉得他们和我们有很大不同。他们不吃“阿姆斯克尔冰淇淋”，也不喝“伍德鲁夫牌柠檬水”。他们立了里程碑的公路似乎比我们的多。到墨尔本的距离一目了然。回来的时候，看到熟悉的标识和风景扑面而来，我们便知道，又踏上家乡的土地。南澳大利亚公路旁边的指示牌似乎做得很专业，突然之间就会有一个牌子映入眼帘：“禁止烟火！”这些牌子很让我疑惑。我知道我们州比大部分地区都干旱，都更容易发生森林大火。让我百思不得其解的是，立在公路边的这些牌子怎么能挡住人家点火。怎么能起到应有的作用呢？再看到“阿姆斯克尔冰淇淋”的广告时，我知道，已经回到我们州。在那里，我们唱：

给我一杯“阿姆斯克尔”，先生，
那是美食，不是玫瑰。
我爸爸还是孩子的时候，
它就是南澳大利亚人的最爱。
它的味道最美！
给我一杯“阿姆斯克尔”，先生，

那是美食，不是玫瑰。

我们最初的旅行地之一是到维多利亚州的格兰扁。格兰扁至今仍然是人们喜欢去的一个地方。一九九四年，格拉森去世一年之后，我们又带吉尔旧地重游。那时他已经八十五六岁，但是仍然思维清楚，行动敏捷。我们有一张很棒的照片，吉尔坐在一个长凳上看报纸，帽子扣在头上颇有风度。他也许在看股市的行情。他走过一条很滑的小路去看瀑布，决定不再往前走了。本来快快乐乐，他可不想摔一跤给自己找麻烦。就是那次，他对我们说，他曾经和格拉森一起开车到这一地区。格拉森问他，他们正走的这条路能到哪儿？吉尔回答道，可以穿过格兰扁。“没有路能让我们穿过格兰扁！”格拉森语气坚定地说。他们也许一直向蓝山进发，去那里度蜜月。匆忙中调整了一下路线，来到格兰扁。我们虽然谁都没有去过苏格兰高地“正宗”

◎吉尔在丛林里看报

的格兰扁，但是眼前的风景像一条充满亲情的丝带把我们和苏格兰联系到一起。我们血管里毕竟流淌着麦克拉伦家的血液。

一九五三年，我们第一次旅行到格兰扁的时候，我看见几十只楔尾雕被钉在篱笆上，伸开翅膀就像在那里受刑罚。我估计是农民为了保护小羊羔，才打死那些老鹰的。可是为什么要挂在这儿展示呢？不得而知。是想告诉像我们这样的旅游者，他们得经常和危险的猛禽作斗争，还是这家与众不同的农户向人们显示他们打猎的高超技艺呢？记得我的父母对这种行为既没有表示愤慨，也没有表示赞同。这种事情也许只有我们这些小孩儿才大惊小怪，才会叫喊着问个究竟。无论什么地方，大人都不会当回事儿。

我们向前驶去，最初映入眼帘的格兰扁宛如地平线上微微闪光的一抹蓝色。走近了，才看清一条条纵横交错的溪谷、密密匝匝的蕨和不停摇曳的桉树。色彩艳丽的鸟儿在绿荫深处飞来飞去，鸣啭啁啾，好像有什么紧急公务要办。深深的溪谷里万籁俱寂。河岸上布满青苔覆盖的乱石。潮湿的林地长着俗艳的蘑菇。干旱之地，这里简直就是一块水草丰美的绿洲。这里比南澳大利亚任何一个地方都更富庶。我们不想背叛自己的故土，觉得维多利亚州之所以风情独具，是因为造物主给了他们更多的馈赠，别的地方都无此殊荣。

我们内心深处对维多利亚的赞许扩展到这个州的城镇乡村。我们非常喜欢“淘金热”时期建起的巴拉腊特[1]和本迪戈[2]。

①巴拉腊特：澳大利亚维多利亚州南部城市。

②本迪戈：澳大利亚维多利亚州中部城市。

那里有宏伟的建筑物和侍弄得非常漂亮的花园。我们去看过几个公园和玫瑰园。吉尔和格拉森都认为，维多利亚人之所以把这活儿干得这么漂亮，是因为他们这儿的气候更适合种植。维多利亚州的园丁能有回报，而南澳大利亚常常是肆虐的北风瞬息之间就将你辛苦多少个星期栽培的花木摧毁。我还听说，和新南威尔士州不一样，维多利亚（和南澳大利亚）都不曾被流放犯染指。吉尔和格拉森都认为，人口成分相对优越、气候条件有利于农作物生长，都使得维多利亚比别的州更具优势。

说到州府，阿德莱德显然是最好的。我知道，作为城市，阿德莱德大小适中，现代文明——商店、电影院、一切给人们带来便利的设施应有尽有。城区人口不是很多，还没有大到“人满为患”的地步。在阿德莱德，溜溜达达就能把全城的风景名胜都看完。我们知道，威廉·莱特上校精心设计了这座城市。我们也知道，他计划中相当一部分没有被采纳，结果，城里最繁华的街道，尤其是伦戴尔大街——威廉·沃克曾经做了那么多准备，想来这儿开店——狭窄拥挤。而莱特原本想成为市中心的漂亮的林荫大道现在都被挤到中心商业区的边儿上。不过，不管怎么说，莱特最重要的理念得以保留。城市四周都是绿树成荫的开阔的草地。那是“这座城市的肺”。但是莱特没有得到他本来应该得到的光环，而这一事实很少被人们提及。他的父亲是欧洲人，母亲是马来人，按照后来白澳政策对移民的限制，他不能进入澳大利亚。

阿德莱德是一座人人都喜欢的城市，墨尔本看起来则更大，工业化程度更高。除此而外，维多利亚的气候虽然对农作物有好处，但这里潮湿，阴冷，天空灰蒙蒙一片。吉尔在墨尔本开车总是很紧张。他常常不知道自己身处何方，更不用说如何在电车和电车轨道间穿行。我们家那辆“先锋”还养成个熄火的坏毛病。一旦熄火，他就得跳下汽车，打开发动机罩子，用手去摆弄。在墨尔本弗林德斯大街十字路口抛锚的时候，仿佛整个维多利亚都朝我们发火。南澳大利亚人！“先锋”怎么这德行？

吉尔不敢在没有人帮助的情况下在悉尼开车。他经常利用“国家公路和汽车驾驶员协会”提供的服务，跟在该协会的汽车后面穿城而过。我第一次过悉尼港大桥，就是这样过的。吉尔全神贯注地开着“先锋”，后面还拖着一辆临时度假屋。“国家公路和汽车驾驶员协会”的车在前面保驾护航，浩浩荡荡，也算一道风景。在那个年代，能有这样的服务，对于“州际旅行”也是新奇的事物。我们都觉得悉尼是一座非常美丽的城市，它的港湾令人叹为观止。但是它似乎是一座很难深入了解的城市。它离我们太远，太大，异域风情太浓。我还记得和父母亲一起走过麦夸里大街，走进米切尔图书馆。大阅览室里摆满了书架，彩色玻璃顶棚给我留下深刻的印象。我一直非常喜欢米切尔图书馆，它向我显示了书有多么美。

到罗恩附近的观景台玩了一天之后，我们沿着大洋路回阿德莱德。我和哥哥在车上闹着玩儿，抢他新配的眼镜，想自个儿试着戴一戴。我现在已经忘记那天他是不是戴眼镜了。因为平常格拉森不喜欢我们戴眼镜。或许他只是把镜子带在身边。不管怎么说，戴上眼镜之后，看到的景象震撼了我。我先前看到的绿色以及绿色后面的蓝色和眼前的景象有很大的不同。现在看到那绿色是一棵棵枝繁叶茂的大树。虽然我已经意识到那是树叶和树枝编织的风景，但是依然认为，从远处看那就是一片绿，别人看到的情景一定和我没有两样。戴上眼镜之后，我还看到浪花仿佛都戴着一顶白帽子。我由此意识到，我的世界里错失了那么多美好的东西。

我们早期到格兰扁的旅行还有一个缺失就是没有看到原住民在这一地区存在的痕迹。五十年代美妙的旅行让我们看到居住在这里的人们丰富的想象力。每一个自然景观都有一个奇怪的名字，都有一个标牌。一道怪石嶙峋的山口就被叫作“大峡谷”，突出在一条深沟之上的巨石被叫作“试胆石”，一潭岩石环绕的碧水被叫作“维纳斯的浴缸”。然而，这么多的指示牌却没有一个让人想到这里曾经是原住民居住过的地方。现在我自然知道，澳大利亚原住民曾经游走在这里，但是他们没有一种很强烈的国家的观念。这里的山脉、溪谷、岩石、草木也没有记录下他们千百年流传下来的故事。一九九〇年布朗巴克原住民文化中心成立，记录下这一地区原住民的历史。上世纪九十年代中期，我们带父亲旧地重游。在我的童年时代，父亲从来不拿原住民开玩笑，也不说带有种族歧视色彩的话。如果逼急了，他或许会问，为什么这块土地对于他们比对白人更重要？这儿曾经是他们的，但现在成了我们的，面对这样的现实说什么也没用。父亲或许会把他们失去土地的原因归咎于“劣等”。这无疑是所谓优胜劣汰理论的另外一种表现。现在我们在布朗巴克原住民文化中心，听原住民的故事，看他们的照片，了解他们的土地被剥夺、被强占的历史。我的妻子给吉尔读图片说明，告诉他欧洲殖民者侵占这块土地之后，原住民人口急剧下降的具体数字。吉尔听了之后看着我说：“那也算屠杀，是吗？”我们在“中心”的时候，外面下了一场小雨。等我们出来的时候，云开日出。

第十五章　我们在阿克利的家

一九五八年初，吉尔和格拉森买下第一幢房子的时候已经年近半百。我青少年时代都是在伟景花园罗伯特大街四十六号度过的。那是战后阿德莱德新开辟的一个住宅区。那幢房子建起来最多五年。G.J. 沃克刚当上北阿德莱德小学的校长。能回到城里生活、工作，对于我父母，尤其是母亲，是一件喜事。格拉森在阿德莱德长大，乡村小镇对她没有吸引力。拥有一幢房子并且搬回到阿德莱德，对于他们是件大好事，可是我觉得伟景花园一点儿意思也没有。哥哥姐姐都大了，有各自的社交圈子，而我能够找到一点儿快乐的、最近的去处也在几英里之外。

买房子是家里重大的决策。我父母对房地产方面的事一窍不通，生怕花了买房子的钱只买回一条小狗。众所周知，房屋中介净是骗子和狡诈之徒。他们未来的女婿狄克在建筑行业工作，对房子的事儿略知一二。有他把关，他们放下心来。什么毛病都逃不脱狄克的眼睛。他以文艺批评家挑剔的目光打量房门，打开关上，关上打开，希望找到点儿假冒伪劣的东西。他寻找有没有潮湿变形的迹象，有没有虫子蛀的小眼儿或者不太明显的裂缝。他在木头地板上跳来跳去，在房子的地基周围转来转去，看到有一点儿不直、不平的地方都立刻拿出水平仪测量。那些喋喋不休的经纪人就像德拉库拉伯爵[①]一看到别人画十字就恼羞成怒一样，十分生气地对吉尔说："你要是总带着他，一辈子也别想买房！"吉尔老了之后还常常提起这件事，问狄克记不记得那个"中介"说的话。这么多年过去了，他还记得一清二楚。狄克不但同意买罗伯特大街四十六号，还说屋檐宽很时尚，是这幢房子的一大优点。

二〇〇六年十二月，墨尔本举办了霍华德·阿克利美术作品回顾展。阿克利的作品非常好地诠释了战后郊区的景象。如果有一位画家为黄斑变性病人"量身定制"了美术作品的话，那就非阿克利莫属了。可惜因为用药过量，他英年早逝。虽然他选择居住的地方是墨尔本郊区，但伟景园也是他心仪之地，罗伯特大街四十六号很宽的屋檐、L字形设计和它所表现的五十年代的风格主义，正是阿克利追求的东西。他的部分作品挂在画廊墙壁上。我可以沿着画廊慢慢向前走，让已遭损坏的视觉器官把那些画面关键性的色彩和景观集中起来。无论我转到哪个角度，都能看见罗伯特大街的影子。我后退几步，仿佛听见阿克利的画儿对我说："你在这儿住过，大卫。"

虽然阿克利画的房子看不出那里面曾经有过的梦魇，但它

①德拉库拉伯爵：爱尔兰作家布拉姆斯·托克一八九七年所写的哥特式鬼怪小说《德拉库拉》中的吸血鬼之王。

的底色却明显透露出一种威胁。那些画的色彩太过艳丽，轮廓太过清晰。那是我们看着就眼熟的房子，虽然不乏温情脉脉的细节，但是静得可怕，让人不安。罗伯特大街四十六号就是这样一幢房子。从大街上看过去，普普通通，但是谁能知道窗帘后面发生些什么事情呢?

我们那幢房子坐落在街区一个角落。我的卧室面对没有铺柏油的小路，可以使我直面外部世界。这儿不是个好地方。我把童年时代的噩梦都带到了罗伯特大街。黑暗中藏着妖魔鬼怪，我似乎从来都没有像现在这样暴露在邪恶势力面前。一个又一个夜晚，我梦见满天都是敌人的飞机，战斗的中心就在窗外黑暗笼罩的小路上。我束手无策，阻止不了那里正在发生的刀光剑影的战斗。总是这样……天空突然变得非常辽阔，我希望今天夜里不要再起战事……可是很快就听见从远方传来嗡嗡嗡的声音。也许危险就会过去，天上只有一两架飞机，还可能是我们的。越来越大的嗡嗡声震耳欲聋，飞机像蝗虫一样布满天空，敌人就在头顶。

我不能说自己对冷战以及对当时与“赤色阵营”——阴险的俄国人和可怕的中国人——之间爆发的巨大冲突有什么研究。但是我知道比格斯一直代表我们的利益在战斗并且赢得胜利。北方一直麻烦不断。谢天谢地，比格斯弄清了真相。他的老对手冯·斯泰因为俄国得到我们的铀，绞尽脑汁，不遗余力。比格斯阻止了他的行动，但是我相信，“赤色阵营”一直在觊觎南澳大利亚。你可以在一九五五年出版的《比格斯在澳大利亚》一书中看到关于这方面的描述。

现在，旧的噩梦没有消散，新的噩梦又出现在夜幕之下。

这得怪吉尔。他喜欢制作被他称之为“液体肥料”的东西。他把牛粪和水倒进一个四十四加仑的桶里，搅拌成一种深绿色的黏糊糊的东西。那玩意儿对蚕豆的好处远比对小男孩儿的好处大。我做的“绿色的”噩梦总是同一个样子。千辛万苦爬上一座火山，以为山顶会有一池涟漪层层的碧水。可是满怀希望来到火山口，看到的却是一池肮脏的、黏糊糊的粪汤。每一次梦中爬山，都渴望看到清澈见底的池水，虽然明知道结果还和上一次的攀登相同。我从来没有和父母说过我做的这些噩梦。我的世界和他们的世界相去甚远。

对于我而言，善始而不善终已经成了一种很熟悉的模式。经常尿床就是例证。我睡得很香。睡梦中，“本性”开始呼唤，让我赶快“轻松轻松”。这倒正合我意。有一会儿，一切都那么美好，热乎乎的，挺舒服，可是很快就变得冰冷黏湿，然后万分沮丧地意识到又尿床了。一日之计在于晨。对于所有关心我的人来说，这个头开得可不好。父母亲总是满脸不悦，毫无同情之心。他们指责我缺乏控制能力，把尿床都归咎于我不听话。我觉得睡梦中被出卖了。

我这个人多愁善感，什么事情都容易动感情，更不要说背井离乡、分道扬镳、友谊破裂。夜里从晶体管收音机里听到的东西比读到的东西更让我动心。那时候，我还不太喜欢读书看报，但是喜欢听收音机。广播剧非常有吸引力。骇人听闻的事情有时候发生在周围人的身上，有时候却发生在很远的地方。我现在已经想不起《到萨马拉[①]的两条路》和《德米特里厄斯

①萨马拉：伊拉克中部城市，阿巴斯王朝遗址。

的档案》讲了个什么故事，但是播音员宣布连续剧开播的声音和为了烘托气氛播放的音乐仍然难忘。别的夜晚，我就听“晚间新闻”节目里广播记者蓝迪·斯通报道的城市犯罪和芝加哥小巷里发生的坏事的新闻。父母亲不太限制我听收音机，再说，我把那个“半导体”放在枕头下面，他们未必知道我在干什么。

搬到罗伯特大街四十六号之后，我们发现没有花园。阿克利的房子怎么能没有花园呢？父母一致同意在前面小院儿的篱笆旁边种玫瑰，铺草坪，再开辟一个小花坛种红色美人蕉。种美人蕉看起来是个好主意，花坛里很快就开出艳丽的花朵，但是参差不齐，没有次序。甘比尔山的土壤都是由火山灰土形成的，非常肥沃。伟景园的土却都是很坚硬的黏土，“开荒种地”很难。吉尔每个周末都在花园里忙。挖地，锄草，把粘在铁锹和靴子上的泥土气咻咻地弄掉。格拉森一直待在家里，只是偶尔端一杯茶出来给吉尔喝。栽花种草可不是她的事儿。

一个星期日下午晚些时候，吉尔开始抱怨胸口疼。家里人就赶快让他上床躺一会儿。他是不是心脏有问题？上世纪五十年代，男人常常死于心脏病突发。请来医生之后，医生轻声慢语，目光中充满关怀。他让吉尔举起胳膊，再放下，弯腰，再挺直。这儿疼吗？那儿疼吗？医生问得很仔细，检查得很全面。然后一切都明朗了。虽然还需要进一步检查，但是医生基本断定，吉尔只是患了纤维组织炎。换句话说也就是肌肉拉伤，是用力挖地的结果。这是我唯一一次见到父亲看医生。那以后不久，吉尔就不再打网球。格拉森觉得，他这个年纪，这种状况，已经不适合在网球场上气喘吁吁，跑来跑去。除此而外，他已经不能过度疲劳。吉尔那次犯病，给他们俩很大震动。

一九五八年，格拉森还在教书。每天早晨，父母亲开着“先锋”带我到北阿德莱德小学上学。这个学校离家太远，没法像在甘比尔山那样骑车上学。坐车去，大家一望而知，我是沃克家的人，校长的儿子。我们走进一所很漂亮的学校。和附近许多历史遗留下来的建筑物一样，这所学校是十九世纪用灰蓝色的石头建造而成的。那石头是不是从亚塔拉监狱农场采来的著名的“干河湾蓝石”？吉尔和格拉森不喜欢这种“蓝石”盖的老房子，也不喜欢北阿德莱德太老旧、离城太近。而且那里住的大多是意大利移民。吉尔的祖父约翰·托马斯·沃克曾经有一幢很漂亮的带露台的房子，离我们这所小学校只隔一个街区。吉尔和格拉森更喜欢新的、现代的东西。我的父母亲都是郊区长大的澳大利亚人。对他们来说，在四分之一英亩大的土地上有一幢新房子，是日子过得殷实、能被人尊敬的最好的证明。

十二岁已经是我告别童年、进入少年时代的年纪了。整个五十年代，我父母这一代人都为青少年的行为规范每况愈下而焦虑。青少年教育成了战后一个让人头疼的问题。大家都认为，青少年违法犯罪，尤其是生活在城市中的青少年的违法犯罪问题日渐严重。媒体对此非常关注。我的父母比大多数父母对青少年不守纪律的问题都更担心。少男少女表现出来的任何欲望的蛛丝马迹都让他们不安。而我的叔叔艾伦和埃里克对孩子们要求的标准就更宽松一点。

吉尔和格拉森一直是教小孩儿。这些小不点儿比处于青春期的孩子们好对付多了。小学生恭敬顺从，总是仰着稚嫩的、表情急迫的小脸儿，老师让干什么就干什么。再大一点的孩子就不那么听话了，有的孩子甚至一肚子主意。我姐姐的表现就很突出。她十四岁那年，我父母还在甘比尔山工作，就把她送到阿德莱德一所寄宿公寓里一个人生活。她开始在一家理发馆学理发。她就变成一个不服管教的孩子。我父母很少去看望她。对于一个十四岁的女孩那一定是一种寂寞无助、困惑为难的经历。父母何以如此行事，很难理解也无法原谅。姐姐结婚之后，她的荷兰婆婆内尔古道热肠，总是陪伴着她，俨然一个慈祥的母亲。而格拉森从来没有做到这一点。

我的父母亲似乎过分在乎别人对他们的看法，不过他们也确实是公众注意的人物。教师是良好行为的守卫者。他们的儿女只能是别人学习的榜样，否则就会成为人们议论的对象，让你十分尴尬。北阿德莱德小学周围小铺子的老板经常抱怨当地的孩子们偷铺子里的东西。身为一校之长的 G.J. 沃克就密切关注那些制造麻烦的家伙。我在学校被同学们嘲弄，说我是个胆小鬼，不敢加入他们偷东西的小团体。等我没办法加入他们的队伍之中后，我才发现自己能成为一个动作敏捷的“贼”。尽管我压根儿就没偷过我真的想要的东西。就这样，我——校长的儿子——白天“违法乱纪”，大多数夜晚“参加冷战”。这可真让人筋疲力尽。

五十年代，流行音乐也属于对青少年产生不良影响的因素。刺耳的音乐，一边唱一边扭屁股，摇滚音乐不符合语法规范的歌词，在我们家没有市场。“废话！”吉尔说。在他的字典中，这已经是最严厉的字眼儿了。一九六一年，埃迪·霍德格斯唱的一首歌更让他恼火。在我父亲看来，歌中唱的那个处于青春期的男孩儿身上集中了当代青年所有的问题。尽管他很少关掉收音机，但是那个热烈追求女孩子的男生第一声“号叫”就让他无法忍受。下面就是那首表现当代青少年“肆无忌惮”的流行歌曲的歌词：

我要敲你的门，按你的门铃，
还要砸你的窗户！
如果月亮升起，你还不出来，
我就要敲，按，砸！
直到你出来。

为了抵制这种不良影响，一九五八年，刚搬到伟景园不久，父母亲就花了一大笔钱买了一台立体声电唱机。那年，立体声电唱机刚刚上市。我们家那台唱机机身用亚麻色木头做成，腿呈纺锤形，扬声器装在两边，喇叭按照一定的角度朝向里面，确保立体声效果。我们沃克家总能跟上新技术发展的步伐。吉尔喜欢买最新发明出来的东西。他就是紧跟时尚长大的。早在上世纪三十年代，“沃克父子公司”就在经销传统的鞋和靴子的基础之上，增加了经销收音机和收音电唱两用机的项目。搬到伟景园之后，吉尔和格拉森对音乐的爱好转向轻歌剧。弗朗兹·莱哈尔的《风流寡妇》是他们的最爱。他们还喜欢施特劳斯的华尔兹圆舞曲，喜欢吉尔伯特和沙利文，还有些著名的古典乐曲，比如贝多芬的《第五交响曲》、柴可夫斯基的《1812序曲》。古典音乐充满了欧洲风情，华美而繁复，属于格拉森那个世界，而非吉尔所爱。吉尔认为，一个有教养的人应该懂点儿音乐。我们在罗伯特大街的这个家里，尽管有立体声电唱机，有很时髦的派伊牌收音机，还有数量不多但不断增加的唱片，但是没有什么书。只有《广告报》和《澳大利亚妇女周报》这两份刊物按时送到家门口供父母阅读。

我曾经看过格拉森一九六三年从美国写回来的一封信。她在信中描绘了第一次看彩色电视机时的心情。她还非常兴奋地谈到从美国无线电公司听到的一种最新的录音技术。“这种技术就像立体声超过单声道一样，”格拉森解释道，“远远地超过了立体声。”她和吉尔打算从美国买几张非常棒、非常棒的唱片回澳大利亚。他们将选择几张他们喜欢的古典音乐，但也不排除为我们家那几个音乐“异类”再买一张切分音颠三倒四、打击乐震耳欲聋的拉丁美洲音乐或爵士乐。至于当代经典音乐，就别想了。“……如果你们想买猫叫春似的斯特拉文斯基的唱片，就自己掏钱。”一九六〇年，我哥哥买了一张斯特拉文斯基的唱片《春之祭》[①]，就把这只“猫”和优雅的“鸽子”放到了一起。格拉森的评论也许尖刻，伤人感情，不过主要还是幽默，“给轮子上点儿油吧”。

一九五九年，我到恩菲尔德中学读书，开始了新的生活。那年我十三岁，正是处于危险之中的少年，具有行为不良的潜在因素。《新闻快报》就这一问题刊登过许多骇人听闻的消息和文章。还不是曾经“流入”沃克家的那些东西。在卖炸鱼和薯片的商店——对不良生活方式做试验的训练基地——我已经对这个问题做了研究。阿德莱德北部郊区如雨后春笋般兴起，所谓行为不良的人更多，人们管他们叫“小流氓”、“女阿飞”。

---

①《春之祭》：美籍俄罗斯音乐家斯特拉文斯基的芭蕾舞剧，是他的第三部芭蕾音乐作品，被英国古典音乐杂志评选为对西方音乐历史影响最大的五十部作品之首。

再往北，以年轻的伊丽莎白二世命名的“伊丽莎白卫星城”渐渐变得犹如空阔的牧场，社会秩序自然好了许多。一九五八年在新西兰，对青少年不良行为的挑战促成了一本带插图的《无赖青年：变态心理研究》的出版。

吉尔和格拉森对自己家孩子们所谓变态心理的征兆非常敏感。尽管父母不同意，我还是购置了“小流氓”的全套行头：黑羊毛衫、黑瘦腿裤、黑尖皮鞋、血红色衬衫。姐姐认为这只是处于青春期的孩子逆反心理的表现。格拉森却极其反感我这身打扮。她甚至怀疑我是拿吉尔钱包里的钱买的这身行头。

我从来都不是一个货真价实的“小流氓”，我的行为还算不上“不良”，仅头发这一点就不合格。“正宗的小流氓”都是乌黑的直发。他们抹的发胶，足够给一个火车头上油。把头发梳成时髦的发型，把多余的发胶非常潇洒地弹到地板上，是他们的基本功之一。有些引领风气之先的同学把发胶带到学校，课间，甚至课堂上，不失时机地往头上抹一点儿。我满头卷发，抹了发胶只能更卷。看起来完全不是那么回事儿。卷发既有点女人气，又有点外国范儿。这些让人尴尬的绒毛似的玩意儿在我脑袋上干什么，我可不知道。

我就读的这个学校离家骑自行车要二十分钟。学校是个“小流氓”、“女阿飞”聚集的地方。这所学校开办于一九五三年，正对基普斯·克罗斯移民招待所。那里住的人越来越多，诺斯菲尔德小学因此而不断扩大。我去恩菲尔德中学读书的时候，那所学校有一千名学生。已经是全州最大、纪律最差的学校之一。不过，它毕竟是教书育人之地，学校用拉丁文书写着校训：

Pactum Serva。这是西塞罗[①]说过的话，意思是："诚信"或者"言而有信"。恩菲尔德中学教学质量虽然不怎么样，父母却没有送我上私立学校的打算。当然有钱方面的考虑，但更主要的恐怕还是因为私立学校和公立学校的教育理念不完全相同。人们普遍认为，公立学校和私立学校的学生有一定的差距。但事实上，我们家的孩子听的是立体声电唱机，看的是高雅的文学作品，不抽烟不喝酒，行为举止也很得体，而这一切意味着比起他们，我们更胜一筹。吉尔和格拉森都知道罗伯特大街酗酒滋事、吵吵闹闹的人家不在少数。

我到恩菲尔德中学上学的第一天真是糟透了。大多数同学从五六岁起就自己上学，可我一直是跟爸爸妈妈在一起。现在自个儿上学，笨得简直无法想象。一位老师用扩音器大声叫喊："按姓氏第一个字母的顺序排队！"同学们听了推推搡搡，乱作一团。我的脑子也乱作一团，不知道大卫（David）和沃克（Walker）哪个算数。就问旁边一个同学。"后面那个是姓，傻瓜！"那位同学撇着嘴轻蔑地说。"傻瓜"听了只好往后面挤。然后，我们都坐下做智商（IQ）测试。一两天后，新生又集合起来分班。老师念名字的时候，我洗耳恭听。IA、IB、IC、ID……似乎要好几个小时才能念完。最后，"傻瓜"被分到 IE——最后一个班。老师一定怀疑，我的 IQ（智商）有问题。

骑着自行车回家的路上，我一直琢磨该怎么向父母解释这个结果呢？我把自行车放在我们家宽宽的屋檐下面，走进家门，等待时机讲一个真实的、官僚主义者无视学生真实情况，胡乱

①西塞罗：古罗马政治家、雄辩家、著作家。

分班的故事。吉尔和格拉森仔细地听着。听完我这个颇为煽情的故事之后，格拉森转过脸对吉尔说："你得去学校，让他们给换个班。"第二天父亲就去找有关人士，把我调到 IA 班。我觉得我的 IQ 瞬息之间有了很大提高，尽管内心深处，知道自己实际上还是个 E，硬是蒙混成了 A。后来，吉尔还常常愤愤不平地提起这件事。他不停地摇着头，似乎无法相信学校怎么会犯这样重大的错误呢。

就我所知，沃克家和伯恩家都只懂一种语言。我提升到 IA 班意味着我要学拉丁文和法语。在这方面，我不记得吉尔给过我多少帮助。当然偶尔也会放下自己手里的工作，像个努力学习拉丁文的学生一样，教我念念 veni，vidi，vici①或者 amo，amas，amat②这样的句子。我们家的人都认为拉丁文是一种滑稽可笑、很难懂又没有生命力的语言，学也没用。我的拉丁文老师是拉格小姐。她尽最大的努力帮助那些包括我在内的不注意听讲、不好好学习的学生。恩菲尔德中学有些身强力壮、肌肉发达、专门以欺负人为乐事的家伙。我在这个学校上的第一节课不是拉丁文，而是如何避免挨揍。来恩菲尔德中学之后，我很快就看清了这里的形势，下定决心不能被别人征服。拉格小姐宣布拉丁文考试的时候，我知道得赶快突击一下才能及格。可是，现在不行，我手头有好多事情要做，只能临阵磨枪。没承想，老师来了个突然袭击，我一点儿准备也没有。

我还记得教室里的情景。老师放下百叶帘，挡住黑板。黑

---

① veni，vidi，vici：拉丁文，意思是"我来，我见，我征服"。恺撒大帝用这几个字简单明快地描述了他的胜利。后人用它作为一首歌的歌名。

② amo，amas，amat：拉丁文，意思是"我爱，你爱，他爱"。

板上写着考试题。到了要考试的时间，拉格小姐按了一下按钮，百叶帘砰的一声弹了上去。我只朝黑板扫了一眼，就知道这回可遇上了麻烦，并且立刻下定决心设法逃避考试。然而这是不可能的。我断定，想逃避考试的不止我一个人。这屋子里别的“聪明人”也一定在想办法赶快逃走。所以，最好能在“大逃亡”之前脱离险境。我呻吟着假装胃疼。拉格小姐没有注意，别的同学却都掩嘴窃笑。十几岁的孩子在这种问题上可比大人敏感。拉格小姐终于注意到了我。她告诉我——我觉得她的感觉那么迟钝——到走廊坐会儿。同学们用羡慕、嫉妒的目光看着我。他们一定觉得我能想出这样一个理由实在太聪明了。拉丁文考试刚刚开始，沃克就溜之乎也。我在走廊里继续呻吟。我知道一个人坐在这儿哼哼唧唧一定太傻，可我更清楚，如果突然不出声了，就会引起别人的怀疑。拉格小姐一定觉得我的病情很严重，她让林顿·宾利，一位很优秀的“拉丁文学者”把我送到校长办公室。校长很重视，立刻给我父亲打了电话。父亲也很着急，放下手里的工作，急忙开着“先锋”带我去看家庭医生。医生摸摸这儿，捅捅那儿。我一口咬定右边小肚子疼，还增加了一个令人信服的细节——大约一个多星期前在学校我被人推倒，撞在楼梯上，受了伤。我编的这个故事虽然不是天衣无缝，但听起来也没有多少破绽。医生直起腰，把父亲拉到一边儿。他怀疑我的肠胃出了问题。医生满脸严肃，父亲满脸严肃，我也满脸严肃。

奇迹就此展开。一场真正的医疗救治开始了。我右侧小肚子下面真的有点肿胀，被迅速送往医院，结果取出了一个高尔夫球大小的瘤子。因为伤是在学校受的——按照我信口胡编的那个撞到楼梯上的故事——所有医疗费都由学校购买的医疗保险支出。许多年后，我才给父母讲了事情的真相，当然不失时机，添油加醋，吹了点儿牛。我的这次手术成了茶余饭后的笑谈。我惊讶地发现，父母亲一点儿都不觉得这个故事好玩儿。“我们不觉得有什么好玩儿。”格拉森说。这是她最爱说的口头禅之一。似乎永远欠着维多利亚女王一笔账。他们也许很恼火，儿子怎么会具有技艺如此高超的撒谎骗人的天赋。此外，如果这事传到教育部，人家认为吉尔·沃克和格拉森·沃克伪造事实，欺骗学校的保险如何是好？

我的父母也许并不了解学校那个小社会还有那么多见不得人的黑暗面。有一次骑自行车到学校的时候，我听见两个大一点儿的男孩谈论他们参与显然是强奸的事儿。他们说话的口气很轻松，就像在聊天儿。还有两次，学校召开辨认强奸犯大会。受害者坐在高台上，全校同学排成一行，从她面前走过。警察和老师站在旁边仔细观察。我还记得有的女孩子穿着肥大的衣服遮挡怀了孕的肚子。学校北边，是很早以前就建立起来的那种危险的机构：传染病院、亚塔拉监狱和精神病院。同学们开玩笑，纷纷预测哪个“机构”是哪个人最终的归宿。

母亲认为，作为一个情窦初开的男孩子，我肯定会被异性吸引。这种吸引对我的成长十分危险。我对那些令人愉快的“额外事物”当然特别感兴趣，可是我也同样清楚地知道，男人有婚姻之外的性行为大逆不道。“列队认人”让我对上帝敬畏。我更读不懂贝登·鲍威尔勋爵在他那本书名就含糊不清的《探索男生》一书中所说的“种族器官”。在这本书里，贝登·鲍威尔谆谆告诫，苦口婆心。我从他那儿得知，甜菜根补血，能让人精力充沛。他还告诉我们，日本人很难掐死，因为他们不怕麻烦，把脖子上的肌肉锻炼得非常结实。知道这一点迟早有用。直到今天，我也不敢去掐我认识的任何一个日本人的脖子。说到所谓“种族器官”，鲍威尔告诉我们，一直让那玩意儿保持低温非常重要。

这一点在英国老家比在阳光明媚的南澳大利亚更容易做到。我经历过许多让我的“种族器官”保持低温的困难，特别是在阿德莱德闷热的夜晚，那些不知害臊、歌声优美的女歌手闯入梦乡的时候。我估计身处异国的鲍威尔用不着对付那种闷热。并且，早在碧姬·芭铎[①]走上银幕之前，他就已经上了黄泉路，“种族器官”早已“低温如冰”。碧姬·芭铎掀起了一股又一股的热浪，几乎让全世界的男人都陷入燥热之中。事实上，芭铎女士，这位法国影星和女神，也是我的梦中情人，《探索男生》中的理论派不上半点儿用场。

格拉森·莫德·华莱士·伯恩·沃克也帮不了什么忙。毫无疑问，我不可能和父母亲探讨我向往和芭铎女士有些关系的问题。他们一定认为她跟我很不合适。她比我大好多岁，肯定会占我的便宜。再说，她是外国人。没错儿，她总标榜自己是法国人，似乎法国人就高人一等。是不是法国人在罗伯特大街当然没有什么用处，但是在抬高法国人的问题上格拉森也并不是一点儿责任没有。她想让我学法语。但是她十分沮丧地发现，我学法语的积极性很少超过与芭铎女士的乳沟相关的那些

①碧姬·芭铎（1934—）：法国电影女明星，昵称“BB”，有时也被称为“性感小猫”。碧姬·芭铎同时也是一名动物保护主义者，持有右倾政治主张。

单词。芭铎炫耀的当然不只是她的软玉酥胸。她还喜欢噘起两片朱唇，用一双美丽的、充满爱意的眼睛看着你。她满头金发，总穿比基尼，将修长的玉体暴露无遗。母亲会说，或者更会想，她连一点儿给人想象的空间也不留。对此我不能赞同。一提到芭铎女士，我的想象力就丰富得出奇。回想往事，我发现很难想象芭铎看中我什么？一定有比伟景园的“异国风情”和我的“老于世故”更具吸引力的东西。我一直骑自行车，腿部的肌肉非常结实。也许这会是她看中的。自行车原本是法国的玩意儿。

结局当然不妙。芭铎和我最后“分道扬镳”。也许我早该看出她不愿意与人为伍，而是喜欢深居简出，与小动物为伴。她信奉极端民族主义的信条，支持让－马利·勒庞[①]，否认大屠杀，反对移民和同性恋，制造不满和怀疑。这些东西我现在想都不愿意想。我是不是做得过分了？我相信是。我怪自己吗？当然，当然，在这个问题上很难不怪自己。

我们家凡是和数学、账单、银行有关的事情都归吉尔管。可是有一件非同寻常的事情例外。有一天，格拉森把我带到一边，与我召开了一次重要的“峰会”，讨论如果我让一个女孩子怀了孕会是什么后果。我早就知道，如果把一个怀了孕的“女阿飞”带回家，绝对没有好果子吃。格拉森手里拿着一张纸，上面写着各式各样的数学公式。她要和我搞一次“成本收益分析”。计算收益的时间很短，关键是成本。我得支付生活费。格拉森按每两周支付一次，一直支付十七年计算。为什么要

①让－马利·勒庞（1928—）：法国极右翼党派民族阵线领导人。

十七年呢？有没有把通货膨胀和间接成本计算进去？我现在已经回忆不起她计算出来的准确的数字，但肯定是天文数字。我纳闷会不会是她把这个计算过程“外包”给吉尔，让吉尔替她计算了一番，或者她碰巧从哪本妇女杂志上看到这些挺有用的数字？上世纪六十年代初期刊物上经常刊登一些有教育意义的文章，介绍养大一个非婚生的孩子的成本有多高。

这是母亲唯一一次在数学方面给我的指导，或者是她给予我的勉强可以称之为性教育的说教。过了不久，父亲不无尴尬地递给我一本书，还说，也许对我有用。那本书的书名我已经不记得了，但还记得设计粗陋的绿封面和倒胃口的男女性器官的解剖图。图画旁边还配了简短的文字，介绍我们为什么长这些器官。我压根儿就没读那本书，父母后来也没问过我看没看。显然他们认为已经尽责了。

大约这个时候，有迹象显示，我得了牛皮癣。那是一种和遗传有很大关系的皮肤病。这种病可以因压力太大引起，其症状为皮肤出现鳞状红斑。我的好发部位是胸口和两腿，这当然已经够让人担忧了。我没怎么想就得出一个错误的结论，认为自己得了很严重的疾病。虽然不敢断定，但格拉森暗示我是不是得了性病？因为她正试图教育我避免对“种族器官”管理不当的行为。不管怎样，我因此而明白，性病的症状和我现在身上出现鳞状红斑颇为相似。大多数医疗专家都同意，我和芭铎女士的“恋情”不可能造成这样的后果。而我对这种疾病形成的原因显然不够了解，觉得自己皮肤红斑点点就是得了性病的证据。

我知道，被“性病”困扰的痛苦不是餐桌上的好话题，我也没有兴趣读那些医学书籍。因为大多数红斑在胸脯，我还可以遮掩过去，只让自己知道情况有多糟。父母亲似乎没有注意到这些变化。但我觉得总该采取点儿措施。于是，跑到车库，在“先锋”的注视下，在父亲收藏的那些褪了色的运动会奖杯、一瓶瓶胶水、一卷卷砂纸中搜寻。砂纸看起来有希望派点儿用场。我拿出一张粗细合适的砂纸，开始在红斑上磨了起来。这当儿一直小心翼翼，生怕被人发现。回家的时候，我那副样子一定很狼狈，可是爸爸妈妈还是没说什么。我的“治疗”起作用了，尽管最好还是不治。后来情况渐渐好转，从那以后，我就再也没有受牛皮癣的困扰。

一九六二年我参加了大学入学考试。按照当时的习惯，一九六三年，我得再读一年。英语、历史、法语、数学 1—2、物理、化学都过了，几门功课的成绩都差不多。这一年留校学习也没有必要太用功。父母亲开始讨论什么职业最适合我，还把我送去做了一次“能力倾向测试”。测试的结果显示，我适合做一个合格的羊毛分级员。于是，吉尔和格拉森送我去上周末羊毛分级课。头几节课我就开小差（远远地落在别人后面），所以只能看着桌子上那团羊毛发呆。等到老师让我判断羊毛的质量时，我茫然不知所措。老师气得要命，让我立刻离开。我由此结束了羊毛分级员的生涯。

还有一种可能。搬到伟景园之后，我开始对钟表发生兴趣。我经常看《广告报》，寻找有没有拍卖什么人遗产的地方，当然距离不能太远，我只能骑自行车去。我经常是唯一一个想买钟表的人。我买过两个很漂亮的美国西森斯公司生产的挂钟。总共才花了四先令。我还买过两个德国西门子产的座钟，很漂亮，后来我把它们当作装饰品。我收藏的这些钟表种类很多，成为研究历史的契机。

我很庆幸，买那个看起来样子很笨重的绿钟的时候，吉尔和我在一起。要搬它的时候，怎么也挪动不了。吉尔开玩笑说，那个“该死的家伙”一定被钉在壁炉台上了。我们俩吸引来一小群看热闹的人。把那个很重的家伙搬到车里，也费了一番周折。等我把钟上的绿油漆去掉之后，它不再是丑小鸭了，而是一个镶嵌在黑色大理石上的非常高雅的法国座钟，成了我收藏的那些钟表中最值得我骄傲的一件。可是一九六四年一月，我帮埃里克家摘了几个星期杏再回到家里时发现，我的钟都没了。格拉森决定把它们都处理掉。我一直没弄明白她为什么要这样做。那些钟表，特别是那个大理石底座的法国座钟陪伴了我的整个少年时代，我把它们当作亲密的朋友。我本来很可能在研究钟表方面有所成就，但是父母亲认为这个选择不好。在他们看来，整天盯着那些小齿轮、细游丝，会把眼睛看坏。

就这样，做羊毛分级员不成，研究钟表也不行，我的前途看起来一点儿也不光明。吉尔和格拉森有比考虑我将来到底干什么更重要的事情要做。一九六三年，他们打算出国。那是他们第一次海外之旅。吉尔休“长期服务假”。他们谁也没有提出带我一起去。我怀疑他们是否有能力支付那笔费用。不管怎么说，他们有自己的天地，处于青春期的孩子们已经不再属于那个世界。他们出国期间，我和南澳大利亚教育部，签了一个当小学老师的合同。这样每两个星期就能领到一点儿微薄的工资。这当儿，我还可以自学几门大学的课程，尽管那并非一定要去做的事情。父母亲同意我的安排。他们并不特别鼓励我上大学，认为我学起来会很吃力。我看起来不具备吉尔那种坚定不移、持之以恒的品格。格拉森从来没有做母亲的温情，非常清楚地表明自己的态度：她和吉尔终于用不着再为我操心了。他们都希望我能自食其力。我虽然明白她的意思，但并不特别急于马上出去打拼。一九六四年，澳大利亚政府招募我去越南打仗。“赤色阵营”还在向前推进，我当然有责任去阻挡他们的“侵略”。可是在上大学读书和上前线打仗这二者中选择的话，毫无疑问，上大学安全得多，而且更有吸引力。

第十六章　周游世界

年岁大了之后，吉尔非常喜欢看他的旅游日记，经常让我姐姐给他大声念。最早的日记写于一九六三年他们第一次海外之旅。他的日记实际上有两本。一本是每天随手记下的一个大概，另外一本是事情过后的详细记录。因为大多数日记都是格拉森写的，所以吉尔认为那是她的日记。姐姐给他一篇一篇念的时候，他便又一次感觉到格拉森的遣词造句、她的热情、她的音容笑貌以及他们一起去过的那些地方。他仔细听着，仿佛又回到欧洲大陆，在古老的文化中穿行。而以前，那一切对于他们都遥不可及。吉尔会不时打断姐姐的朗读，满脸放光，举起一根手指轻轻摇晃着，回忆那段美好的时光，或者补充一些细节。我在想，那位在巴拉长大的羞怯的男孩和来自玛利雅特维尔的姑娘一定不曾想过，有朝一日，他们能周游世界，看到这么多新奇的东西。

父母亲把他们“改造”成了海外旅游者。他们俩就像一个团队，吉尔负责买从一个地方到另外一个地方的车票，订旅馆，拿行李，保管旅费。格拉森研究《旅行指南》，选择旅游路线。“弗莱默”[①]成了他们的《圣经》。《欧洲之旅，每日五元》。后来成了“每日十元”。我的父母都是非常节俭的人。但他们觉得把辛辛苦苦赚来的钱用在旅行上远比抽烟喝酒强。旅行开阔了视野，增长了知识。旅游当然也有一定的风险，但他们还是喜欢“自助游”。他们认为没有必要的时候不会求助于旅行团。不过，他们还不是非常喜欢冒险的游客。他们不会坐着筏子在浪花飞溅的林波波河[②]上漂流。“第四天，我们到达那一段湍急的河流。好多人在这附近丧命。”这些都无关紧要。更重要的是，海外旅行证明他们作为现代人的地位。他们能够和别人聊一聊去过的那些国家，谈一谈他们体验过的风土人情。

格拉森主管描述那些能唤起人记忆的往事，记录一路的见闻，吉尔负责筹划、安排旅途中的具体事务。和外祖父麦克拉伦一样，他很有数学头脑，计算能力很强。日记里记载，吉尔有一次用步测量出倒伏在一座古建筑废墟前面的柱子的长度，然后估计出它的周长，计算出它的重量，还算出了当初把这根柱子立起来要花多大的力量。他就喜欢计算什么概率呀、几率呀，而格拉森对这些事情一点儿兴趣也没有。不过他们俩对对方在文字和数字领域的“权威性”从不怀疑，心服口服，所以相安无事。

第一次旅游回来之后，父母买了个幻灯片放映机和一块银

① “弗莱默”：指旅行指南出版商弗莱默出版的《旅行指南》。
②林波波河：南非北部林波波省的一条河。

◎格拉森的护照

幕。我不是他们的“目标观众”，对那件事情的记忆已是十分遥远。给我留下深刻印象的是，要想在某个夜晚成功地放映一次幻灯，需要做非常认真的准备。吉尔和格拉森领略了令人叹为观止的风景，我也被拉去一看究竟。整整一个晚上，我们都伸长脖子从那些拍得模糊不清的照片上辨别历史遗址。幻灯片要么上下颠倒，要么先后次序搞乱。本来老两口让我们做好看意大利风光的准备，银幕上出现的却是伦敦塔，紧接着是一个横着出来的守卫伦敦塔的士兵。

这一次惨败让我的父母不得不认真反思。他们开始起草几条基本规则，以便晚上再放幻灯时能大获全胜。这些规则包括：一次只插入一张幻灯片，只放最好的，不要重复。所有幻灯片上下不能颠倒，还要写好与之相对应的解说词，供“讲解员”吉尔之用。我的建议他们没有采纳。我觉得有一个地方可以放那张意大利卫兵，那些历史遗址也可以重新安排一下，格拉森嗤之以鼻，说："傻瓜！"

一九六三年的旅行，他们去的地方是香港、泰国和埃及，在悉尼和菲律宾稍事停留。在澳洲航空公司的终点悉尼，他们参观了澳大利亚广播电台"阿格诺俱乐部"举办的美术展览。吉尔和格拉森很早就热衷于"阿格诺俱乐部"的活动。他们喜欢澳大利亚孩子们画的表现他们对日本印象的画，也喜欢日本孩子画的描绘澳大利亚的画。孩子们的世界是两个小学教师最熟悉的领域。能够坐着澳洲航空公司的飞机到香港，他们非常骄傲，还特意记录下"澳航"的广告词："我们让你酒足饭饱！"接过一块麦芽糖、一杯橘汁，格拉森就觉得"酒足饭饱"了。她还说，别的航线已经停止了这些服务。以此证明"别的航线"和"澳航"的差距。

吉尔在马尼拉机场男洗手间第一次领教了"东方的神奇"。他站在小便池前的时候，感觉到有个学者们所说的"他者"站在身边，耳边还传来嗡嗡嗡的响声。原来有人用一个小吸尘器非常麻利地吸了一遍吉尔的衣服。他得为这压根儿就不需要的服务支付"赏金"。吉尔不情愿地掏出一枚硬币给了那个人。从洗手间出来的时候，他看见又有两个先生正等待着向他们走来的"企业家"。格拉森记录了这个小插曲，称之为吉尔所说的"东方人的独创性"。她描绘"一只讨好的爪子"伸到他的鼻子底下，一个"十分柔和"的声音说："服务费，先生。"就这样，那个手持真空吸尘器的人成了一个不错的话题。吉尔和格拉森在马尼拉机场短暂的停留虽然损失了一枚硬币，但总体上看还是有所盈利——他们收获了旅行者的第一个故事。

两位旅行者傍晚到达香港。一出机场，眼前的景象就给他们留下深刻的印象。离开平展展的阿德莱德和向四处延伸的郊区，香港的风景让人叹为观止。环绕市区的高山上，万家灯火璀璨夺目。吉尔和格拉森一直就特别喜欢看城市的灯光，开车到阿德莱德山眺望市区的灯光一直是我们家的“盛典”。但我不喜欢这样的旅行，山路弯弯，晕车，远处一片枯黄的灯光看得你直想吐。吉尔和格拉森的香港之行之后，阿德莱德的灯光似乎不再有什么吸引力，我们家很少再听到对那片枯黄灯光的赞美之词。

在香港机场，吉尔去换钱的时候，格拉森注意观察机场上的行李搬运工。发现他们都身穿工作服，头戴工作帽，十分整洁。吉尔换钱回来之后，对那些换钱的业务员算盘珠子拨得飞快十分赞赏。对于吉尔——一个对数字特别感兴趣的人——来说，算盘是中国文化的一部分，他特别想亲自试一试。在香港期间，他一有机会就看人家打算盘，真是百看不厌。也许他想起小时候在市场广场鲁克·戴的铺子里，看鲁克打算盘的情景。他对那玩意儿那么入迷，格拉森不得不把他从噼里啪啦打得飞快的算盘旁边拉开，不停地说：“好了，好了，吉尔，快走吧！”

他们下榻于九龙帝国饭店，房间里有浴室、空调。那是罗伯特大街没有的现代化的奢华与享受。尽管已经很晚，吉尔和格拉森还是立刻到著名的九龙购物中心逛商场去了。商场里的商品琳琅满目，虽然已是夜半时分，仍然灯火辉煌、熙熙攘攘。买东西的时候，格拉森刚想讨价还价，吉尔却已经欣然接受。日记里写道：“想到在这儿能省下那么多钱，他高兴极了。”现在，他们完全被神秘的东方包围了。香港最初给他们的印象都是正面的，这里的人穿得都很好，勤劳，友善。他们信心倍增，相信自己能在香港玩得很快乐。第一天，他们准备乘坐渡船和公共汽车。

第二天早晨，格拉森看到拉黄包车的车夫，本来想试一试坐在那种车上会是什么感觉，可是仔细想了想，还是觉得让这么瘦小的人拉着她这样一个“营养极好的人”在大街上跑不大合适。她虽然一直想减肥，但是看到香港街头小巧玲珑的中国女人，却觉得她们简直像小麻雀。她纳闷，莫非她们生来就这样娇小吗？吉尔和格拉森乘坐的渡船十分干净，一尘不染，一等舱，才花四便士。几乎等于白坐。说起香港，他们觉得词汇都不够用了，因为每一次经历都需要一个形容词的最高级来形容。乘坐渡船“让人心旷神怡”。海面上飘摇着各式各样的船：趾高气扬鸣着汽笛的渡船、宛如画中的舢板、乌篷小船、渔船，还有气势恢宏的大客轮。许多海军舰艇——英国、美国、澳大利亚的军舰也停泊在这里。前一天他们刚在这里举行海军联合军事演习。

吉尔和格拉森很快就开始考虑制作香港旅游的幻灯片。通往最高峰的缆索铁路，维多利亚山，都是“必须拍摄的”。作为教师，他们似乎总也改变不了自己“好为人师”的形象。放香港渡船的幻灯片时，他们就说，从山顶看去，四艘渡船在十秒钟内先后到达。时间自然是吉尔计算的。他还可以报告说，十辆公共汽车排成一行向同一个方向驶去。香港拥有无可否认的活力和蓬勃发展的动力，我的父母觉得它的中国色彩远远浓于英国色彩。

购物是一九六三年沃克家去东方的任务之一。我从香港收到我的第一个晶体管收音机。这个收音机是日本造的，我一直听了好多年。不过有的日本产品也不怎么样，吉尔和格拉森从“推荐的商店”购物。“在香港买东西一定要提高警惕。”格拉森写道。买完东西之后，吉尔想到亚伯丁港湾看看。格拉森不大情愿，等公共汽车的人和乘坐渡船的人比较穷，穿的衣服也不好。吉尔说：“你不是想看看人们真实的生活情况吗？那就得这样去。”公共汽车在一条不宽的街上行驶，大街两面都是拥挤的、破破烂烂的公寓楼。在亚伯丁湾可以捕鱼的地方，他们看见到处都是垃圾，正在晾晒的鱼干儿。这才是“真正的中国”。他们很想亲眼看看，回来的路上一直步行。看到一座学校，他们就走进去，自我介绍是从澳大利亚来的老师。后来，他们又走进一座技术学院，学校里的人很热情地带着他们在学校里转了一圈儿。吉尔和格拉森看起来一定怪怪的，两个人都衣冠楚楚，在狭窄的后街小心翼翼地走着，一看到学校就进去说自己是来自澳大利亚的教师。

亚伯丁湾“探险”之后，这个英勇的“二人组合”便去海王府大酒店。格拉森写道：这个酒店因《苏丝黄的世界》[①]而闻名。这部电影一九六〇年在澳大利亚上演。那年我十五岁，没有看过。吉尔和格拉森是不会让我去看这样一部电影的。故事的背景在妓院，主人公苏丝是个妓女，但她有一颗金子般的心，穿着动人的紧身旗袍。在我的父母看来，她有点儿伤风败俗。去海王府大酒店要坐小舢板。招徕生意的船家很多。最后他们选了一条比较干净的小船。划船的是一对母女。她们一直“面带

① 《苏丝黄的世界》：美国爱情剧情片。根据英国作家梅臣的小说改编，是一部描写异国恋情的经典爱情小说，小说对下层社会、人性尊严有着极度深刻的描述，是此类作品中的佼佼者，影片是当年度十大卖座影片之一。

微笑”，把他们送到那家灯红酒绿的大酒店。

“穿戴得一尘不染的领班鞠着躬”把他们迎进酒楼。我仿佛看见吉尔和格拉森十分认真地听他解释说，海鲜要在活蹦乱跳的时候先拿来让客人过目，征得客人同意才能烹饪。菜单上的美味佳肴看得人眼花缭乱。吉尔历来就是一位礼貌周全的绅士，十分和蔼地问侍者，是否介意向他们这样的游客推荐几样美食。他也许认为侍者一定觉得有责任帮客人选择几个好菜。格拉森说，那是他们吃过的最具异国风情的美食。尤其是用筷子夹不听话的明虾那么好玩儿，让她永远难忘。他们坐在窗前，望着海港点点灯光，享受着侍者殷勤的服务，心里一定非常受用。我仿佛听见吉尔感叹：“真是人间天堂！”格拉森非常优雅地用餐巾擦着嘴，当然赞成吉尔的看法，说道：“是呀，要是我们的朋友能看到就好了！”

那一天日程安排得满满的。虽然开着空调的酒店很有诱惑力，可是看到电车他们就想再到山顶去观光。他们又置身于繁华都市的万家灯火和海港的一片辉煌之中。“一座座山上楼房林立，千万个窗口灯光明亮”，完全是不同的风景。吉尔发现一个更高、角度更好的观景点，可是格拉森“不敢在夜里独自行走在相对比较黑的路上”。果然，第二天早晨，他们从报纸上看到，有一个游客在那儿被人杀害。也许格拉森此举非常英明，要不然《广告报》或许会登出这样一则新闻：“阿德莱德一位校长，G.J. 沃克先生，五十五岁，在香港遇刺身亡。”那真是多事之秋。回想起一九六三年，四月二十三号，格拉森写道：“短短一天经历了那么多事情，真是不可思议。”

到香港不可能不买衣服。格拉森买了一件灰色安哥拉兔羊绒外套，上面镶着一串珠子，还买了一个和它相配的包。吉尔购置的是“大件儿”——裁缝定做的西装。他们在香港待的最后一个夜晚十二点半，房间里的电话响了。打电话的人是裁缝李先生。他要吉尔在最后修改之前再试穿一下。格拉森躲在毯子下面，假装她不在房间。李先生量了又量，改了又改，对这套即将完工的西装赞不绝口。他凌晨一点离开。早晨八点整，李先生按照约定的时间手捧熨烫得整整齐齐的西装站在吉尔面前。又一次展现了中国人的礼貌、技艺和超强的工作效率。

下一站，曼谷大饭店。他们从南越和老挝飞过，全然不知孟席斯政府很快就要“寻求我的帮助”，阻止东南亚共产主义向南半球推进。日记里没有解释为什么父母亲要到泰国。他们喜欢一九五六年发行的音乐剧《国王和我》。那部戏是以曼谷的王宫为背景拍摄的，著名影星尤·伯连纳[1]饰演暹罗国王。吉尔和格拉森认为，伯连纳演这个国王再合适不过了。也许祖母梅影响了他们。梅是妇女联合会的成员，一九六三年，她们那些老太太还专门凑在一起研究泰国。

香港气候宜人，不冷不热。泰国却潮湿闷热。这是一个让人萎靡不振的东方。要去曼谷大皇宫的时候，男人都被告知要穿西服，系领带，大伙儿一听个个唉声叹气，大热天儿穿什么西服！吉尔不反对，即便旅行的时候他也喜欢穿正式的外衣，系领带。大皇宫富丽堂皇，充满异国风情，佛教的寺庙更是给人留下深刻的印象。日记特别记载了著名的玉佛寺。请看幻灯。

① 尤·伯连纳（1915—1985）：影史上著名的“光头影帝”，在俄国出生，血统神秘。一九五六年主演《国王与我》，夺得奥斯卡最佳男主角奖，成为一流巨星。名作有《十诫》《豪勇七蛟龙》等。

父母亲在香港很快就熟悉了几条主要大街，但是格拉森，一位经验丰富的旅游者认为“曼谷是世界上路最难找的城市”。于是，他们觉得这一次非找导游不可了。在一个陌生的、文化完全不同的城市，交通混乱的背后会隐藏着许多危险。

如果说不能自助游令人沮丧的话，曼谷大而乱无秩序，更让人头疼。“水上市场”毫无疑问是一个吸引旅游者的地方。那个市场不仅是所有旅游者必去之地，让你获得难忘的印象，还与当地人日常生活息息相关。到处都是为谋生计四处奔波的人，许多人就住在非常狭窄的小船里。市场上人声鼎沸，叫卖声，讨价还价声不绝于耳。一堆堆热带水果让他们非常惊讶：芒果、菠萝、木瓜、榴莲、香蕉，还有许多他们以前没听说过、没看见过的奇特的水果。泰国人怎么样呢？在泰国待了两天之后，他们得出明确的结论：“这里的人民友好，快乐，一个骨架子很小的种族，他们之中许多人都招人喜欢。”我回想起，格拉森对这个“小骨架”的种族的评论。她认为他们相貌清秀。他们的日记写道：“这里食物丰富，气候温暖，消除了贫穷世界两大痼疾——寒冷和饥饿。”吉尔和格拉森用一定是哪本《旅游手册》里的话总结道：泰国是“一个友好的国家”。

“水上市场”的游览被照相机给“搅和”了。他们正要拍照，相机卡壳了。“真是一件让人懊恼的事情！眼看着别的游客噼里啪啦按动快门照相，我们却只能唉声叹气，为做不成幻灯片而遗憾。”没有照相机就不会有真正让人满意的旅游者的体验，更不会有晚上在家里放幻灯的美好时刻。离开市场之后，吉尔才鼓捣好那个照相机。导游听到相机卡壳没照成相的事情之后，自告奋勇带他们再赶快回去拍几张。导游能做出这样的姿态，实在难能可贵。吉尔和格拉森认为，这是泰国人典型的友好的表现。导游毫无疑问是想得到点儿小费，而且他也许已经得到了，尽管吉尔和格拉森经常假装对给小费这种习惯并不知情。他们到梵蒂冈的时候，一位牧师对他们鞠了一躬，伸出一个碗，对吉尔说："祝你快乐！"后来讲起这事儿，格拉森觉得很好玩儿——吉尔也很有礼貌地鞠了一躬，喃喃着说："祝你快乐！"脚步也没停，继续朝前走，连一枚硬币也没给那人。可能就是因为这种事儿，他们没有再回去拍照。

作为从最干旱的大陆上最干旱的州来的旅游者，他们非常希望感受热带地区的丰饶富足。格拉森觉得没有任何语言能描绘他们看到的近乎神奇的风景。到处盛开着鲜艳的花朵，到处是枝繁叶茂的蕨，到处是蜿蜒攀爬的藤蔓，到处是芭蕉棕榈。有的花草树木他们认识，比如椰子、香蕉。可是大多数很不熟悉。一般来说，男人可能对花花草草不感兴趣，可是吉尔几乎就是和奇花异草一起长大的。因为他的父亲就喜欢园艺。他种的花在整个巴拉都很出名。就这样，吉尔和格拉森一起观赏非常娇美的热带兰花时，如鱼得水，自在从容，而且日后他将收集好多属于他自己的兰花。

吉尔和格拉森不是那种特别外向、喜欢社交的人，人家聊天的时候，他们只是静静地听。在别的旅游者眼里，他们俩属于那种谨言缄口的人：很安静，值得尊敬，讲话得体，注意倾听别人的观点却很少暴露自己的看法。他们不抱怨招待不周，更不把旅游当作指责外国人的缺点或不足的机会。他们认为能被善待就足够了。作为澳大利亚旅游者，他们既不隐瞒也不宣扬自己的国籍，倘若人家知道你是澳大利亚人，就会打开"话匣子”，问这问那。他们当然尽量避免说话时带出澳大利亚土话或者澳大利亚口音，也不会像传说中的弗兰克·克鲁恩，在国外旅行时，跑到酒店大堂朝澳大利亚同胞大呼小叫。

接下去他们乘坐日本航空公司的飞机从曼谷飞到开罗，途经加尔各答[①]、卡拉奇[②]和科威特。现在，离伟景园已经很远了。乘坐日本航空公司的飞机吉尔的心情是不是很复杂？他或许会想起劳里，觉得不应该坐日本人的飞机。他的母亲曾经发誓永远不买日本货。格拉森更容易被感化，她喜欢女主人雅致的和服。这次旅行中，她发现“雅致”这个词已经不可或缺。她可以用它形容在亚洲看到的那么多的东西。从工艺品到服装，从人们的谈吐到行为举止，都可以用雅致一言以蔽之。她在《澳大利亚妇女周刊》看到一些日本工艺品，甚是喜欢。格拉森的特长是制作盆景。我们到海滩上玩的时候，她常常让我去捡那种形状奇特、节瘤很有“艺术性”的浮木。每一块这样的浮木背后都有一个故事。有的平静优雅，有的充满磨难。格拉森会选择她最中意的，插在特别设计的花瓶里，使得我们位于郊外的家平添了一点日本风情。

对于下一个目的地开罗，他们心里充满了相互矛盾的期待。“卷毛伯恩”打仗回来之后，讲了不少阿拉伯人如何狡诈的故事。可是埃及人也创造了许多古老的文明：金字塔、斯芬克斯，还有尼罗河、克莉奥帕特拉[③]。上世纪五十年代，乔克舅舅送

①加尔各答：印度城市。

②卡拉奇：巴基斯坦港市。

③克莉奥帕特拉：此处指克莉奥帕特拉七世（前69—前30），埃及托勒密王朝最后一位女王。她才貌出众，聪颖机智，擅长手腕，心怀叵测，一生富有戏剧性。

给我哥哥一本《神祇，坟墓，学者》[1]作为生日礼物。这本书讲述了埃及古代遗物的故事，是我们家为数不多的全家人都看过的书之一。这本书因为乔克用绿铅笔在扉页上潦潦草草写了一行字更加珍贵。他那行字的意思是希望我哥哥不觉得这本书枯燥无味。

吉尔和格拉森“自己好好活着，也让别人好好活着，坦然面对别人与你处事方法不同”的观念在开罗碰了壁。我的父母亲对这一地区的政治知之甚少。尽管格拉森注意到“阿拉伯人不喜欢说英语的人”。自从一九五六年，埃及将苏伊士运河国有化之后，澳大利亚总理罗伯特·孟席斯——吉尔和格拉森政治上的偶像——在这个问题上就成了英国的代言人。理查德·凯西，时任外交部部长，对中东地区的局势比较了解，一直警告澳大利亚不要陷得太深。孟席斯觉得自己懂的比凯西还多，他的忠告无异于羞辱。澳大利亚人在香港和泰国受到欢迎，到了埃及不被人尊重就没有什么可大惊小怪的了。我们的“旅行者”没有政治上的指南针就闯入一个敌对的国家。

机场一片混乱，因为签证问题发生争执之后，一位空中小姐把吉尔和格拉森塞进一辆出租车，向克莉奥帕特拉酒店驶去。车费本来在机场已经谈好，但是到了酒店之后，司机又“伸出一只脏兮兮的爪子，用一种讨好又不无哀怨的声音说，‘小费’。”“爪子”又一次出现了。格拉森后来写道：

①《神祇，坟墓，学者》：德国C.W.西拉姆著。一部探索人类神秘历史的记录，描述了开掘希腊、埃及、巴比伦和中美四大古文化区的十几位欧洲著名考古学家的业绩和探险经历。

> 我必须说，我们发现埃及人和阿拉伯人是世界上最不招人待见的人。无论对朋友还是对敌人，他们都以同样的手段对待——欺骗，撒谎。他们懒散、邋遢，我们总得提高警惕。

在表达对阿拉伯世界不满的时候，吉尔和格拉森不由得想起早在十九世纪澳大利亚人在这块土地上旅行的经历。而第二次世界大战期间驻扎在开罗的澳大利亚士兵因当地人敌对的态度更加深了他们这种看法。我成长的过程一直就知道，“邋遢懒散”是一件非常不好的事情。那是一种和落后民族、和酒鬼相联系的东西。我纳闷“肮脏的爪子”会是个什么样子。吉尔和格拉森小时候，大人就让他们好好洗手。长大以后，吉尔也像外科医生做手术前那样，总是用肥皂把手洗得干干净净。小时候，大人让他伸出手检查：“让我看看你的手心，吉尔。转过来，看看指甲。我们不能让人家讲吉尔伯特不讲卫生，对吧？”

问题还在继续。到了酒店，他们被告知没有房间了！吉尔对前台登记房间的那个家伙说，如果这样，他要先打个电话。一九六一年，吉尔的母亲梅来开罗旅游认识了一个人。那年梅七十八岁，第一次到海外旅行。我无法想象开罗竟会成为她旅行线路上的一站，尽管她经常会做出些惊人之举。吉尔不太清楚他要打电话找的那个女人何许人也。但是无奈之时，联系一下梅的朋友西德凯太太还是值得试一下。前台那个服务员听到吉尔的要求之后，态度突然来了个一百八十度大转弯。“他立刻说，要是我们能等十分钟，他肯定能给我们安排一个房间。”不一会儿，他们就住进一个相当不错的房间，“俯瞰开罗，远眺金字塔”。吉尔和格拉森一直没有见过那个神秘的西德凯太太，后来他们才知道，她是开罗一位很有名的记者。那个服务员显然知道，得罪她可没有什么好果子吃。现在他们有了房间，金字塔遥遥在望，行李也安全送来。不像他们早些时候碰到的那对美国夫妇，好长时间也没有找到个落脚的地方。天气尚早，他们还能“倒”在床上休息一会儿。对于格拉森来说，“倒”是她因为热或者累，精疲力竭，浑身没劲儿时用的一个词儿。每逢格拉森宣布她要“倒”的时候，别人最好赶快走开，不要打搅她。

上午，走出酒店之后，他们便有两个重大的发现。一是，尼罗河希尔顿酒店近在咫尺，二是旁边还有个开罗古文物博物馆。他们在尼罗河希尔顿酒店碰到“不少说英语的游客”，许多游客抱怨，他们来埃及的经历比吉尔和格拉森糟糕多了。他们的情绪高涨起来，准备去参观博物馆。格拉森写道：“我多少次渴望来看这里的宝贝。”我很少知道她的渴望，也不知道她这种渴望从何而来？是不是格拉森的父母亲詹姆斯和莫蒂也对那个古老的世界非常着迷？是不是这种家族的记忆促使乔克送我哥哥那本《神祇，坟墓，学者》？后来吉尔也着了迷。共济会对古埃及的迷恋铸造了约翰·麦克拉伦的世界，而这个世界又影响了他。

大多数来博物馆参观的游人都有向导陪伴。吉尔和格拉森却愿意自己看。那些血吸虫似的导游聚集在一起，寻找容易被他们捕获的“猎物”。我们两位“旅行者”从他们身边快步走过，仿佛生怕受到污染。有一个家伙被他们拒绝后恼羞成怒，朝他们的背影大声叫喊着说，没人讲解，他们什么都看不懂。吉尔和格拉森发现根本不是那么回事儿，展品都有英文解释，参观起来很方便。过了一会儿，他们听见那个被他们拒绝的家伙正在向一群“猎物”大声介绍一位皇后的石棺。格拉森努力克制住自己才没有哼着鼻子表现胜利的喜悦。“皇后”进入了沃克家的“民俗学”。她被拍照并且制作成幻灯片。或者他们认为已经制作完成。实际上他们这套“开罗之旅”没有成功。

虽然吉尔和格拉森这时候已经脱离卫理公会，但他们从小听到的《圣经》故事都和埃及有关。在主日学校，他们读《创世纪》：“罗特抬起头，看到约旦平原像上帝的花园一样，像从埃及到左哈尔的土地一样，被水浇灌着。”法老的女儿在沿尼罗河的芦苇丛中发现了摩西[①]。上帝给埃及降下十场瘟疫惩罚法老，他在红海边儿上打败了埃及的军队。《出埃及记》记述了约瑟、玛利亚和耶稣逃往埃及的故事，耶稣从到埃及起就成为新的弥赛亚[②]。这些故事和别的《圣经》故事伴随他们成长，而中国故事和泰国故事并没有成为他们文化的一部分。一九五六年，塞西尔·B.戴米尔把摩西的故事改编成好莱坞史诗般的电影《十戒》。

开罗博物馆给他们留下深刻的印象。特别是从图坦卡蒙国王陵墓中发掘出来的部分文物——石棺、珠宝和金面具更让他们难忘。这位年轻的国王已经死了三千多年。在后来关于参观开罗博物馆的叙述中，吉尔和格拉森强调了他们看到的那些东西所反映的帝国之尊、王权神圣。一九二二年，英国的埃及古

①摩西：《圣经》故事中犹太人古代领袖。

②弥赛亚：犹太人所期待的救世主。

物学家霍华德·卡特发现了图坦卡蒙国王陵墓，在世界上引起很大轰动。那些耸人听闻的故事也伴随着他们成长。资助这次发掘的卡纳冯勋爵在陵墓被打开七个星期后突然死去。顿时谣言四起。有人说，开陵墓会不会让开罗的灯熄灭呢？怀疑论者说，纯粹胡说八道，开罗的灯从来都会熄灭。卡纳冯勋爵的那条狗，苏西呢？就在主人死的那一刻，它大叫几声也翻身倒地，一命呜呼。请解释这个现象。还有霍华德·卡特的那只鹦鹉，怎么就被眼镜蛇给吃了？亚瑟·柯南·道尔认为卡纳冯勋爵之死是“法老诅咒”的结果。从那以后，法老和他的诅咒的故事充斥了二十世纪二三十年代的通俗文学。

吉尔和格拉森回到克莉奥帕特拉酒店之后，前台那位服务员讨好地说，他们可以换到米娜宫酒店去住，从那儿俯瞰金字塔，景色美不胜收。吉尔和格拉森听了好不惊讶，神秘的西德凯太太又一次发挥了作用。先前那个乖戾、无礼的家伙摇身一变，成了一位彬彬有礼的绅士。那人不但安排了免费换酒店，还让手下赶快协助他们办理一应手续。格拉森迷惑不解：“这些人的思维和行为怎么和我们有那么大的不同呢？”

我的父母亲虽然对阿拉伯人印象不佳，但是对伊斯兰教并无看法。他们非常愿意去参观清真寺，也写了不少赞扬他们看到的美丽风景的文字。他们对真主阿拉，对穆斯林从未说过任何贬损之词。阿拉伯人是另外一回事儿。阿拉伯社会非常突出的大男子主义、随处可见的乞丐、骗人的导游、各式各样的马屁精凸显了这个社会的阴暗面，让人惶恐不安。大街上的阿拉伯妇女牵着骆驼或者驴，“身穿黑色长袍，脸上遮着黑色面纱，只露出一双眼睛，显得沉闷乏味”。格拉森认为，男人们看起来“更酷一点。他们身穿白色、带颜色或者带条纹的长袍，还比较得体”。这些思想落后的家伙享有比自己的女人更多的特权。格拉森认为自己是现代女性，她还当过许多年教师。她生活、工作的那个州是世界上第一个允许妇女参加选举并且进入议会的行政辖区。格拉森常常为南澳大利亚这一段历史骄傲。她对母亲的身份和责任看得很轻，似乎也有点儿不同凡响。

离开开罗他们到了雅典，然后到意大利。和那个法老的世界相比，这里的历史他们更容易理解。希腊和罗马的古文物他们比较熟悉。希腊是民主思想的发祥地，欧洲文明的基础。在希腊，格拉森写道：“我们觉得，置身于我们可以完全理解的人群之中，他们的行为准则和我们完全一样。”读到这些，我很惊讶。我不曾意识到，回到阿德莱德之后，吉尔和格拉森并不觉得希腊人有多么亲近，可是在雅典的时候，他们像拥抱自己的同胞一样，拥抱他们。也许他们对希腊的希腊人比对阿德莱德的希腊人评价更高吧。吉尔当年努力使自己成为拉丁文学者的时候，就知道罗马帝国有多大，知道许多大人物的名字和他们的事迹。现在来到罗马，当年的努力都派上了用场。格拉森有感而发，还给我写了几句话：“告诉大卫，好好学习历史。等你来到罗马，大卫，你现在刻苦攻读的历史就会展现在眼前，就会给你巨大的惊喜。”我依然从我刻苦攻读的法语中获得“巨大的惊喜”。

吉尔和格拉森从欧洲的历史遗迹、城堡和画廊中，感受到了欧洲历史文明的力量和深刻影响。他们可以在这里让自己放松，尽情享受生活。除此之外，欧洲越发让他们认识到，澳大利亚是一个没有历史，或者没有什么东西可以称之为历史的国家。一切都太“近代”，没有辉煌与凝重可言。他们忽略了原住民悠久的过去。他们在这里看不到历史。

格拉森和马利奥·兰沙的“恋情”还记忆犹新。所以，她在雅典碰到被地中海文化熏陶出来的绅士仍然让她心动。他们也许有点儿太扎眼，还有点儿炫耀之嫌。但是在地中海晴朗的蓝天下，无疑有足够的空间让自己魅力四射。在这样的环境里，吉尔会不会觉得心情更放松，胸襟更坦荡？瞧他和那位服务员说话时乐呵呵的样子。不可否认，他们俩在雅典都觉得更生气勃勃。他们也来自地中海式气候控制的地方，阿德莱德还素有“南方的雅典”之称但是她的城市似乎没能坚持下去。即使天气很好，他们也不去户外野餐。吉尔和格拉森回到澳大利亚之后，认为澳大利亚人应该更充分地利用气候，才能使这里的生活变得更有欧洲特色。从路边咖啡馆看游行队伍穿街而过自然别有一番情致。这样做非常文明，而且完完全全是“地中海特色”。

一九六三年的旅行取得了巨大的成功。吉尔和格拉森离开澳大利亚的时候还是南澳大利亚的两个“乡巴佬”，六个月之后却已变成“周游世界的人”，可以讲给别人那么多关于异国他乡风土人情的故事，讲他们有趣的经历和那些著名的标志性的建筑。

第十七章　在国立大学读博士

二〇〇八年十一月，我成为“法定盲人”已经整整四年了。也许是为了“庆祝”周年纪念日，我的视力又一次下降。原先那只“好眼”现在也成了“坏眼”。因为我视野中心的视网膜细胞都已坏死。眼科专家按常规又给我的视网膜拍了片子。这种片子现在已经有厚厚一大摞了。他把最新拍的那几张放到电脑屏幕上让我看。他指着我右眼中间部分的盲区让我看的时候，我伸长脖子，假装看到了什么。实际上已经没有能起作用的视网膜细胞了。这就意味着，一片更大的空白和如羽毛般的东西将遮挡住单词和字母。

我计算机的键盘是特制的，上面黑色的字母很大，是澳大利亚视能协会提供的。现在全乱了。E 和 H 错位。E 跑到数字那行，H 歪歪扭扭倒在 G 的身上。也许我没有看到它们躺在一起很舒服的样子。O 和 I 干脆没了踪影。我前些日子往堪培拉发了一封邮件，问他们能否帮我找回丢失的密码。查看回信时惊讶地发现，我在上封信里把“possible”（可能）打成“pissable”。这样的信自然不会给对方留下好印象，一位好心的员工告诉了我需要的密码，还故意加了一句：“Everything is pissable.”（什么都有可能。）我的女儿用一个自己做的更大的O代替了先前那个O。它让我想起我年轻时喜欢的那个大“O”——Roy Orbison——罗伊·奥比森[①]。

我看到过一张古怪的钢琴家格伦·古尔德[②]演奏巴赫的《戈德堡变奏曲》时拍摄的照片。古尔德伏在钢琴键盘上，仿佛在全神贯注地哄骗手指下的琴键。我现在打字就是古尔德弹琴的样子。寻找字母的时候，和键盘“亲密接触”，那样子十分怪诞。我慢慢地变成一个“柔术演员”，时而吃力地瞅着键盘寻找需要的字母，时而伸长脖子看屏幕上排列的顺序是否正确。格拉森要是看到一定会为我这种坐姿着急。我坐得不直，肩膀没有往后抻。这可不是什么好事儿。弓着腰在键盘前面一坐就是好几个小时。格拉森会让我到外面走走，晒晒太阳。眼科专家告诉我，我有光毒反应，在太阳下面待的时间太长，会进一步影响尚存的那点儿视力。写作意味着避开阳光。我变得更像《柳林风声》中亲爱的老朋友鼹鼠先生，在黑暗中摸索，搜寻，把那些小小的字母聚拢到一起，希望把它们变成字，变成句。

二○○八年的另外一个周年纪念日——四十年前，我开始在堪培拉澳大利亚国立大学攻读博士学位。我非常惊讶，国立大学准备让我飞过去面试。现在只需填写三份表格，再参加一

---

①此处系指摇滚先驱罗伊·奥比森。

②格伦·古尔德（1932—1982）：加拿大钢琴演奏家，以演奏约翰·塞巴斯蒂安·巴赫乐曲闻名于世。

◎作者在澳大利亚国立大学攻读博士学位时和他的同学们在一起

次面试，我就能去攻读博士学位。我申请了好几所大学的奖学金，都没有结果。论年龄，我在需要应征入伍到越南打仗的范围之内，这就意味着，不能如我所愿出国学习。我失去了去牛津大学读书的机会，无法变成自己心目中举足轻重的“牛津贝列尔学院人”。

国立大学打电话安排我去堪培拉的航班和面试时间时，我正好不在家。格拉森·莫德·华莱士·伯恩·沃克接的电话。或者是吉尔？打电话的人问，可否请我的秘书接电话。格拉森非常惊讶。她做梦也想不到居然有人认为我需要一个秘书来安排繁忙的日程。如果重现那一刻的情景，格拉森一定是“倒”在一张椅子里，耷拉着一只手，软绵绵的手腕子顶着额头，有气无力地说：“快！快点儿！拿嗅盐来。我不行了。”现在，他的儿子俨然一位正走红的年轻学者。可是不久前，连当羊毛分拣员都没人要！

这次到堪培拉是我第一次坐飞机。我有点儿紧张。我该说点儿什么才能给那些面试官留下深刻的印象呢？吉尔和格拉森知道自己也帮不了什么忙。我居然进入学者的领域，这完全超乎他们的想象。我决定我的策略应该是尽可能多提问题。面试原来是在教师和博士生就餐的“校园之家”里和劳里·菲茨哈丁格共进午餐。劳里是一位资深学者，正在为澳大利亚总理威廉·莫里斯·休斯——“激情之火”——撰写一本传记。一九一九年，这位前总理曾经在巴拉市场广场对市民们演讲，小吉尔伯特·沃克也挤在人群里见证了那个难忘的时刻。就是这位休斯，后来表达了英国殖民者对于澳洲大陆那份骄傲的情怀，尽管气候那么恶劣，“熬干了人们的鲜血”。这是一个多么奇怪的警句。我准备了几个关于这位“激情之火”的问题，当时不知道，父亲曾经听过他在巴拉的那次讲演。

我问劳里在堪培拉生活多少年了。去“校园之家”的路上菲茨开始回答，吃午饭的时候还在说这事儿。之后，我们到教员休息室喝咖啡，用餐后薄荷糖。劳里开始讲上世纪三十年代末期的事情，我呷了第一口咖啡，脑子里在想餐后薄荷糖。水流进池塘，发出潺潺声。巴赫的《勃兰登堡协奏曲》从音乐教室里飘来。具有真知灼见的思想者在高谈阔论，哈哈大笑。一只涉水鸟伸出长长的喙站在水池旁边。它一动不动，直瞪瞪地看着水池里游来游去的金鱼，好像石头雕刻的一般。时间也仿佛凝固了一样。我将慢慢熟悉学者的生活。我们回到劳里的办公室。他的思绪又回到战后的岁月。已经是下午了，他俯身向前，握了握我的手，说很遗憾没有时间多向我提几个问题。面试的结果肯定很好。因为我已经获得了奖学金。吉尔和格拉森为我而高兴。他们很想让满世界都知道，我在读博士。他们的女儿结婚生子，日子过得很幸福。大儿子是药剂师，收入颇丰。小儿子读博士，前途无量。

一九六八年三月初，我开着我那辆漂亮的“EH 霍顿”去堪培拉。从车库里倒车的时候，吉尔和格拉森都站在那儿和我告别。以前，格拉森一直问我打算什么时候从家里搬出去。我总说，家里太舒服了，不想搬。即使他们跟我收房租，我也还是赖在家里不肯搬出去住。可是，真要走的那天，格拉森眼里含着泪水，似乎十分担忧。开车到堪培拉要走好长时间。吉尔一声不响地站在后面。前几次出门旅行时，那群凤头鹦鹉总是被我的汽车吸引过来，仿佛它们把我这辆红白相间的汽车当作它们的领导。此刻，我一直向四周张望着，希望看到那几只鹦鹉。

到堪培拉之后，我很快就知道，能让劳里和你聊算不上什么了不起的成就。鲍勃·戈兰，一位工党历史学家和被人当作激进分子而批评的对象，问我有没有注意到劳里办公室的门上镶着一块毛玻璃，而不是一整块实心的木板。我没有注意。他说，劳里之所以在门上安装一块毛玻璃，就是为了看见有人从他门前走过的时候，不失时机地拉开房门，让人家进去跟他聊天。据说戈兰教授为了不让他看见，从他门前走过时总是低头弯腰，“匍匐前进”。至于和他讨论我的论文，那可是另外一码事了。我把论文详细提纲交给他足足两个月也没有消息。后来有一天早晨，他突然打来电话，让我赶快开车去“皮甲贝拉”——他在堪培拉郊区的寓所。我估计这次会面一定是我期待已久的学术讨论了。“快，快！”我到了之后他大声叫喊着，“我的一条狗掉到井里了，快帮我把它捞出来。”

后来我听说，劳里因为和苏联大使馆有接触，曾经被审讯过。那是一九五四年的事儿。苏联驻澳使馆三等秘书弗拉基米尔·彼得罗夫和他的妻子伊夫朵佳叛变，投靠澳大利亚。英国皇家专门调查委员会反间谍局调查这个事件。那时候，我们家在菲林，一个非常闭塞的小山村，谁也没有时间想共产主义的事儿。彼得罗夫的任务之一是为苏联招募间谍。因此，他的变节使孟席斯政府如获至宝。吉尔和格拉森认为孟席斯先生是个“全才”。他会讲话，口才好。这样一个人就值得信任。除此而外，他到国外会见别的国家的首脑或者女王的时候，不会因为拙嘴笨舌，而让人尴尬。像工党领袖亚瑟·卡尔韦尔那样的人代表澳大利亚太有点儿说不过去了。让没受过教育、粗喉咙大嗓门的人去当澳大利亚人的代表，我父母听了就生气。他们也支持孟席斯揭露间谍。那时候，谴责间谍活动的氛围特别浓厚。澳大利亚国立大学不少学者都被监视，包括鲍勃·戈兰和C.P. 菲茨杰拉尔德。菲茨杰拉尔德是一位汉学家，他在《共产党中国的诞生》一书中，表达了对中国革命的同情。在这种情况下，劳里和一位苏联外交官接触频繁，被有关部门怀疑就不足为怪了。

事情的来龙去脉是，一九五四年，劳里养的狗里有一条产了一大窝小狗。他养不了那么多，就得给那些小狗找个“好人家”养。劳里就在《堪培拉时报》登了个广告。苏联大使馆一位官员对这个广告感兴趣，他们的人和我们的人就开始接触。长时间的“会谈”举行了好几次。菲茨哈丁格能给苏联提供什么情报呢？也许应该问一问，他又有什么情报能提供给人家呢？劳里是个喜欢神聊、能说破大天的人。光那几条小狗的优点，他就能说一整天。

我是怀着一种很强的自我意识来堪培拉的。我现在迷上了说话的口音，不停地试着用新的声音说话。对此，我的父母亲持支持而不是反对的态度。很长时间我说话带点儿意大利或者苏格兰口音，没人觉得有什么不好。也许这种兴趣是在诺斯菲尔德上学的时候培养起来的。那儿的各种口音很多，谁也不当回事儿。我们家在罗伯特大街住的时候，我养成了用半导体收音机收听英格兰板球比赛实况转播。蜷缩在黑暗之中，把冷战丢到脑后，我连续几个小时倾听响彻英格兰的悦耳的声音。有时候，我一直听到阿德莱德时间下午三点喝茶的时候。我纳闷，是不是我的“多重身份”，让我在寻找真正属于自己的声音时信心十足？

在阿德莱德大学读一年级的时候，我觉得能有一点儿法国人的气质也不错。当然这并不意味着要下功夫学法语。作为一个知识分子，你就不可能绕过让·保罗·萨特[①]和西蒙娜·德·波伏娃[②]。我喜欢存在主义者的思想方法。我虽然不抽“高卢金斯”牌香烟，但发现嘴里叼个铅笔头也能摆出一个造诣高深的吸烟者的种种姿态。这样做把模仿和讽刺结合得非常之好。我在当地的跳蚤市场发现一顶旧贝雷帽之后，意识到那正是我想要的，就花六便士买了过来。我头戴这顶贝雷帽，走进玛丽·马丁书店，买了一本西蒙娜·德·波伏娃的《名士风流》。头戴贝雷

---

①让·保罗·萨特（1905—1980）：法国当代著名作家、哲学家、存在主义文学的创始人。

②西蒙娜·德·波伏娃（1908—1986）：二十世纪法国最有影响的女性之一，存在主义学者、文学家。

帽，若有所思地“抽”着铅笔头，读这本描述巴黎知识分子的书，兴趣盎然。我比读任何别的书都更投入，除了《丛林圣诞节》和《神祇，坟墓，学者》。吉尔对我热衷于“法国气质”的做法不置可否。不过我觉得他还并非全然无动于衷。我们那个年代戴贝雷帽和现在大人眼里应该防范的时尚青年的反常行为几乎是一个概念。格拉森毫无疑问没有什么特别的印象。后来我问她有没有看见我那顶贝雷帽，她说：“看到了！我把它扔到垃圾桶里了。那么脏，我不得不拿一根棍子挑着往外扔。”格拉森还是随随便便扔我的东西。

到堪培拉之后，新的挑战便迎面而来。我还应该叫大卫·罗伯特·沃克吗？这个名字虽然听起来少了点儿温情，但很有学者风范，等我得了博士学位，和那个头衔也挺搭配。“大卫·罗伯特·沃克博士”听起来还有点儿回声。经过一段“实验”之后，我又觉得名字中D.R.这两个首字母太单薄了点儿，尽管这样叫挺时尚。R.A.戈兰、L.F.菲茨哈丁格、C.P.菲茨杰拉尔德这些大学者的名字都用两个首字母。三个首字母可能更好一点儿：C.M.H.克拉克就不错。另外一个重要问题是，我该叫大卫（David），还是叫戴夫（Dave）？我在这两个名字中犹疑徘徊，不知道该叫哪个。父母亲觉得叫“大卫”好，但是同学们觉得“戴夫”更好。不知道什么原因，他们甚至觉得应该叫Spud（马铃薯）。历史学家比尔·甘米奇有确凿证据显示，一九六八年三月，我在来宾签到簿上签的是“戴夫·沃克”。也许因为我受这样一种思想影响，那就是我也要成为比尔那样的人。不过在堪培拉读书期间，“大卫”还是战胜了“戴夫”。生活背景和成长经历，都让我觉得，我只能是“大卫”。

“校园之家”这样的地方我在别的大学都没有见过。一九五四年二月，爱丁堡公爵为它剪彩。理查德和玛吉·凯西都参加了开园典礼。凯西，我们那位衣着打扮无可挑剔的外交部部长、孟加拉前总督，抱怨说，许多大学老师“看起来真糟糕”。一位比较保守的同事解释说，他们看起来越糟，“学问越大”。在我看来，“校园之家”的活动很正规。晚饭开始前，导师把经过挑选的几位身穿长袍的学者（有时候还会特邀几位在读的博士研究生）领到贵宾席。那张桌子实际上也比餐厅里别的桌子高。我去的时候，导师是特伦德尔教授，一位单身人士。此人尖刻，挑剔，还有点儿矫揉造作。但他是个很了不起的学者，对于公元前五世纪和公元前六世纪古希腊花瓶的研究无人可比。轮到特伦德尔教授主持的那天，小孩儿不准入内，也不准在“校园之家”周围转悠。

我刚到堪培拉的时候，对如何读博士知之甚少。我不知道应该多长时间去找一次导师？一周应该工作多少小时？我的房间可以俯瞰那座被人们称之为“东配楼”的楼房。那座楼里都是单人房间，是一二年级博士研究生的禁区。我就决定夜里从不同角度对那座楼“调查”一番。夜里无论什么时候醒来，我都要查看一下哪个房间还没有熄灯。过了一段时间，我便大致清楚，哪个房间里的人最用功。有一个房间的灯通宵都亮着。我估计主人一定在完成他的论文。后来才发现，原来我恭而敬之极目远眺的那个房间是女厕所。格拉森喜欢这个故事，说：“我们家的大小伙子还爱胡闹吗？”

我只上过一次“贵宾席”。欢迎我的时候，导师不无幽默地说，我的侧面像让他想起二十世纪三十年代，他在西西里岛发现的一个希腊花瓶。他的话没能让我放松下来，不过从我们那桌别的客人朗朗的笑声判断，他的话还是让人觉得挺好玩儿。我坐在一位身材矮小、面皮黝黑的先生旁边。他和导师不一样，说话直来直去，一副就事论事的样子。他问我研究的课题是什么。我那时候对自己要写的论文心中无数，就提到万斯·帕尔默[①]和二十世纪初期开始文学生涯的墨尔本的几位民族主义作家。我在研究他们对特色鲜明的民族主义文学抱有怎样的期待。问我这个问题的人有时候对这个领域的代表人物还比较了解，但更多的时候一无所知。当我的邻座说他对帕尔默知之甚少时，我吃了一惊。他还补充道：“他喜欢被人们看作是学者，因为某种原因要戴蝶形领结。”我突然意识到，和我说话的这个人是战后重建的大人物，前联邦银行（后来的储备银行）总裁，H.C.（纳吉特）康布斯博士。我工作的那座楼就是以他的名字命名的。吉尔是学经济史的，听说我曾经和纳吉特共进午餐，十分惊讶。

康布斯博士促成了克里斯蒂娜·斯特德[②]来国立大学“校园之家”做客。克里斯蒂娜·斯特德是一位令人敬畏的、移居国外的小说家，也是哈泽尔·罗利那本非常棒的传记的传主。有一位和我们一起读博士学位的同学幻想自己是艺术的保护

①万斯·帕尔默（1885—1959）：澳大利亚著名作家。

②克里斯蒂娜·斯特德（1902—1983）：澳大利亚著名作家，著有《悉尼的七个穷汉》《爱孩子的男人》等。

人，邀请斯特德女士到他小小的房间聚会。我们总共是四个人，看起来只有我真正读过她的小说。这反而使我处于劣势。我知道这位头发花白、看起来也还和善的女人能有多么尖刻。读完《爱孩子们的男人》之后，我觉得仿佛被挖去了内脏。谈话当儿，我尽量避开我的论文。但是不知怎的，万斯和内蒂·帕尔默的名字脱口而出。克里斯蒂娜·斯特德突然发起火来——也许是轻蔑？“万斯·帕尔默根本算不上什么作家，”她说，“可怜的内蒂就像一个自封的文学监护人，一天到晚咋咋呼呼。”我们听说斯特德刚刚访问了历史学家曼宁·克拉克。她对克拉克也品头论足。斯特德发现克拉克对人物的描写不可信，而且太过粗糙：“关于陶土的描述纯属胡扯！”她一边摇头，一边让我们再给她倒一杯酒。同学们都不安起来。大家意识到，这位客人可不是一个看起来那么温和的老大妈。她的一双小眼睛和犀利的目光让人想起爬虫的样子。我后来从罗利给她写的传记中看到，斯特德那一阶段心情不好，经常酗酒。我也不知道她和纳吉特·康布斯发生过冲突。在知识分子堆里，她很不合群。

我在堪培拉读书期间，父母亲只去看过我一次。我带他们到“校园之家”吃了一顿饭。能在一个地方就见到那么多“精英”，给他们留下非常深刻的印象。贵宾席上冗长无聊的废话，长袍，张口牛津，闭口剑桥，都让他们兴奋异常。当然也有人让他们感到很古怪。我的一位英国朋友眼睛简直就像两颗叽里骨碌直转的珠子，笑起来假声假气，格拉森看了吓了一跳。那种人员混杂、四海一家的感觉他们从来没有体验过。然而，他们始终怀着一种崇敬的心情，知道他们是置身于一群勤于思考的人之中。他们知道并且同意华兹华斯[①]关于“伟大的头脑近乎疯狂”的格言，而且似乎很关注与我为伴的那些“精英”。他们心里一定不乏那种由来已久的担心，儿子会不会变态？那些聪明已极的人会不会累死或者发疯。格拉森特别爱听那些年轻的天才不到十二岁就掌握了相对论，可是十六岁就一命呜呼的故事。他们既想和别人夸耀儿子正在读博士，又希望他离阿德莱德不要太远。

“校园之家”和“康布斯楼”也是我和来自另外国家的人最初接触的地方。有一位同学，格雷姆·奥斯本，和勒纳特·皮特古拉结婚。勒纳特·皮特古拉的父亲是从印度来的帕西人医生，母亲是中国人。勒纳特的父亲曾经在北京当医生，专门给外交人员看病。一个新的世界在我面前打开。我还碰到一个越南女子，名叫安－舒·戴维斯，在人口统计部工作。她是根据“科伦坡计划”[②]派遣来澳大利亚留学的。

安－舒对澳大利亚参加越南战争持批评态度，她认为我根本就没有必要应征入伍去那儿打仗。她是我认识的第一个越南人。我们这几个人特别喜欢一起自己动手做饭聚餐，有时候做越南菜，有时候做中餐，有时候做印度饭。就这样，我很快学会了用筷子。昆廷·斯金纳，从剑桥大学来国立大学的访问学

①华兹华斯：英国诗人。

②科伦坡计划：是世界上第一批援助计划之一，它在二十世纪五十年代由英联邦国家发起，旨在通过以资金和技术援助、教育及培训计划等形式的国际合作，来加强南亚和东南亚地区的社会经济发展。科伦坡计划有着广泛的政治和战略意义，不能仅从人道主义角度来理解。它与英美的冷战计划结合起来，成为扩大西方影响的重要工具。

者也经常和我们一起凑热闹。克里登斯清水复兴合唱团①的歌声在耳边回荡。他们的歌儿我们都会唱，但是最喜欢的是《从我的后门看出去》和《一轮残月升起来》。吉尔一定认为这种音乐简直就是垃圾。昆廷毫无疑问喜欢这样的聚会，也喜欢这句格言："明天再来打搅我（今天我不想心烦）。"

二十世纪六十年代末期，旧秩序正在改变，尽管不像我们想象的那么快。一直伴随我成长的白澳政策看起来越来越不合理，遭到越来越多的人反对，已经来日无多。我父母亲最崇拜的罗伯特·孟席斯作为总理已经退休。在我现在活跃的那个圈子里，对他批评的声浪甚高。也许有一些博士研究生支持工党。如果真是这样，他们也谨言缄口，不随便说话。如果右翼出了问题，左翼经受的压力也会增大。汉弗莱·麦奎因来到国立大学，他宁死也不会到"校园之家"。他站在市中心加瑞玛广场一个肥皂箱子上，抨击澳大利亚卷入越南战争。他的第一本书《新大不列颠》出版于一九七〇年。这本书对左翼以及任何以为像澳大利亚这样不无种族主义色彩的工人运动能成为进步力量的希望持批评态度。那时候，我见识了从来没有看到过的如此激烈、有时候甚至是粗言秽语不绝于耳的大辩论。而我的成长环境、生存背景都没有为我置身于这种政治斗争的旋涡做好准备。

我开始和一个来自新西兰的学生，凯伦·威尔逊交往。她在国立大学约翰·克汀医学研究院读博士。从她那儿我懂得了

①克里登斯清水复兴合唱团：简称CCR，是二十世纪六十年代到七十年代最受喜爱的一支超级摇滚乐队。他们的音乐植根于美国南方的民间音乐，早年的歌曲带有强烈的布鲁斯色彩。

许多闻所未闻的知识，比如鸡的胚胎会有移植物抗宿主反应。吉尔和格拉森对医学研究特别感兴趣。和约翰·克汀医学研究院的学者认识之后，我第一次接触到日本科学家和他们的妻子。那时候，澳大利亚国立大学和日本几所大学关系越来越密切。校长约翰·克劳福德爵士[①]是一位重要的经济学家，长期以来对日本贸易很感兴趣。克劳福德个子不高，不爱讲话，大脑门儿堪与傅满洲博士[②]的脑门儿相媲美。克劳福德经常出现在"校园之家"，匆匆忙忙奔走于各种会议之间。在与那些科学家聚会的时候，我常常和他们的妻子闲聊。她们说，堪培拉真是个安静得出奇的地方，还说，她们有时候觉得在这儿特别显眼。

历史系设在社会科学研究院。这个学院还设立了一个太平洋地区研究院。各种学术团体、学术单位，都汇集于社会科学学会旗下，涉及政治科学、人口统计学、经济历史、思想史和城市研究诸多领域。上午十点半，下午三点半，学者们在茶室里聚集。我初出茅庐，觉得那个场面挺吓人，早早地就溜到研究思想史的学者通常坐的桌子旁边。我周围很快就坐满了人。最先来的是尤金·卡门卡[③]。他是犹太人，个子很高，很健谈，

---

①原文为 Vice-Chancellor John, Sir John Crawford。按照字典的说法 Vice-Chancellor 是国家副首脑、副大法官、大学副教授，但按英国教育体制，Vice-Chancellor 相当于中国大学里的校长，主持学校日常行政事务。vice 这里是拉丁文，其原意是代表某人。故应该译作"校长约翰·克劳福德爵士"。

②傅满洲博士是欧洲人渲染"黄祸"恐怖的集中体现。他外形瘦高、相貌阴森、行动诡异、博学多才、行为残暴，却待人彬彬有礼。傅满洲初次登场是在《福尔摩斯遭遇傅满洲博士》（1875 年）一书，号称史上最邪恶的角色。傅满洲在中国的知名度并不高，但是在西方他是家喻户晓的名人。直至当下傅满洲博士仍以他独特的反面形象深深影响着欧洲人对华人的整体观感。

③尤金·卡门卡：澳大利亚哲学史家，澳大利亚国立大学教授，一九八〇年曾来中国访问，介绍了澳大利亚法学界法学、法哲学的研究情况和当前资本主义的情况，引起很大反响。

和蔼可亲。卡门卡似乎读过关于马克思的所有论著以及马克思自己的著作。不一会儿，哲学教授约翰·帕斯莫也来了。我的敬畏之情油然而生。帕斯莫毫不含糊地说，他什么都读过。

坐在历史学家围坐的桌子旁边也自在不到哪儿去。J.A. 拉诺兹教授毕业于牛津大学贝列尔学院，是历史系主任。吉尔曾经在阿德莱德大学听过他做的经济历史讲座。印象中他是个很严肃的人。听说我认识这位让人打怵的拉诺兹教授之后，吉尔惊讶的程度不亚于他知道我居然和纳吉特·康布斯共进过午餐。仿佛我已经进入另外一个宇宙空间，那个空间他只能模模糊糊看见，却永远不会走进去。拉诺兹在康布斯大楼自然是无人不知。大家都管他叫“杀手杰克”。其实这对他很不公平。他对学生也是一副热心肠，只是不善于表达罢了。在他眼里，我就是个“沃克”；而他在我眼里，也就是“拉诺兹教授”。有时候基思·汉考克爵士——另外一个牛津大学贝列尔学院出身的教授也来参加我们一些活动。他是个传奇人物。早在一九二四年，刚满二十六岁的时候，他就成了阿德莱德大学的历史教授，并且出版了《澳大利亚》一书。那是一本通俗易懂、很有影响的澳大利亚简史。

二十世纪六十年代末期，人们都说，那个老家伙犯糊涂了。他花好长时间在大雪山[①]用假蝇钓鱼[②]，因为自己在写一本当地

①大雪山位于新南威尔士州东南部，属于大分水岭的一支，也是澳大利亚最高山脉，位于此山脉的科修斯科山，海拔2228米，为澳大利亚最高峰。在大雪山发源的河流有墨累河、马兰比吉河和雪河。

②用假蝇钓鱼：一种钓鱼的方法，用丝绸或者尼龙做成带翅膀的小昆虫，当诱饵钓鱼。

的历史。他的《发现摩纳罗：人类对环境影响研究》现在被认为是环境历史的经典之作。我在澳大利亚国立大学快读完博士的时候，汉考克在澳大利亚广播电台为“波伊尔讲座”做节目。他想讲讲帕尔默的事儿，就把我叫到办公室问我关于万斯、内蒂以及他们在澳大利亚为倡导民族文化所做的努力。汉考克满头白发，面色红润，一脸天真。他嘴里叼着烟斗。那个烟斗小得出奇，一定是英国森林里和他交上朋友的小精灵送给他的礼物。他像一只咩咩叫的绵羊，令人不安的笑声不时打断我们的谈话。人们说，那是贝列尔学院人特有的笑声。离开他的房间时，汉考克顺口说道：“沃克，要想文章写得好，每天晚上都要让你妻子大声读一章特罗洛普[①]的作品，从巴彻斯特系列小说[②]开始。”我谢过了基思爵士。前不久，曼宁·克拉克告诉我要读“伟大的俄罗斯文学作品”，特别是陀思妥耶夫斯基的作品。汉考克在广播电台的“波伊尔讲座”中，赞成把“帕尔默标准”看作衡量民族文化发展水平的标准。他的这种看法比我更胜一筹。我觉得斯特德更接近这个标准。有一天，汉考克敲响了我的房门。他手里拿着一本签过名的《波伊尔讲座》。我看到，他在扉页上写了一句话：感谢“唐纳德·沃克”[③]的帮助。

有一次，我在“校园之家”吃饭，看见有个女士站在不远

①特罗洛普（1815—1882）：英国十九世纪现实主义小说家，一生出版四十七部小说，此外还有短篇小说集、游记、政治家和文学家评传及一部自传。

②巴彻斯特系列小说：特罗洛普通过以虚构的巴彻斯特市为中心创作的系列小说，反映了英国教会的内幕，一针见血地揭露了教会的世俗性质，对教会内部的争权夺利极尽嘲讽之能事。他实际上把教会当作世界的一个缩影，通过教会，讽刺资产阶级社会的浮名浮利和芸芸众生的渺小可笑。

③汉考克写错他名字。作者再现此错误，亦不乏幽默之感。

处打量我。手里还拿着个笔记本，不时记着什么。回想起来她一定是写：“应该很合适。大鼻子，卷发。”原来她正为在堪培拉拍摄的影片找演员。她问我有没有演出经验。从某种意义上讲，我一辈子都在“演出”。我想，我“演”的萨特蛮不错。我“演”的阿里巴巴也挺好，虽然那已经是久远的过去了。实际上，我只在学校排演的一个剧里扮演过一个小角色。一九五四年，我还在庆祝皇家巡游的活动中，参加了一个不怎么受赞赏的表演——我是花钟上的一个“小零件儿”。女王和公爵坐着汽车从我们身边一闪而过。不知道她有没有看到我为花钟作的贡献。答案恐怕只能是：“没有！”我能想象出格拉森插嘴说：“你胡闹什么呀？还没闹够吗？”

他们要拍的电影叫《示威者》。故事情节围绕由澳大利亚总理作为东道主主持的级别很高的研讨会展开。通过父子之间的冲突，表现了国家防御与安全这样一个重大主题，其中还不可避免地夹杂了一些爱情故事。那年我二十四岁，正是毛发最重的年龄段。我认为，要想成为一个真正的思想家，就应该留胡子。我估计他们会让我演一个满脸胡须的示威者。可惜不是。“你愿意扮演以色列大使吗？”那个女人问我。一定是我的鼻子和卷发让她产生这种想法。这是一个要求很严格的角色。现在，我要坐在澳大利亚科学院的大楼里，脸前放着一个牌子，上面写着：以色列大使。这个半球形的建筑周围环绕着一条小河，大学校园附近有一片树林。在电影里，我这个“大使”用不着说话，尽管要领别的“大使”走进那座建筑。扮演这个角色，他们给了我五块钱。我当仁不让地接了过来。一个好经纪人会加一倍。当初选我的那个女人显然觉得我长得像犹太人。那个挺出名的奥地利移民、维也纳风格咖啡馆的老板格斯·彼得赛尔卡饰演法国大使。格斯有一顶贝雷帽，演起来也得心应手。

那时候，格斯和堪培拉官僚主义的斗争正如火如荼地进行着。他希望政府允许人们在咖啡馆外面的桌子上喝咖啡。二十世纪六十年代末期，这种“欧洲式的疯狂”在澳大利亚被禁止。在拍摄现场，他也俨然以施恩者自居，似乎他是把欧洲老家的表演天才捐献给当地正在苦苦挣扎的电影业。他很快就因为拍摄速度太慢，不耐烦起来。我就不一样了，正好可以躲过写论文，拖延点儿时间我也不在乎。格斯终于发火了。“法国大使”转过脸，对“以色列大使”说——声音很大，与外交官合乎礼仪的谈吐相去甚远——“这个人真是个白痴！他怎么连自己的台词也不知道？”在场的人齐刷刷地转过头看他。格斯嘟囔着，怒不可遏，腾地站起来，拂袖而去。紧接着，环绕这座楼房的小河传来人掉进去的哗啦声。我们这些“大使”都冲出去救格斯。“法国大使”忘了那条“护城河”。他的贝雷帽晃晃悠悠向我飘来。

《示威者》一九七一年发行，迄今为止仍然是唯一一部以堪培拉为背景的影片。吉尔和格拉森在阿德莱德看了这部电影，非常惊讶地发现我不但满头卷发，居然还留着胡子。他们会不会为我出演一个犹太人而有什么想法呢？别人会怎么看呢？吉尔有时候对太在意钱的人嗤之以鼻，说他们“有点儿像犹太佬”，尽管他并不是反犹太人的人。二〇〇八年，听说这部电影要在墨尔本重新放映时，我坚持让妻子和在墨尔本生活的女儿扎拉去看。我的两个女儿从小就知道爸爸演过电影，而且正是他扮演的那个以色列大使把整个电影串了起来。那时候，扎拉刚生扎米娜不久。小宝宝才四个星期大，对外公年轻时演的电影虽然看不大懂，但是这个机会对于她不但难得，还很重要，所以也随我们去了。我们到了联合广场电影院。电影院可以容纳二百多人，但是那天只有二十多个人就座。引座员跑过来对我们说，因为正睡觉的小孩儿不满十八岁，所以不能入内。我们那天心情很好，就哈哈大笑起来，觉得引座员完全是胡扯。直到后来才意识到她可不是开玩笑。

说了半天也没用，妻子女儿只好离开剧场，把我这个法定盲人、电影明星一个人留在那里。那天，有两件事对我触动很大。一是很难揣摩出示威者到底反对什么，因为那些人从来没有明确地表明他们的动机。二是那部电影的主题强调了澳大利亚是亚洲的一部分。电影里，澳大利亚总理对与会的代表讲话时居然说“我们亚洲人”。比利·休斯如果听了，一定会气得从坟墓里爬出来。“亚洲外交官”在电影里是一个比较重要的角色。他几次发言，强调澳大利亚人了解亚洲有多么困难。后来，他在床上和一个非常可爱的年轻女人缠缠绵绵，对亚洲文化作了颇多赞许的评价。虽然现实生活中，澳大利亚在亚洲的地位并非像在银幕上那样明显提高，但战后澳大利亚的地域特征也确实受到人们越来越多的关注。二十世纪四十年代末期创建澳大利亚国立大学的原因之一，就是为了加深对澳大利亚在亚太地区未来的重要性的理解，促进澳大利亚在这一地区的发展。该校第一任副校长、道格拉斯·柯普兰爵士对此很感兴趣。他曾在国民党统治的中国任公使。后来类似“校园之家”的经历越发让我心生异类之感。有一次一个酒鬼骂我是贪婪的犹太人，是犹太复国主义者的同谋。另外一个比较轻松愉快的场合，一个女人突然走到我面前，问道："你是犹太人吗？"我说不是。她不肯罢休，又问："你父亲或母亲是犹太人吗？"我又摇了摇头。她仔细打量着我，还是满腹狐疑。"哦，"她终于说，"你看起来真像该死的犹太人！"然后像突然出现在我面前那样，又突然消失在人群中。她是谁我又是谁呢？把沃克家、麦克拉伦家、伯恩家所有的人都算上，大概只有我像犹太人。因此，在有的人眼里，我就是以色列大使那个角色最好的人选。

我知道，格拉森常常因为我的鼻子和卷发而困惑。有时候她不无嘲弄地看着我，似乎在说："我该拿你怎么办呢？"她拿我的鼻子没办法倒是真的，头发就另当别论了。十四岁的时候，妈妈先给我的头发抹上热油，然后用热毛巾包上，想用这种土办法把我的卷发弄直。我情愿把满头卷发捐献给种族科学，也不愿意让格拉森去实践那些让头发变直的偏方、验方。卷发也有许多细微的区别，那种柔软的、形如波浪的卷发虽然有点女里女气，但总体效果还不错。如果尽是密密麻麻的小卷儿，就不那么回事儿了。这种区别很难逃脱母亲的注意。她知道，邓斯坦嘴唇厚，是因为他有斐济人血统，而她最小的儿子怎么会长成这副模样呢？为什么他不具备典型的盎格鲁－凯尔特人的特点呢？格拉森去世很久之后，我看到乔克写的一篇回忆她父亲的文章。文章说詹姆斯"皮肤很黑……大伙儿都管他叫'黑哈利'。伯恩赛德学校的孩子们叫他'老黑乔'"。虽然从照片上看不出胖普有多黑，但是格拉森对这种事情一定比我想象的更敏感。

这种种族标签（它的近义词是帕尔默喜欢用的所谓"民族性格"）激起我的兴趣，也让我困惑不解。主要是因为我不解其意，或者因为别人对这种东西太过信任。四海为家的知识分子也是个问题，究竟应该把他们置于何地？尤其是犹太人，简直就是“世界性”、“国际化”的代表。他们的爱国主义很难靠得住，因为对于犹太人，种族总是先于国家。我现在行走在知识分子圈儿里，眼见得人们更效忠于意识形态而不是那面飘扬的国旗。碧姬·芭铎和法国右翼认为知识分子诡诈，没有爱国之心。这也是我和碧姬·芭铎的不同之处。

堪培拉作为一座城市，处于一种模棱两可的地位。它规划得很好，整齐有序，但是规模较小，远非国际大都市。人们都不喜欢堪培拉，常常哼着鼻子说这个地方枯燥无味，人工雕琢的东西太多，连湖都是人工湖。然而回想我在那儿度过的时光，我的心里总是充满了感情。这个城市适合我。从一九六八年到一九七五年初，堪培拉发生了很多事情，政治舞台风云变幻，城市不断发展。对于一个来自阿德莱德的小伙子，“校园之家”种种具有“世界性”的活动都对我产生了很大的影响，使我跨越人类对世界探寻的大多数领域，羽翼渐渐丰满起来。

就在南澳大利亚教育部催我还清在恩菲尔德中学读书欠的贷款时，一九七二年惠特拉姆政府的上台，终于结束了我长达九年的预备役军人的身份。在越南，共产党人不失时机地夺取了政权。一九七五年，我离开堪培拉，到奥克兰大学任历史学讲师。吉尔和格拉森放下心来，而且觉得十分惊讶，居然有人愿意付我一份薪水。尽管他们已经习惯接受这样的事实：大学里什么新鲜事儿都有可能发生。吉尔觉得，他在做学问方面的成就最近几年已经被人超过。他那些装在镜框里的学位证书已经不再引人注目，他似乎也不太在意了。这位从巴拉来的小伙子知道，记录总会被人打破。

第十八章 海底的帆船

一九六三年八月，吉尔和格拉森在巴黎。他们的假期快结束了，我作为一个闲来无事的高中生假期也快结束了。这时候，我收到他们寄来的一封信。我显然花了许多时间学习苏格兰历史，让自己成为一个苏格兰人，格拉森在信里写了不少苏格兰的方言土语。

……我们虽然希望戴维考试顺利，但也不指望能有什么好成绩，“戴卫宝贝儿”。已经是第二学期了。你还有机会好好补习一下功课，省得最后一学期一考试就吓得屁滚尿流。不要被困难吓倒，小伙子！记住，“无奢望者有福，因其永不失望”。我肯定能帮你学习苏格兰历史。那是一个长长的、纷争不断的故事。有两种苏格兰人，狡猾的死者和死者。

他们显然兴致很高。父母亲都认为我如果学历史，也许能学好。但是那时候谁也没有意识到，为了学习历史，我最终还得求助于他们。真正的历史属于旧世界[①]，而不是这块新大陆。属于那些与重大历史事件有关的人，而不是他们这样的人。至于《圣经》里所说的“无奢望者有福，因其永不失望”云云，完全是家里的玩笑话。小时候向家里要钱时，父母就经常这样说。吉尔和格拉森对《圣经》里的格言警句，渐渐地会很不以为然地报之一笑。在大学里学习现代喜剧时，我朗诵“埃索是个毛发很重的人”时，保证惹得大伙儿哄堂大笑。吉尔对星期日早晨七点教堂敲响的钟声也越来越反感。在他看来，这个时间敲钟简直荒唐可笑。年龄越来越大，他似乎领悟的东西也越来越多。

吉尔一九七三年退休，那年他六十五岁。他和格拉森都跃跃欲试，想要继续海外之旅。他们愿意轻装前进。到七十年代，已经压缩到两个人只带一个箱子。常常招来那些大包小包负重如牛的游客们嫉妒的目光。旅行变得更快捷、更轻便、更舒服。吉尔喜欢洗了很快就能干的衬衫。他现在出门旅游的时候只带两件衬衫。吉尔和格拉森不和那些认为世界已经穷途末路的人一起旅行。他们一九七七年出国旅游一次，两年后又出去一次。他们从夏威夷出发，对那个地方情有独钟。出门旅行，最不敢奢望的就是舒服。吉尔和格拉森永远不会抱怨游客太多，也不会发牢骚指责世界怎么变得不可理喻。如果酒店大堂有瀑布般的流水——就像有一家旅馆那样——也是好事。拥挤不堪的小

①旧世界：指欧、亚、非三洲。

◎吉尔和格拉森，一九八二年

旅店、人头攒动的海滩、旅行社的大巴等只能为他们的经历增添新的内容。再被人服侍、被人细心照顾时就倍感享受。格拉森的日记显示，他们每天都要到一个新的地方，总是在外面走动。一九七九年回国之后，他们就准备到新西兰和澳洲中部旅行。然后再去周游世界。他们身体很好，而且比以往任何时候都更有闲、更有钱。

我们刚搬到库吉的新家，吉尔和格拉森就来看刚出生的维罗妮卡。那是一九八二年十二月，格拉森七十一岁。我们一直在客厅喝咖啡。格拉森自告奋勇收拾用过的杯子。几分钟后，我看见她站在浴室，手里拿着杯子，脸上一副迷了路的表情。她不好意思地笑了起来。这是她第一次来我们库吉的新家，不知道厨房在哪儿似乎也在情理之中。“往旁边让一让，我的宝贝儿，”她开玩笑地说，“当心撞断胳膊。”

还是这次来访，格拉森站在窗口，大街的风景尽收眼底。她正向我妻子解释什么，突然撩起裙子，朝大腿上的一块乌青指了指。这些反常的举动可不像她的所为。我们心里都很着急。可是转念一想，也不一定真的有什么问题，谁都知道，她是个古怪、偏执的老太太，行为举止常常怪怪的。那年，吉尔刚刚七十四岁，身体很好，不知怎地喜欢起草地滚球[①]，又激发起他通常那种争强好胜的精神。他每星期六都穿着白色运动服去打球。运动衫上还挂个胸牌，上面写着“吉尔·沃克”。他曾经动员格拉森也去参加女子草地滚球队，她却嘲笑他们都是些白来亨鸡。为了表示强调，还咯咯咯地叫了几声。这样说话很不公平，白来亨鸡是很好的家禽。我仿佛听见竞猜比赛主持人问：什么时候白来亨鸡被承认符合美国家禽品种标准？太容易了。一八七四年。格拉森也许压根儿就不知道，最终还是吉尔获胜。这时候，格拉森看到成为新人的机会。她的胸牌上写的是：姬儿·沃克。我用怀疑的目光看她的时候，她说，走着瞧吧！

吉尔教姬儿如何打草地滚球。他解释说，可以正手击球，也可以反手击球，但是无论哪种击法，握球的姿势都必须正确。他在客厅里给姬儿做示范，姬儿面无表情。吉尔继续教她如何在绿地上短打、长打、慢打、快打。这样打球的时候，研究草的走势很重要。他弯下腰，实地操作，摸着地毯，就像摸草坪一样。姬儿看了又哼哼鼻子，还是一言不发。吉尔想来点儿“喜剧性插曲”的时候，就向我讨教，如何赢得比赛。至于姬儿，

①草地滚球是一项集运动竞技和休闲娱乐于一体的时尚运动，起源于英国宫廷，具有数百年的历史。比赛可分男女或男女混合组成两队竞赛，比赛时双方运动员轮流向预先规定的目标球发出滚球，以靠近目标球者为赢。

你说什么都没用，左耳朵进去，右耳朵出来，根本不往心里去。她一直在想，花一下午时间就是为了让一个黑颜色的大球靠近一个白颜色的小球，有什么意思呢？什么快打、慢打，都是屁话！姬儿的球滚不进左边的赛道，也滚不进右边和中间的赛道，总是半路就停下，陷入“无人之地”。姬儿只学了短短几天，就甩手不干了。就这样吉尔继续滚他的球，格拉森继续织她的毛衣。

格拉森的头发越来越少也成了问题。该戴假发了。她相中一个茶色头套。上世纪七十年代，制作假发的水平还不怎么高，假发套只是个像头发似的玩意儿，虽然可以遮遮秃顶，但也同时告诉人们你的头发掉光了。吉尔也遇到同样的问题，不过他不戴假发，而是选择戴帽子和用侧面的长发盖住头皮以遮掩秃头的发型，这也是值得满足的事，那种发型就足够了。我的毛发还是很重，头发比家人和朋友都多。说到头发，我们家的人稀的稀，密的密，五花八门，真可以写一本教科书。

随后一两年，格拉森的情况越来越糟，她变得越发健忘。我姐姐在阿德莱德，亲眼目睹了这一变化。虽然都是小事，但积累起来问题就严重了。吉尔和格拉森没当回事，他们只是觉得年纪大了，手脚不利索，脑子不好使罢了。这种说法并非无懈可击，因为吉尔还在打草地滚球。如果年事已高就可以解释糊里糊涂的话，为什么他还能过目不忘？这当然不是吉尔和格拉森能探讨的问题。不管什么时候，我从悉尼给他们打电话，听起来他们的状况都很好。实际上彼此都知道，情况并非这么乐观。格拉森虽然不常去看医生，但她还是经常不由自主地尝试各种疗法。她仿佛又回到贝尔纳·麦克菲登[①]的时代，相信大自然掌握恢复健康的钥匙。格拉森去看过一个搞物理疗法的人。那人说，只需这儿捏捏，那儿掐掐，就能治好你的毛病。

我能理解她的希望。格拉森去世几年之后，我还会在梦中回到家里。格拉森记忆出了问题，对于她那个走向歧途的世界，她迷惑不解。可是我在梦中看到的她还一切正常。还和我们开过去常开的玩笑，说过去常说的老话。我百思不得其解，很想和吉尔聊聊，问问他怎么会发生这样的事情，可是总没有机会提这个问题。而且确实也没有必要这样做。没有什么可讨论的。那些梦重新展示了格拉森生命最后十年的经历，创造了一个我们都希望她能拥有的更好的结局。吉尔一直拒绝相信格拉森正在走向她自己那个陌生的、不连贯的、无法辨认的世界。他们一直拿本弗莱默的《旅行指南》一起出去旅行。格拉森坐在他们那个蓝色箱子上，吉尔去办理入住小旅馆的手续。他们最后一次，也是时间最长的一次旅行和前一次旅行不同。格拉森并没有想到那会是她的“告别之旅”。谁知道她穿越了多少条国界，在多少道让人魂牵梦绕的风景线中留下了足迹。

毋庸讳言，母亲是有点儿精神错乱。在我父母亲那一代，精神病院是一个无法想象的、可怕的地方。后来，我终于让父亲承认母亲精神有问题时，他对精神病院的恐惧给我留下非常深刻的印象。他担心格拉森会被送到派克塞德，求我无论如何也不能把妈妈送到那个可怕的地方。派克塞德精神病院从

①贝尔纳·麦克菲登（1868—1955）：美国第一位“健康专家”，他那个时代的领军人物。

一八七〇年起就是一个让人望而生畏的标志性建筑。它被石头高墙环绕着，墙头上还插满了锋利的碎玻璃。后来，高墙被拆得矮了一点儿，碎玻璃没有了，名字也改变了，可是它那可怕的历史依然镌刻在砖石之上。我那时候不知道，奥斯瓦尔德曾经被关在这里。关在这里的人，比监狱里的罪犯还要受苦，因为他们是被锁在铁窗后面的精神病人。格拉森一直是吉尔的骄傲。她的健美操做得那么漂亮，谈吐那么优雅，吉尔无法想象让她在精神病院度过余生。我当然明白，他为什么竭尽全力保护自己的妻子，不被那些有权有势的官员送到疯人院。

在家里我是最小的孩子，不知道面对这种情况，应该扮演什么样的角色。哥哥在新西兰，我在悉尼，只有姐姐一个人在家里照顾两个老人。给格拉森看病的那个老医生步履蹒跚，总是不想把她的病情告诉我们。我们越来越清楚地看到，格拉森这种情况继续下去只能是把吉尔推向深渊，把他的身体也搞垮。我觉得到我拿主意的时候了。我没有和那位无可救药的老医生打过交道，对由于他的原因而引起的“并发症”也不甚了了。但我知道我和母亲的关系比哥哥姐姐和她的关系要更近一些，所以，由我决定该怎么办，是理所当然的事情。吉尔也是这样想的。格拉森也许还记得她的“戴维宝贝儿”，还能听他的话。

听说母亲摔了一跤，父亲拉她的时候也摔倒在地，我便清楚地知道，该回阿德莱德了。格拉森还能认出我是谁的时候，没有问我怎么跑到格林伯恩路来了。我就像个烤箱，反正就在那儿搁着。我发现吉尔精疲力竭，一脸困惑，像一个被打败的人，无处藏身。格拉森必须有人看着。任何电器对于她都是危险。她似乎只会开炉灶，不会关。打开冰箱门，直愣愣地站在那儿，不知道要干什么。拿起电话却不知道该说什么。电话铃响个不停。原来计划生育门诊部的电话号码和我们家的电话号码非常接近。总有人打电话来要避孕药具，或者咨询关于计划生育方面的事情。这可不是吉尔的长项。要是过去，大家听了都会当笑话，哈哈大笑。可是现在成了很难解决的问题。

格拉森穿衣服也成了一件难事。经常是吉尔问她要穿什么，她说不出个所以然。还有的时候，她倒是能准确地说出穿哪件衣服，可是临到要穿的时候又突然改变主意。好不容易给她穿好之后，她又问，要上哪儿去？为什么不穿那件外套？吉尔当然可以随便给她拿件睡衣、拿双拖鞋穿上。但是，他不愿意这样做。他知道，格拉森不喜欢衣着随便，愿意穿戴得整整齐齐，所以总是尽最大的努力满足她的要求。

那时候电视剧《母亲和儿子》正在热播。这部戏的剧情和格拉森每况愈下的病情正相吻合。鲁斯·克拉克内尔扮演玛吉·比尔，一个刚得上老年痴呆症的老太太。我们都不想看这个节目，但是并不能每次都成功地躲过。玛吉看起来好像失去了理智，可是事实证明，她最后总能取得成功。那个精明的老太太在家里还是什么事都由她做主。这个剧想告诉人们的是，并不是玛吉的病有多么严重，而是她周围的人看不到她恢复的能力。它要传递的信息是，她是个个性强、好争辩的女人，要给她应有的尊重。格拉森·莫德·华莱士·伯恩·沃克一直就明确表示，她可不想最后成了个植物人，靠饲管活命。她像老玛吉一样，个性很强，但是病情不以人的意志为转移。她的记忆力、精神系统以及身体脏器的功能都在急剧衰减。后来我们才知道，玛吉·比尔得的是不是老年痴呆症还两说着呢。她不

◎格拉森，一九八七年

过是编剧笔下的一个人物。

我不得不告诉吉尔，他不能再这样照顾格拉森了。我们得先找个临时看护，再找一家可以长期居住的疗养院。他非常沮丧地看着我，什么也没说。于是，我们家上演了《母亲和儿子》的续集《父亲和儿子》[①]。特写镜头：一位老人家尽心尽力服侍妻子将近五十年。镜头摇向妻子，小心翼翼把她的假发扔到炉灶里。而她那位没有实际能力的“学者儿子”手足无措。预先录制的笑声。下一步该怎么办？等待吉尔让我知道他在想什么，我知道他会告诉我的。他是个大好人。尽管他是个大好人，我的计划还是让他不安。他不想告诉格拉森，她已经不能再在家里住了。他怎么能告诉她这种事儿？她又会做出怎样的反应

①此“《续集》”是作者在开玩笑，并非实有其事。

呢？格拉森现在看起来虽然挺温顺，但是吉尔还是担心她会不满、会反抗、会跟他闹腾，指责他想把她锁起来。他可不愿意这样做。尽管想过各种计划，安顿他们到个比较理想的地方，但是真正觉得有必要离开家的时候，还是不知道如何是好。很难走出下一步。

我对吉尔说，我和格拉森谈临时看护的事儿。“是吗？”他问道。他还是忧心忡忡，着急，害怕……谁知道会发生什么事情呢！格拉森会大声叫骂，还是伤心地哭泣？我出面和她谈是不是只能把事情弄得更糟？我心里一点儿把握也没有，觉得唯一合乎人道的做法是让她想办法理解，我们是为了她能得到更好的照顾，而不是要把她锁起来才这样做的。我们一直希望她还有足够的理解能力，打消疑虑。那是下午晚些时候，父亲和我都心力交瘁。我们想先睡觉，如果等到早晨还觉得由我出面和她谈是个好主意，就谈。我们听见榛树公园里的鸟儿叽叽喳喳地诉说着它们一天都干了点儿什么，计划着晚上吃什么饭。这群多嘴多舌的家伙！我在我原来住的房间里躺下睡觉。

吉尔和我看问题都比较世俗。他认为死亡是人生之路的终结，而不是新旅程的开始。没有什么来世团聚，没有天堂也没有地狱。所以吉尔和我无法从宗教信仰中得到慰藉，也不会依靠神的恩赐或者耶稣基督的宽仁之心。我们也不寄希望于格拉森会上天堂，并且因此而得到稍许的安慰。我们家虽然有一本家用《圣经》，但谁也不看。要是想看，也不知道该看哪一段。除此而外，这也不是我们要做的事情。

第二天早晨，吉尔还为和格拉森谈话的事儿心烦。我们把她领到客厅，给她倒了一杯茶。吉尔给她穿戴得整整齐齐，洁净的长裙是她喜欢的秋天的颜色。他走了出去，在走廊里来回踱步，不时朝我们这边瞥一眼，想弄明白我们谈话的进展如何。玻璃拉门关着，他听不见我们在说什么。这个房间的装饰布置都是格拉森的创意，反映了她的审美情趣。一九六三年底从国外旅游回来之后，她和吉尔从罗伯特大街搬到这个名叫榛树公园的地方。这儿是阿德莱德比较老的、绿树成荫的郊区。从厨房窗口望出去，看得见公园里一株株古桉树巨大的树冠。瀑布谷也遥远在望。从前，胖普·伯恩到自来水公司上班时，走累了经常在这儿停下脚步休息。年轻时候，格拉森一发脾气，我就步行到这儿游玩。吉尔和格拉森买了一幢石头造的新房子。这是他们要到一个好的郊区，在一幢比较现代的房子里过新生活的标志。这儿的土壤比罗伯特大街的好。吉尔有一块非常漂亮的草地，草地上点缀着一株株亭亭玉立的白桦树，还有花满枝头的樱桃树、两株枫树，每逢秋天这里色彩斑斓，景色宜人。这里离格拉森的老家玛利雅特维尔不远。

闷热的夏天傍晚，格拉森侧耳静听从阿德莱德山吹来的“山谷微风”。听见窗户发出的咔嗒咔嗒的响声，她就起身出去，希望清风吹走暑热。徐徐吹来的晚风仿佛哑剧的一部分。晚风中，一个受尽折磨的人——格拉森·莫德·华莱士·伯恩·沃克——几乎要被热死。由于“山谷微风”的仁慈，才又注入生命的力量。但是风儿不会马上就到来，只是吊人胃口。胖普和莫蒂那个时代也许可以时常享受到这种清风。那时候大山和他们之间没有那么多房屋。我在想，“山谷微风”的哑剧是不是只是格拉森从孩提时代起在脑海中留下的记忆？是她和姐姐布兰奇玩的游戏？小时候，爸爸妈妈总是鼓励她们俩跳舞玩儿。

我们落座的那个屋子有一个凸窗，足见这条大街“与众不同”。家具都是格拉森选的。我总觉得对于这个房间，那些家具太大，也太华丽。让人想起古老的法国，想起那个高雅的世界，身穿制服的仆人走来走去，弦乐四重奏在耳边回荡。一幅很大的油画装在精美的框子里挂在墙上，画面是郁郁葱葱的森林。森林前面是一泓碧水，一条小路环绕在绿树与碧水之间，背景是欧洲秋天色彩缤纷的风景。凸窗旁边放着一盏雪花石膏做的乳白色落地灯。这盏灯是吉尔和格拉森在意大利比萨连开玩笑带讨价还价之后买来的。“你知道吗？小伙子，”记得格拉森对我说，“我向斜塔走过去的时候，觉得头晕目眩，连忙抓住吉尔的胳膊。他说，‘谢谢你扶着我，我有点儿站立不稳’。他以为我是为了扶他才去挽他的胳膊，其实我自个儿还摇摇晃晃呢！”我们都哈哈大笑起来。那盏灯是我们都很喜欢的一个物件儿，能让他们想起周游世界的经历。

我花了好长时间琢磨如何和母亲谈这件事情。我先给她讲了我和凯伦以及两个孩子在悉尼的情况，还给她看了几张她们和两只马尔济斯小狗特萨和艾尔夫的照片。两个小东西是狗妈妈和狗儿子结合的产物。格拉森看着那些照片，虽然没问什么，但是看得出能听明白我在说什么。我们家经常养猫。在甘比尔山住的时候，养的那只猫我管它叫“橘子酱”。我一直认为，我叫它“橘子酱”的时候，它知道那是它的名字，所以就会做出反应。可是吉尔坚持认为，它听得懂我的声音，而不是它所谓的名字。如何才能证明我们俩谁对谁错呢？吉尔让我像平常那样叫它，不过不叫它的名字，而是叫它“甜瓜和柠檬”。我们等待着。不一会儿它就从篱笆后面跑过来，找它的“下午茶”。

我问格拉森，现在我们不养猫只养狗，是不是对猫的背叛？她犹犹豫豫地摇摇头。我对她说，我还养着一只大黄猫，名叫苏凯。我还让她看了一张特萨和苏凯一起卧在沙发上和平相处的照片。她仔细看着那张照片，突然转过脸问我："你写了一本三条水下帆船的书，是吗？"

我吃了一惊。我虽然没有写过"水下帆船"的书，但是她这个想法给我留下很深的印象。我停了一下，没有回答，格拉森摇了摇头，笑了起来，说道："我没有说对吧？"我只得承认，她没说对，但补充道，水下航行是一个很好的题材，可以写一本不错的书。她怎么会生出这样一个想法呢？什么样纠结不清的大脑皮层的运动才能把我和这样一本书联系起来呢？在国立大学读博士的时候，我写过一本关于墨尔本作家的书。万斯·帕尔默是其中之一。所以写点儿东西还是可以的。但是要表现什么主题就难说了。尽管我们俩的交流绝对谈不上鼓舞人心，但格拉森和我毕竟是在聊天，虽然常常有一搭无一搭，或者词不达意，或者离题万里。我觉得她认为自己生活在海底世界，那里有各式各样、奇形怪状的海洋生物。

我对她说，听说她摔了一跤，吉尔想扶她起来的时候自己也摔了个跟头。我还在纸上画了一幅画。小时候她就经常这样教给我弄懂一件事情。她看见我画的那张他们俩都躺在浴室地板上的画，脸上露出微笑。我趁势告诉她，吉尔担心他没法儿再在家里照顾她，还指着我画的画，加了一句，他总趴在地上对他身体也不好。格拉森表示同意我的看法，还笑了起来。那是一种让人听了浑身发冷的笑，但毕竟是笑。我看见吉尔在走廊走来走去，想知道事情进展如何。我感觉到格拉森听懂了我的意思。我解释说，吉尔不能再照顾她了，他自个儿也需要休息，我们给她找个地方，她在那儿可以得到很好的照顾。我们还可以经常去看她。她可以生活得更舒服一点儿，吉尔也能恢复一下体力。格拉森静静地听着。我问她这样做合不合适？还解释说，我们不会让她做任何她不愿意，或者不明白的事情。

就在我们的谈话快要结束的时候，格拉森突然问我，“有没有处理掉那件该死的睡袍？”起初我没弄清楚她说的是什么，直到后来她朝前面花园的信箱指了指，才恍然大悟。她指信箱的时候，胳膊轻轻地颤抖着，她老了，弱不禁风，快成个玻璃人儿了。好多年以前，我们家这幢房子的照片被登在一本用亮光纸印刷的杂志上。那本来是一张全家人为之骄傲的照片，可惜我穿着一件破破烂烂的睡袍，站在信箱旁边。那张照片拍摄的时候显然已经是下午。格拉森经常提醒我，就在“她的”房子唯一一次向世人展示它漂亮的环境时，我穿了件破烂的睡袍，站在门口大煞风景。格拉森把那么多事情忘得干干净净，可是这个小插曲居然记得清清楚楚。我们俩都为我那副傻样儿笑了起来。吉尔似乎松了一口气，从外面走了进来。阳光明媚了许多。

打了一大圈儿电话，终于找到一个能临时看护她的地方。我又向格拉森解释了一遍，我们要送她去一个新地方，到那儿以后，她可以得到更好的照顾，吉尔也可以休息几天。我们到了那家所谓疗养院之后发现氛围一点儿都不好。太像医院了，太多事了。看得出格拉森心里很是不安。我不得不又重复了一遍在家里说过的话安慰他。一个步履轻捷的小护士走过来问她是不是格拉森·沃克？格拉森站起来，凝视着护士的目光，说：“我是。”她那坚定的目光和这简短的两个字显示出她的勇气和尊严。我从心里为她骄傲。她不但听懂了我的话，而且尽力把自己最好的一面展示给别人。

护士领我们向格拉森的“新家”走去。我们跟在她身后走过好几道门，直到走进一个让人望而生畏、叫作老年痴呆患者的病房。这和我向格拉森再三许愿如何宁静、如何温馨的地方大相径庭。一个蓬头垢面的老太太朝我们大声叫喊着，还一脸嘲弄，朝新来的格拉森比比画画。别的人躺在床上，旁若无人。在这样一个可怕的地方，我先前的保证都化为云烟。我们都想尽可能多陪陪格拉森。他们说，这儿小偷很多，什么东西都得锁起来。格拉森明白她现在到了什么地方，也明白在别人眼里她已经变成什么样子。但是她没有生气，没有指责，也没有出现任何我们当初担心的问题。可是，她这种“逆来顺受”、漠然视之的态度更让人揪心。我觉得我出卖了她。离开医院的时候，吉尔和我都非常沮丧。那天夜里，我为格拉森·莫德·华莱士·伯恩·沃克哭了好久。为那样一个刚强的人居然变成这样一副样子，为她骄傲地站在那个护士面前，也为我没能给她找到一个更好的地方哭泣。

又打了好多电话，去了好几个让人一看就丧气的“疗养院”，吉尔和我终于找到一家条件比较好、可以接收格拉森的地方。但是必须得等有人死了，腾出地方，她才能入住。可是，人家什么时候死还是个未知数。即使这样，我们对院方还是非常感谢。还好，等的时间不长。格拉森总算住进一家条件不错的疗养院，而且能住个单间。这家疗养院想得很周到，庭院收拾得很漂亮，绿草如茵，樱花开满枝头。格拉森看起来很快活，房间里摆满家人的照片，并不清楚她究竟在哪儿。在家的时候，即便坐在自己的客厅里，周围都是熟悉的物件，她也会吵着要回家。吉尔每天都去看她。和疗养院的人熟了之后，他经常把自家花园里的花带给他们。大家都觉得他是个可爱的老先生，对妻子关心得无微不至。和电视剧里杜撰的玛吉·比尔不同，格拉森的老年痴呆症完全按照医学规律发展。虽然她自己不知道，但在别人看来，她病情发展得很快，结果也是可预知的，她似乎愈走愈远，我们很少再看见、听见先前那个格拉森。

吉尔直到九十多岁头脑还很清晰。他和孙儿孙女建立了深厚的感情。我小时候，他总是摆出一副校长的架势，对我们兄弟姐妹要求都很严格。可是随着年龄增长，他变得特别宽容。他从来都不是那种怨天尤人的人。明明有许多事情他有理由抱怨，但也总是装在肚子里，默不作声。我觉得这里面也有点儿算计的成分。他清楚地知道，如果自己是个性格暴躁的老头，没人会来看你。和许多老人不同，他不会一天到晚唠唠叨叨对现在这个世界说三道四，也不会看不惯年轻人，说什么一代不如一代。如果他的孙女把头发梳成中间凸起的鸡冠头，或者把头发染得五颜六色，他也不会大惊小怪。如果她们想和他聊天，或者打台球，他更是求之不得。

格拉森最后的三年一直蜷缩着躺在床上，谁也不认识。她也许能听到我们的声音，或者只能听到从大海深处传来的回声和声呐信号。她在海底，看不见的暗流无声地涌动，一团团海草在海水中漂浮、摇晃、旋转。海兽在黑暗的海底无声无息地游动。面对蜷缩在病榻上的这位老人，越来越难想起她在患老年痴呆症之前是个什么样子了。就连吉尔也在绞尽脑汁回忆老格拉森以前的模样。到后来，问她情况如何已经毫无意义。每天都是那个样子。尽管吉尔总是抱着一线希望，似乎会有生命奇迹发生。我们回阿德莱德的时候，他就坐车一块儿去疗养院。我们爬进汽车，尽量装出一副很乐观的样子。可是去疗养院的路上，下了车走过停车场那一小段路、把鲜花送给前台，再向病房走去的时候，我们心里都惴惴不安。她已经不再一个人住一间屋子了。现在她住什么样的病房都一样。

推开门，看见格拉森总是蜷缩着躺在床上，好像在睡觉。每次探望都是上一次的重复。她看起来已经非常苍老，瘦得只剩下一把骨头。她的皮肤长着老年斑，就像羊皮纸。花白的头发只剩下几缕，根本用不着护士再给她梳头。假发套早就不见了。死神也住在这个屋子里，只是还没急着召唤她。我们试着和格拉森说话时，每一个仿佛变了形的字都在半空中尴尬地悬垂着。现在，没有什么话能再到达她的耳际，没有什么人能再走进她的心灵。吉尔有时候会弯下腰，把一粒豆形软糖送到她嘴里。“吃吧，格拉森。”他柔声说，眼巴巴地看着她会有什么反应。“你喜欢吃软糖，对吧，亲爱的？”脸转到哪边都一样，眼看到哪边都一样。她一动不动，一点儿声音也没有，连最轻微的表示认出我们的迹象也没有。格拉森已经远行，走到这座城市的尽头，走过任何我们知道或者希望知道的地方，走得很远、很远……

图书在版编目（CIP）数据

光明行：家族的历史 / (澳) 大卫 · 沃克著；李尧
译. -- 青岛：青岛出版社, 2017.11
（李尧译文集）
ISBN 978-7-5552-6346-3

Ⅰ. ①光… Ⅱ. ①大… ②李… Ⅲ. ①传记文学－澳
大利亚－现代 Ⅳ. ①I611.55

中国版本图书馆CIP数据核字(2017)第290612号

书　　名	光明行——家族的历史
著　　者	（澳）大卫 · 沃克
译　　者	李　尧
出版发行	青岛出版社
社　　址	青岛市海尔路 182 号（266061）
本社网址	http：//www.qdpub.com
邮购电话	13335059110　0532–85814750（传真）0532– 68068026
责任编辑	刘　坤
整体设计	刘　欣
印　　刷	青岛国彩印刷有限公司
出版日期	2018 年 1 月第 1 版　2018 年 1 月第 1 次印刷
开　　本	32 开
印　　张	11.25
字　　数	200 千
书　　号	ISBN 978–7–5552–6346–3
定　　价	58.00 元

编校印装质量、盗版监督服务电话　4006532017　0532–68068638